# 「色のふしぎ」と不思議な社会
## 2020年代の「色覚」原論

川端裕人

筑摩書房

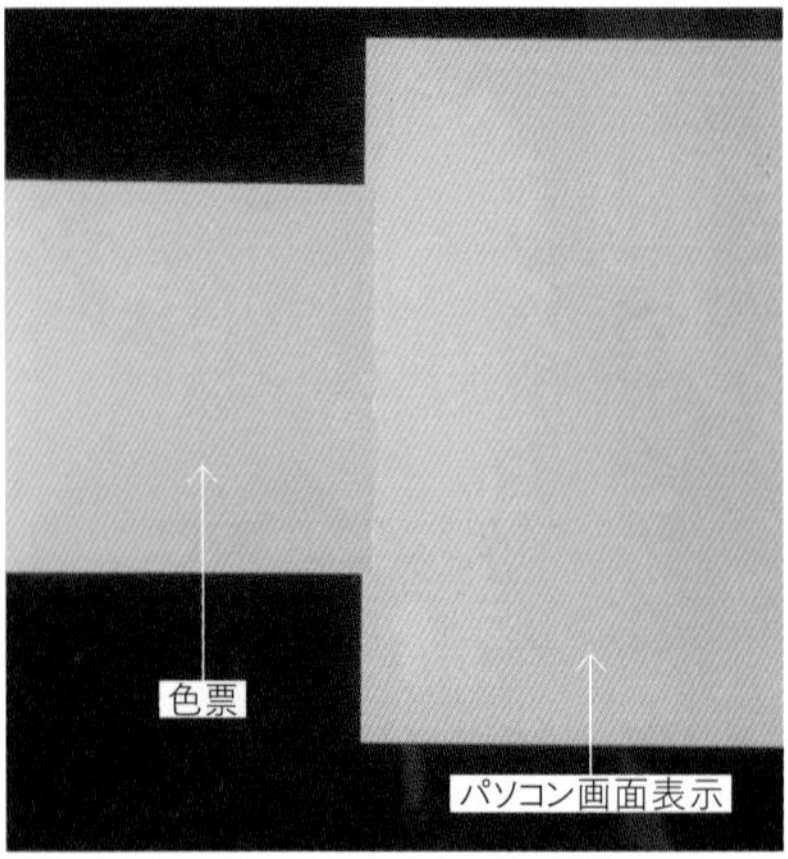


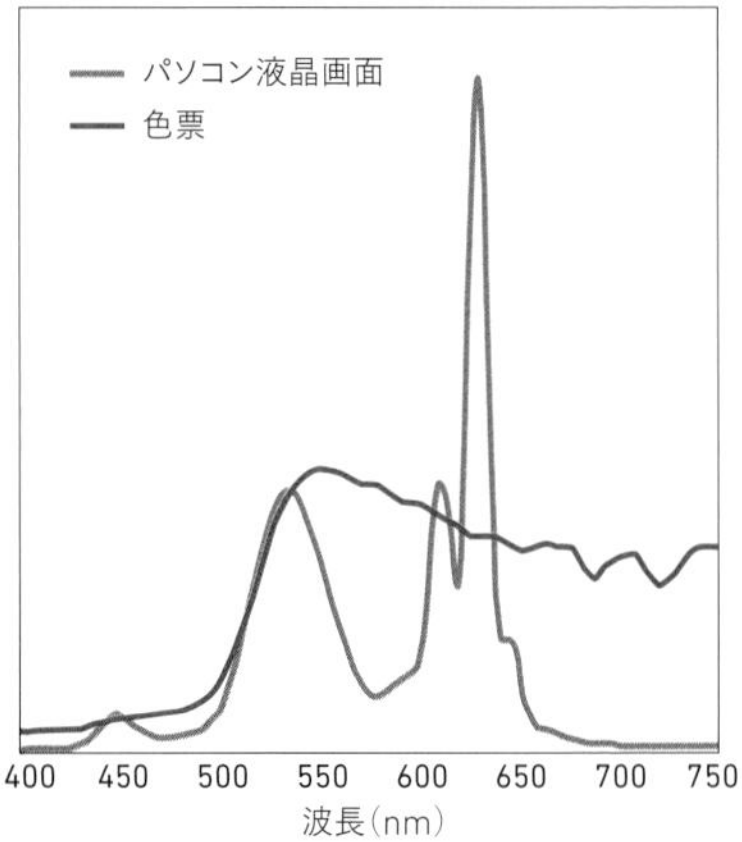


**口絵1　色票とパソコン画面のスペクトル分布の違い**（メタマーの例）
左図は、パソコン画面に貼り付けた色票と、それに近い色をパソコンの画像ソフトで作ったものを並べたもの（区別がつくよう、色を少しずらしてある）。見た目は非常に似ているが、スペクトル分布（右のグラフ）を確認すると、相当な違いがある。ほとんど同じ色なのにスペクトル分布が大きく異なる理由は、本文154ページを！

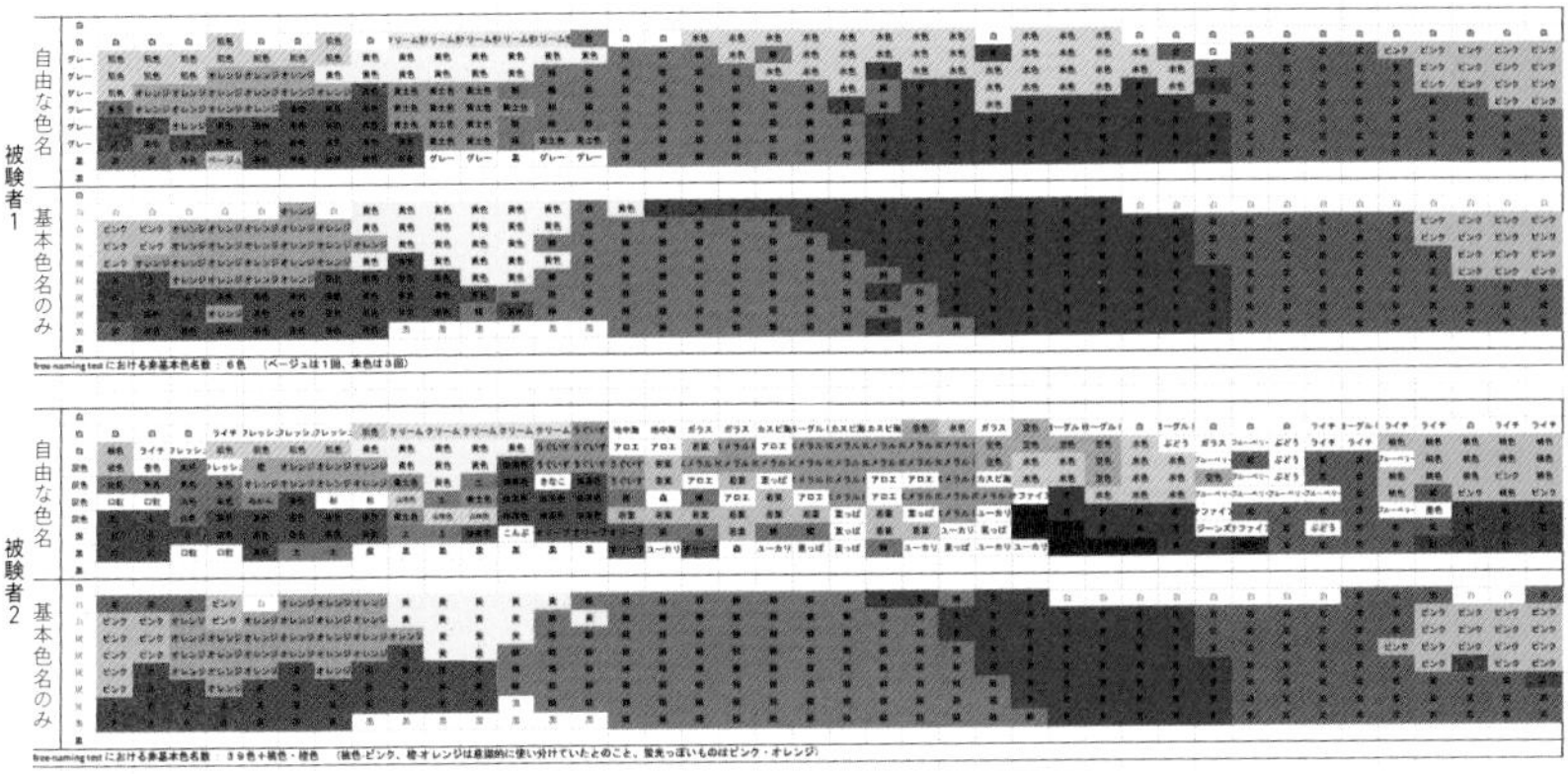


**口絵2　色カテゴリーについて2人の被験者の回答結果**

2人の被験者に対して330種類の色票を見せて、自由に色名を答えてもらう（上段）のと、11の基本色に色名を限定し、その中から何色に見えるか答えてもらう（下段）実験をした結果が、上の図。被験者1と2では、色の見え方に大きな差がある。例えば、被験者1にとっての青は、被験者2には緑であったりする。自由回答でもそうでない場合でも、こうした違いがある。＊171ページ参照　©Ichiro Kuriki

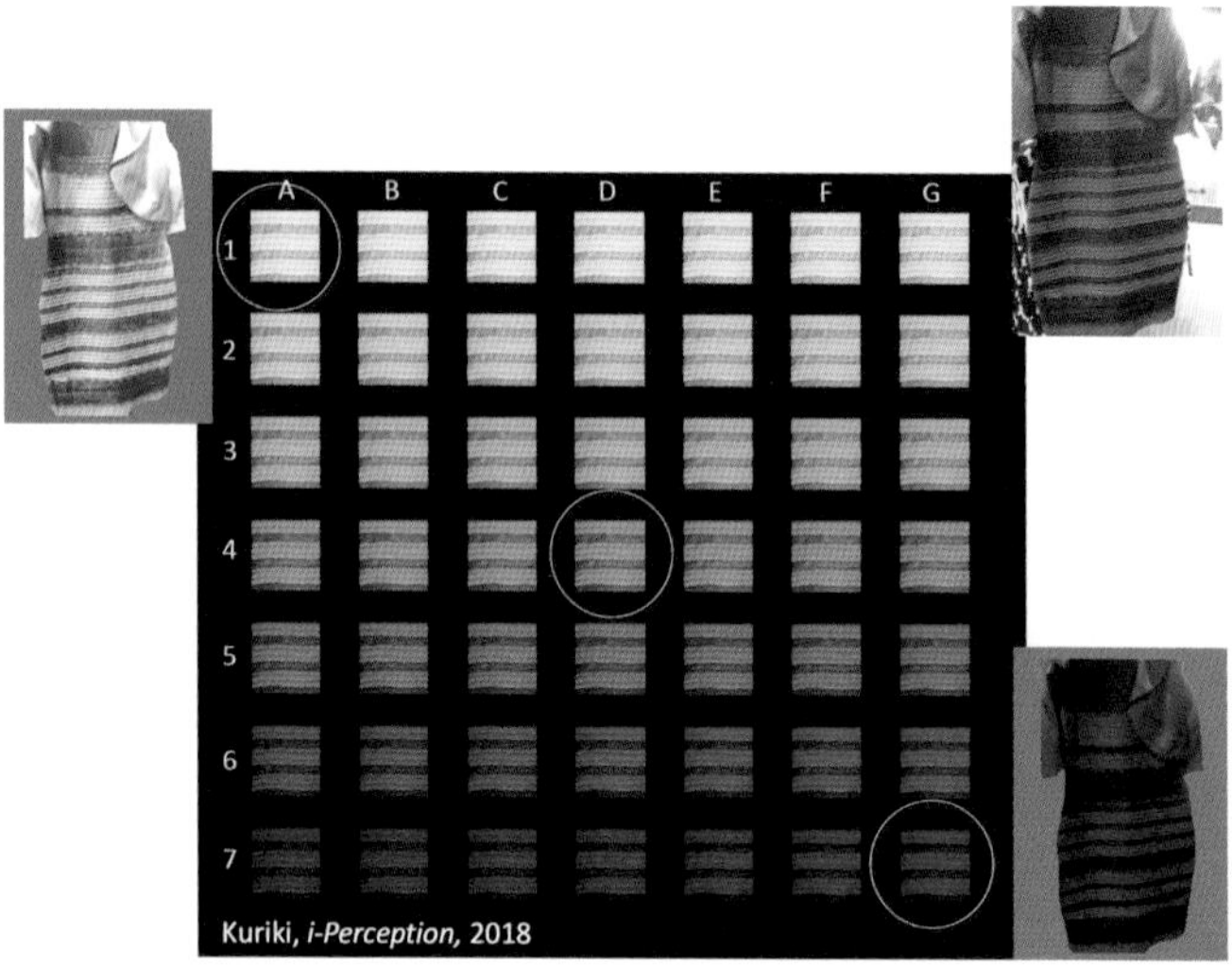


**口絵3　「ザ・ドレス」のシミュレーション画像**
同じドレスの写真なのに、人によって青黒にも白金にも見えるという不思議なドレス。この謎を解く鍵は「照明光の推定」にある。上図は、この考え方にもとづいて実施されたシミュレーションの結果。詳しくは178-187ページ参照。　©Ichiro Kuriki

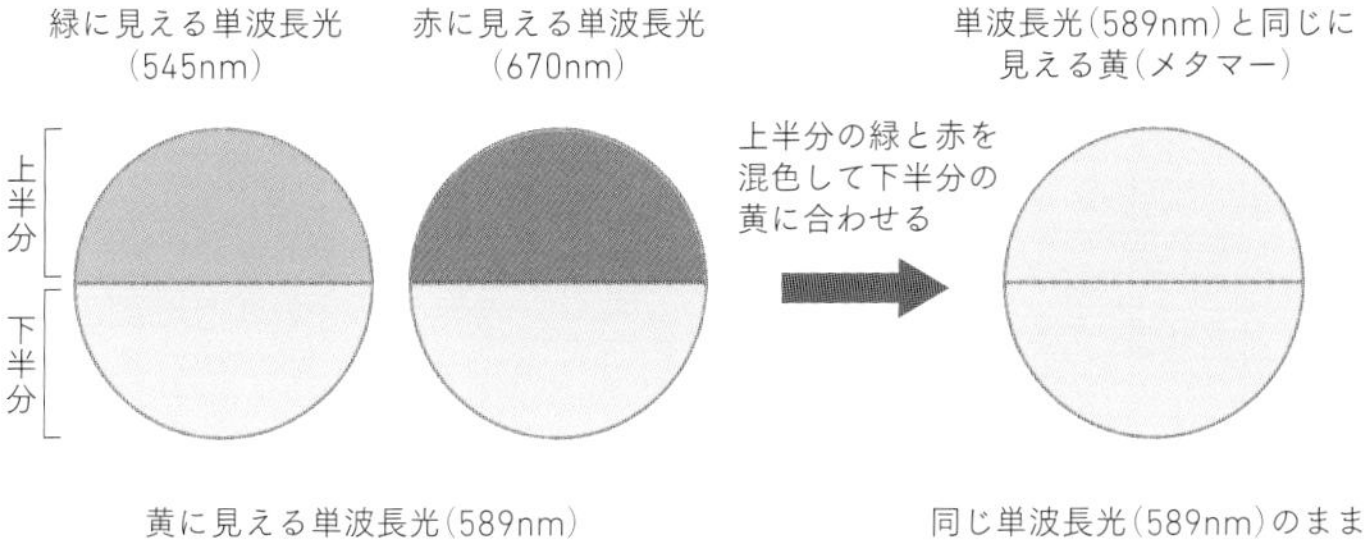


**口絵4　アノマロスコープの原理**

アノマロスコープの接眼部を覗き込むと、「上下に分割された円」が見える(上図)。上半分の円は、実際には緑と赤の光が重ね合わされて示される。この検査では、ツマミを回すことで上半分の緑と赤の混合比を変えていき、円の下半分に示された黄(こちらが基準色)と同じ色に見えるようにする。この混合比などによって、先天色覚異常の有無、タイプ、程度が判別できる。＊200ページ参照
©John Barburを改変

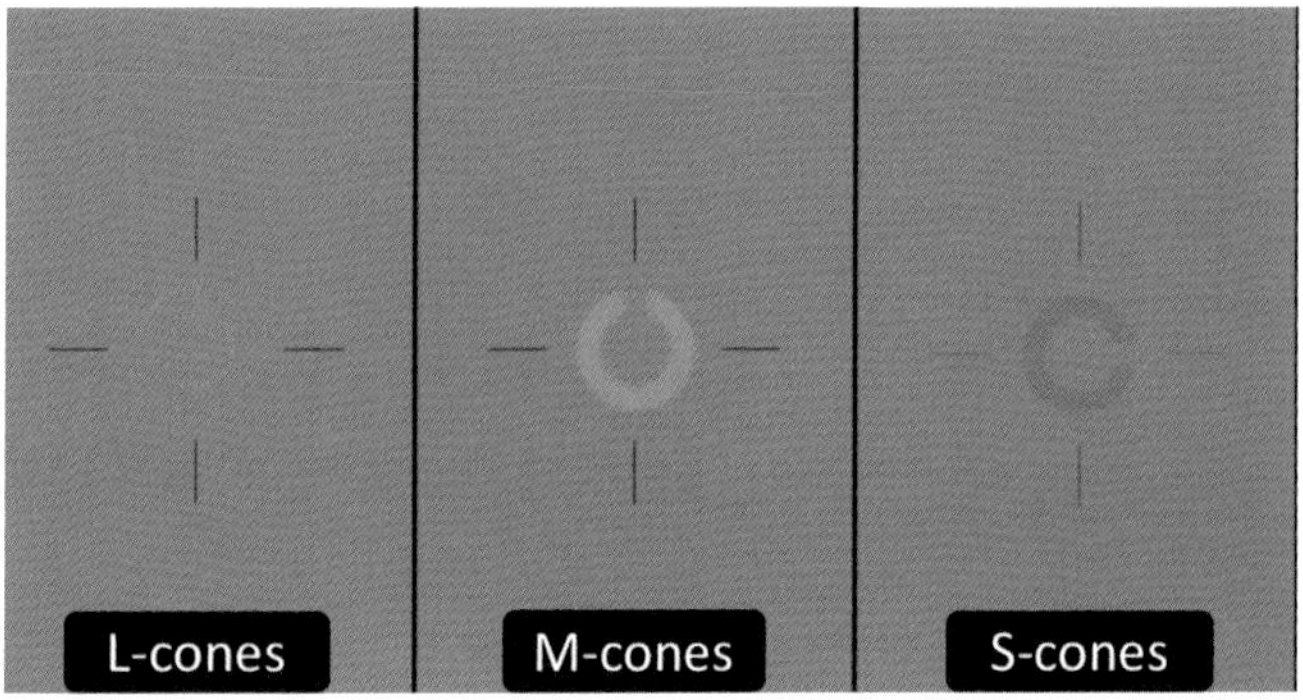


提供　株式会社コーナン・メディカル

**口絵5　CCTのランドルト環**

アメリカ空軍とKonan Medical USAは色覚検査用のソフトウェアを共同開発した。この検査では色付きのランドルト環がコンピュータの画面に示される。ランドルト環の大きさは同じままで、背景の灰色と区別のつきにくい微妙な色に変えていき、どこまで切り欠きの方向がわかるか見ていく。＊213ページ参照　©KONAN MEDICAL, INC.

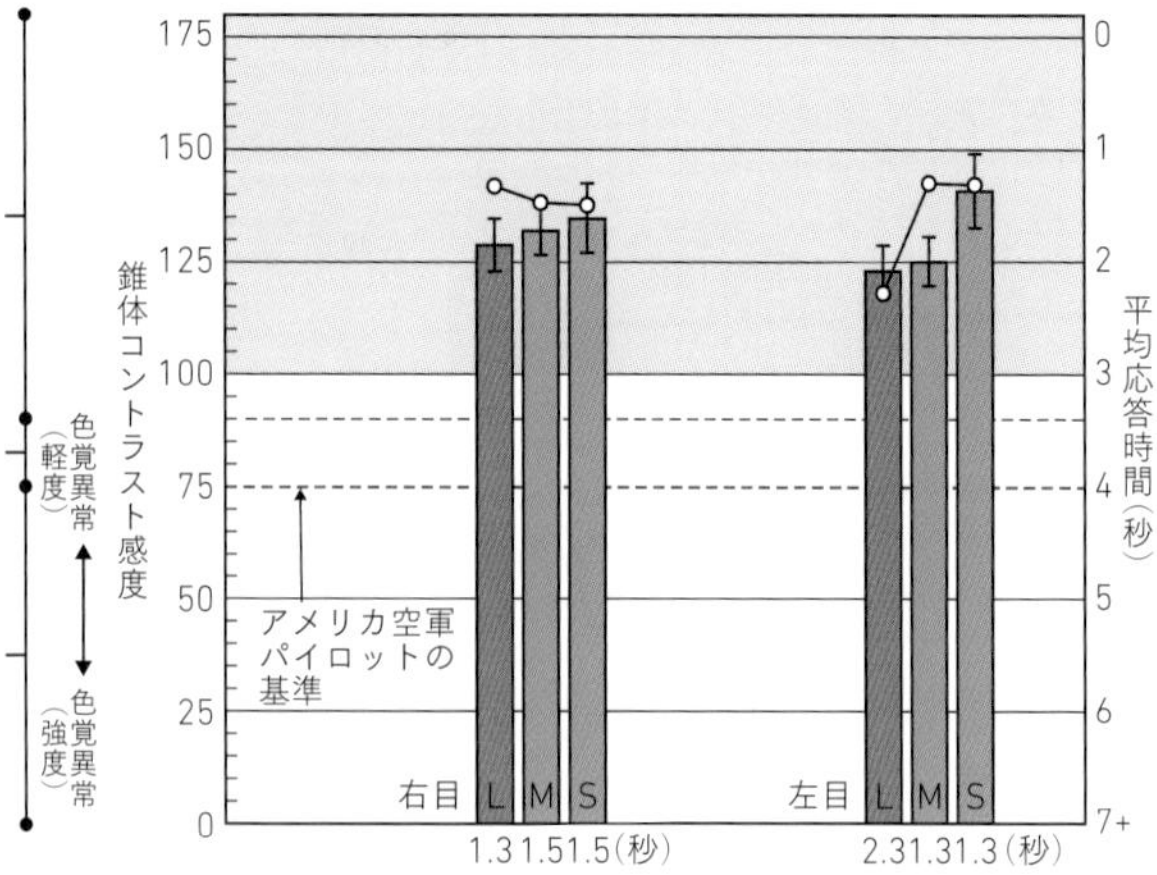


**口絵6　CCTの検査結果**
CCTの検査結果は、上図のように棒グラフで示される。ここに示されたスコアは、空軍パイロット候補生の合格ラインをはるかに上まわる「スーパーノーマル」の色覚を示している。折れ線グラフは平均応答時間で、参考として表示される。詳しくは214ページ参照。　

**口絵7　CADで使われる色の刺激の例**
ロンドン大学シティ校応用視覚研究センターが開発したCADでは15×15の灰色の格子の中を、色がついた5×5の格子が移動する。被験者はその方向を答えていく。詳しくは220－221ページ参照。　

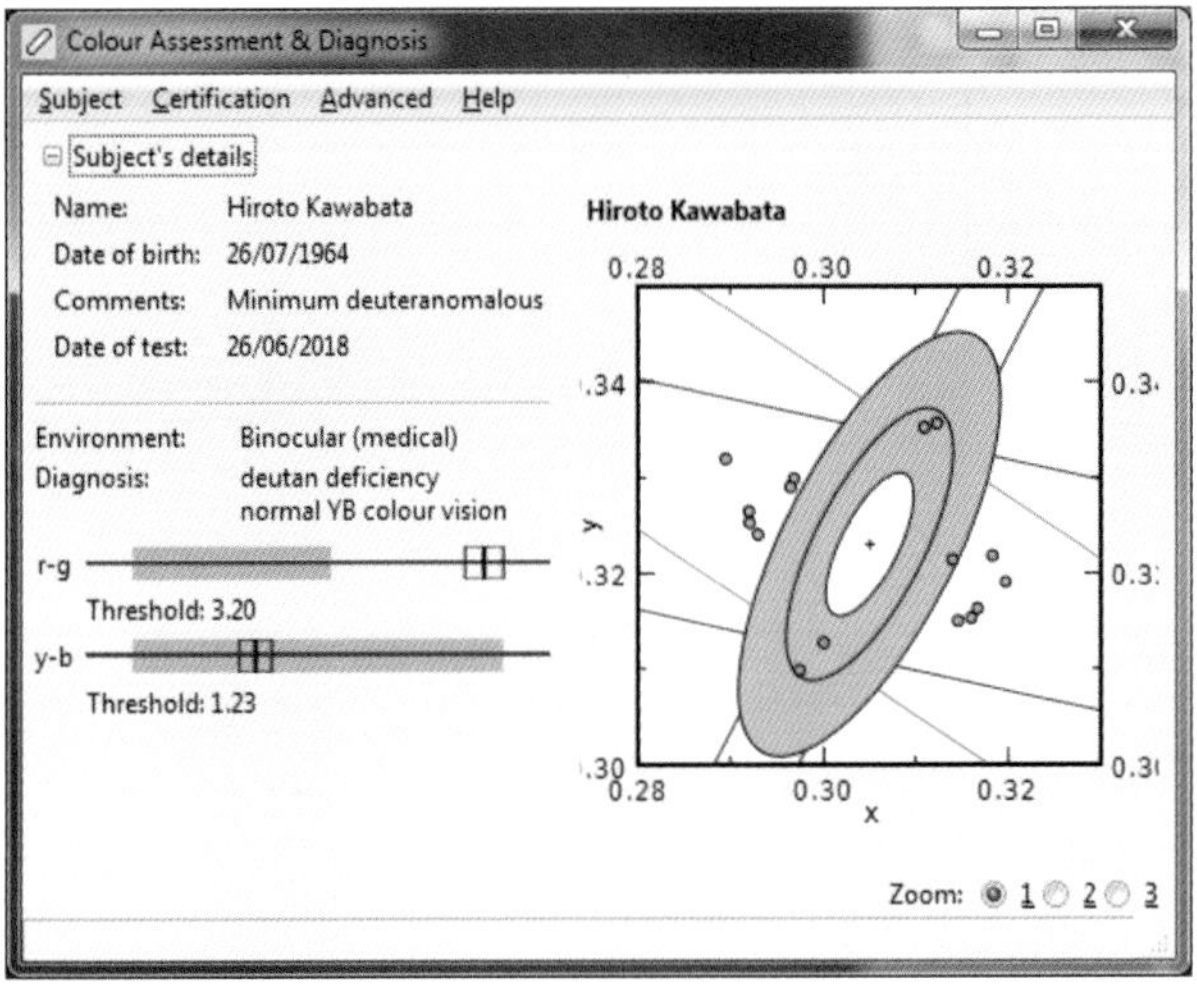


**口絵8　CADの検査結果**
上図の右側に、3重の同心楕円がある。中央の楕円が、「正常」の平均。内側と外側は「正常の範囲」を示す。楕円の長軸は青―黄軸、短軸は赤―緑軸に相当し、中心から遠ざかるほど、その方向の色弁別能力が落ちる。この事例では、青―黄軸は正常範囲だが、赤―緑軸方向は「正常の範囲」から少し外れている。＊222ページ参照

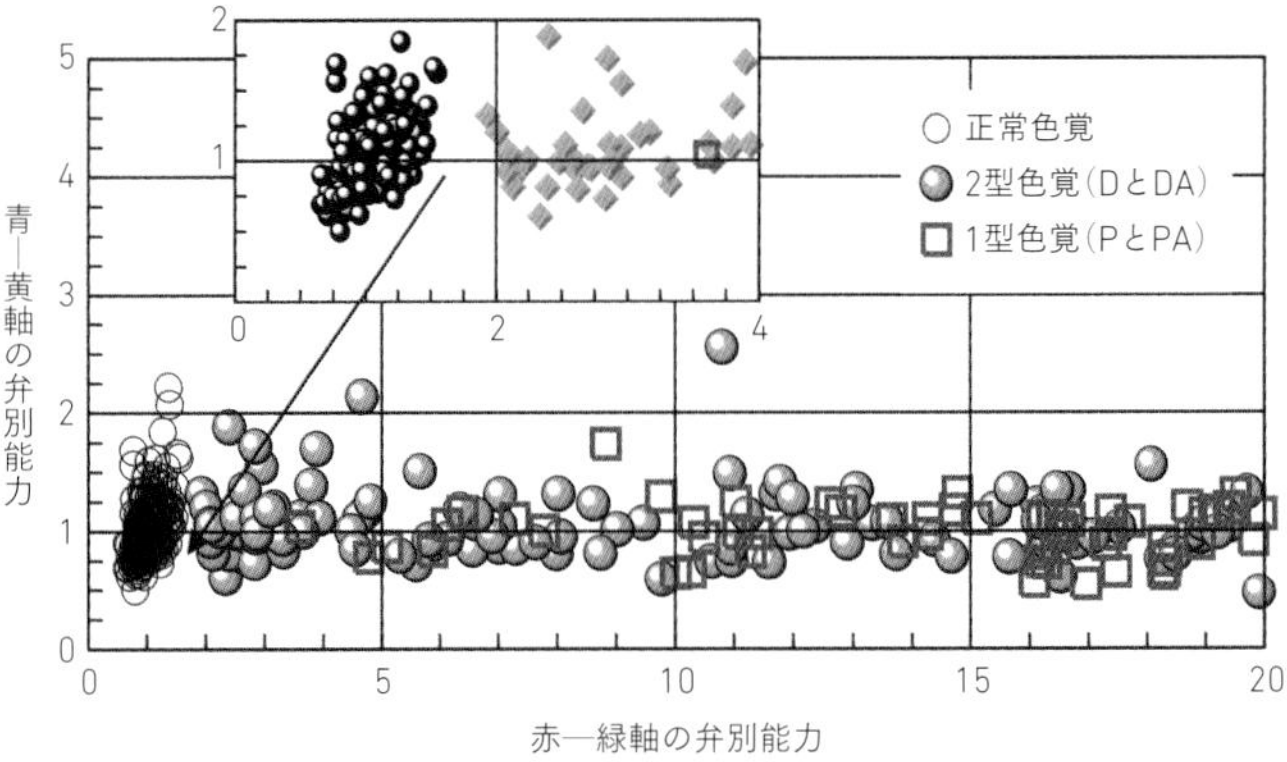


**口絵9　CADで明らかになった色の弁別能力の分布**
上図のグラフ横軸は赤―緑軸の弁別能力、縦軸は青―黄軸の弁別能力をとっている（単位は「正常色覚者」の平均を1とした閾値）。青―黄軸に比べて、赤―緑軸には広い分布がある。正常色覚（黒丸）と先天色覚異常（緑丸と赤四角）との境界は実質的につながっているが、詳しくみると旧来の検査方法では検出できない程度のギャップがある。＊229ページ参照　©John Barburを改変

一般材料の色による改正前及び改正後の色(図記号を入れた場合)

| | 赤 | 黄赤 | 黄 | 緑 | 青 | 赤紫 |
|---|---|---|---|---|---|---|
| 改正前 |  |  |  |  |  |  |
| | 7.5R 4/15 | 2.5YR 6/14 | 2.5Y 8/14 | 10G 4/10 | 2.5PB 3.5/10 | 2.5RP 4/12 |
| 改正後 |  |  |  |  |  |  |
| | 8.75R 5/12 | 5YR 6.5/14 | 7.5Y 8/12 | 5G 5.5/10 | 2.5PB 4.5/10 | 10P 4/10 |
| 色調整の方向性 | 1型色覚の人が黒と識別しやすかったため、黄みに寄せた。 | 赤が黄赤側に寄ったため、黄みに寄せて色相を離した。 | 黄赤側に寄っていて明度が低く、1型・2型色覚の人が黄に感じにくかったため、赤みを抜いて明度をやや上げた。 | 1型・2型色覚の人には緑でなく灰色に感じられ、ロービジョンの人には青と見分けにくかったため、黄みに寄せた。 | 明度が低く黒や赤紫との見分けが難しかったため、ロービジョンの人が緑と見分けられる範囲で明度をやや上げた。 | 2型色覚の人が緑や灰色と見分けにくかったため、青と見分けられる範囲で青みに寄せた。 |

**口絵10　ユニバーサルデザインカラーを採り入れたJIS Z 9103 安全標識の例**

先天色覚異常の当事者が見やすい「ユニバーサルデザインカラー」を取り入れた「JIS安全色」が2018年より使われるようになった。ほんの少し色を変えるだけで、視認性が高まる。

＊303ページ参照

「色のふしぎ」と不思議な社会——２０２０年代の「色覚」原論　目次

# はじめに

## 今、あらためて色覚を考える

「色」という現象は、とても不思議だ。

近代科学の父、アイザック・ニュートンが「光そのものには色はついていない」(『光学』、1704年)と看破した通り、色は自然界にあるものではなく、ヒトの感覚器の「仕様」によって脳内で塗り分けられてそのように見えている。しかし、個々人にとって圧倒的にリアルな感覚でもあって、多くの人は、普段、目の前の色が「実在かどうか」などと意識することはない。

ただし、いわゆる色覚異常(先天色覚異常)が絡むと話は別だ。

一般には区別できて当然の色の組み合わせが、ある人たちには区別できないというのは、これまで「色とは何か」深く考えたことがない人にとっては驚愕に値する。一方で、先天色覚異常の当事者たちは、検査ではじめてそう告げられた時、自分が見ている世界が他の人とは違うかもしれないと強い衝撃を受ける。いずれの立場でも「色という日常」に亀裂が入ることは間違いない。

そこから一歩進んで、それぞれに違う色世界について理解を深められればいいのだが、必ずしもそうはいかない。かつて、ぼくたちの社会では、色という主観を尊重するよりも、「正常と異常」とに区別することにひたすら執着するおかしな状況にあった。その不思議な社会では、今から考えると驚くべき多種多様な方面で、色覚を理由にした進学・就労の制限、遺伝的な差別があり、当事者と家族は社会的スティグマを負わされた。

さすがに最近では緩和されており、このまま時間がたてばやがてかつての残響は消えていくのかもしれないと考えられたのだが、この5年ほどのうちに局面が動いた。詳しくは後述するが、どうやらこれは放置してよい問題ではなく、あらためて考え直さなければならないようだ。

と同時に、その考察の作業を通じて、これからの社会に貢献できる部分が大いにあるように思えてきた。「多様性の時代」であり「ゲノム時代」とも言われる21世紀において、より健全な世界観を手に入れるための練習問題ですらあるかもしれない、と。

本書は、先天色覚異常の当事者である（けれど、人生の半分以上、それを忘れて過ごしてきた）川端裕人が、5年ほど前にこの問題と再会して以来、学び、取材し、考察した結果を報告するものだ。

2004年に学校健診での色覚検査が事実上廃止された後、2015年頃より、「色覚検査を以前のように幅広く行い、当事者は自らの職業適性などをあらかじめ知るべきだ」という意見が、ふたたび強く提起されるようになった。

この意見の中心となっているのは、日本眼科医会の医師たちだ。さらに一部の医師は、「色覚異常は軽いほど危険」(軽いと自覚が難しいため)として、少しの異常も見逃すべきではないと言う(第6章で詳述)。はたしてこの主張は妥当なのだろうか。20世紀を知る自分としては心穏やかではいられなかった。

そこで、まずは当の眼科医たちに話を聞くところから始め、科学・工学分野での色覚の基礎研究に進み、2017年には、世界中の色覚研究者が2年に一度、一堂に会する国際色覚学会(ICVS : International Colour Vision Society)の大会にも参加することになった。それをきっかけに海外の色覚研究者たちを訪ねて知見を広めることもできた。

その結果ぼくが知ったのは、今、先天色覚異常についての科学が、旧来の「正常か異常か」といった枠組みから、「多様性と連続性」の枠組みへとすでに移っているということだ。

端的に言ってしまえば、今の科学的な知見では、「軽微な色覚異常」の人が、従来知られていた「男性の5%」を遥かに超えて、人口の4割くらいいることが分かっている。これまでの検査技術では分からなかっただけで、「10人に4人」は「隠れ色覚異常」なのである。

今、この時点で、いきなりこう述べると、「そんなはずはない!」とびっくりされるはずなのだが、複数の学術領域の知見でもこの件は支持されていて、単に一般には知られていないだけだ。

こんな中で、一部の医師が言うように「軽いほど危険」をつきつめていったら、結局は、誰もが「異常」で危険だという倒錯した結論にいきつくしかない。やっぱり、何かがおかしい。ひたすら「異常者」を狩り出すみたいなことをやめて、「多様性と連続性」を前提にした議論をすべきではないか。

20世紀に深い根を持つ色覚の問題が、「多様性の世紀」の練習問題である所以だ。

## ゲノム時代の練習問題

さらに、「ゲノム時代」の練習問題であるというのはどういうことか。

ヒトのゲノムがはじめてすべて解読された2003年以来、猛烈な勢いでゲノム研究が進んでいる。これらの研究の結果、我々が受けることになる恩恵は計り知れない。例えば、個々人の遺伝的な特徴に応じた投薬や治療法を選択する「個別化医療」「オーダーメイド医療」では、これまで難しかった治療が可能になり、重い副作用も抑えられると期待されている。

一方で、個々人が遺伝的に持っている、がんや心筋梗塞、脳卒中などの疾患リスクなどがあまりにも簡単に割り出されることから、それらをどう扱うかという新たな難問も現れる。出生前に胎児の遺伝情報を読む新型出生前診断のように、まさに「命の選別」にかかわる重要な問題もある。つまり、今、「ゲノムリテラシー」が非常に要求されていると言える。

2016年に厚生労働省が実施した調査では、実際に、「保険への加入を拒否されたり、高い保険料を設定される」「就労に際して、内定が取り消されたり、異動、降格を命じられる」「交際相手やその親族から交際を反対されたり、婚約破棄あるいは離婚に至った」といった「遺伝差別」を受けた人が、調査時点でも3・2%いたと報告されている（「「社会における個人遺伝情報利用の実態とゲノムリテラシーに関する調査研究」班　成果報告」（研究代表者　武藤香織））。今後、ヒトの遺伝的な背景が全ゲノムレベルで解明されるに従って、こういった「遺伝差別」の懸念は大きくなっていくだろう。

しかし、こういった議論は、ある年齢以上の先天色覚異常の当事者には、既視感を覚えざるを得ないものだ。先天色覚異常は、現代的な遺伝子検査の登場を待たずして、差別の対象になった遺伝的な「病気」（厳密には病気ですらない）の最たるものだからだ。それが遺伝にかかわるものだと非常に古くから分かっており、また人数も多いものだから、差別の規模としてもきわめて大きなものになった。

20世紀を通じて、日本では男性の5%と女性の0・2%が当事者であると考えられてきたわけだし、1億人超の人口に対して、常に数百万人が、「いじめ」「差別」の対象になったり、就労や就学において不利益を被ってきた。さらに、女性の10%にあたる「保因者」（本人は「正常色覚」でも子孫に「異常」の遺伝子を伝えうる人）も、結婚などの際には問題にされることが多く、ここまで含めれば常に1000万人規模の人たちが、不当な扱いを受けてきた。

また、こういったことが、中学・高校の保健の教科書で、職業適性、遺伝、家族計画についての単元で語られる、「公認」されたものだったことも大きい（第2章で詳述）。今となってはほとんど根拠がないと分かっているようなことが、なぜ、何十年もの間、いや1世紀にもわたって、維持されたのだろう。それ自体、知っておく価値が大いにあるのではないだろうか。

## ぼくたちは共鳴箱の中にいた

一連の調査を経て、非常にリアリティを感じているのは、その間、ぼくたちが巨大な共鳴箱の中にいた、ということだ。

一番の専門家だと目される眼科医だけではなく、教育を含む行政関係者、マスコミ、当事者、その他の人々が、それぞれの発言や行動を承認し合い、補強し合う中で、信念は強固になり、「真実」となっていった。その際、科学的な議論も、初期にはその共鳴現象を大いに強化した時期があったし、のちに疑義が呈されるようになっても、ひとたび成立した社会的・医学的コンセンサスを覆せなかった。

21世紀になって、そういったひどい状態からは一見、脱したものの、「残響」は決して消え去っていない。一部の眼科医が「色覚異常は軽いほど危険」と、軽微な「異常」すら見逃すまいとするのはまさにその具体例だ。

しかし実際のところ、旧来の色覚観は、次々と得られていく科学的な知見との不整合がますます目立つようになっている。人間の色覚は「正常か異常か」の二者択一ではなく、とてつもなく多様で、かつ連続しているものだというのが素直な解釈として力を得つつある（第3章、第4章で詳述)。

だから、ぼくたちも、そろそろ残響から自由になって、「多様で連続的」なイメージを摑《つか》みたい。

この作業は、常時、日本に1000万人規模で存在してきた先天色覚異常の「当事者」たちにとっては、自分自身を多様性の中に位置づける作業になるだろうし、そうでない「非当事者」にとっては、自らも当事者であると気づく機会になるだろう。そして、そういった多様性があるからこそ、ぼくたちは集団として「強い」のだという理解にも至ることができるだろう。

ヒトの集団「我々」が持っているありとあらゆる遺伝的な素養が、個々人のレベルで丸見えになってしまう「パーソナルゲノム時代」だからこそ、「異常と正常」という分断ではなく、多様性と連続性の認識を！　まずはそんな目標を掲げておく。

## まずは自己紹介——小学生の色覚体験

本書の「旅」を始めるにあたって、まずは個人史に基づいた執筆の経緯を提示しておこう。その中で、ここ数十年の「色覚問題」の流れも素描する。

ぼくがはじめて「色覚」に関心を持ったのは、1970年代のはじめ、小学校の学校健診をきっかけに「異常3色覚(先天色覚異常の一種で、当時の用語としては赤緑色弱)」とされた時にさかのぼる。「きみは色覚異常だ」と宣告されたことで、「色覚」という概念についても同時に知った。

考えてみれば、世の中で「色覚」という言葉を聞くのは、たいてい色覚異常にまつわる話題の時だ。目に見える世界に「色」があるのは当たり前のことなので、当時としては、まず「色覚」という概念そのものが新しかった。そしてその「色覚」にもいろいろな種類があって、自分が「異常」だというのは衝撃的な事実だった。

男性の5％、20人に1人、という頻度もそのときに聞いた。学校の40人学級で男子が20人なら、クラスに1人くらいはたいてい先天色覚異常の子がいた計算になる。まさにぼくもその「1人」だった。女子の方は500人に1人だから、学校の規模にもよるけれど、いたりいなかったり、だろう。しかし、後に女性の「保因者」は10％にもおよぶと知り、それで言えば、同じクラスに常に2人くらいは、遺伝的に同類の女子がいたことになる。

さて、ぼくが覚えている小学校時代の色覚検査は、みんながいる教室の中で担任教師が行った。それゆえ、結果は即座に級友たちに知れわたった。「白黒に見えてるの？」「赤って分かる？」「これ何色？」「これは？　これは？」と、とりたてて悪意があるわけでもない級友たちから、囃《はや》し立てるように聞かれるのを鬱陶《うっとう》しく思いながら、素朴な疑問をいだかざるをえなかった。「色」は、眼の前に「実在」するかのようにあるのに、本当のところ何なのだろう。

自分の体験としては、赤は赤であり、それ以外の何物でもない。とてもリアルに「赤」だ。「これは何色？」と聞かれれば「赤」と答えるしかない。

それでも、検査表を「誤読」するのだから、自分が見ている「赤」は、別の人が見ている「赤」と違うのかもしれない。これほどまでにリアルに感じている体験が、実はリアルではないかもしれないのである!

ぼくの場合、級友と教科書や資料集のカラー写真などを見ながら、もっと細かく微妙な色について議論をしてみても、食い違う部分が見つけられなかった。それでも色覚検査表を読むと「違う」と言われる。釈然としないが、現実的には困らないし、常時そんなことを意識しているわけにもいかないので、そのうちに忘れて暮らすようになった。

## 就学や就労をめぐって

もっとも、その後、何度か色覚について深く考えざるを得なかった局面があった。

まず、中学、高校でも色覚検査があり、教師から「理系への進学を考えるならよく調べるように」と指導を受けた。そこで、よく調べたところ、ぼくが進学を検討していた理学部、工学部、さらには獣医学科などには、色覚で門前払いするようなところはほとんどなくなっていた(その5年、10年前には制限だらけだったようだ)。

一方で、教育学部や医学部では厳しい条件がついているところがあった。自分自身は教員にも医師にもなりたいと思ったことはなかったが、それでも、もやもやした気分になった。

その後、テレビ局の記者ディレクターとして、色にかかわる部分もある仕事についたものの、色覚の違いが問題になることはなかった。結婚する時に「遺伝にかかわることだから」と、その旨を伝えたりはしたけれど、結婚相手もその家族も特に気にかけなかったようだ。自らの色覚がこれまでの人生に何か直接的な影響を与えた実感は、良い方向にも悪い方向にも、まったくない。

2001年、雇入時の健康診断での色覚検査も廃止された（労働安全衛生規則が一部改正）時には、その理由としてこんな文言が厚労省の通知の趣旨説明としてあった。

〈色覚異常についての知見の蓄積により、色覚検査において異常と判別される者であっても、大半は支障なく業務を行うことが可能であることが明らかになってきている〉

ぼくも大いにうなずいた。

日常生活で自覚できないどころか、テレビ局で色にかかわる仕事をしていても、まったく片鱗すら見出せないものが、職業上の規制になるなどナンセンスだ。この判断は正しい！　と。

そして、2003年には、学校健診での色覚検査が事実上廃止された（2002年に学校保健法施行規則の一部改正）。それ以降、かつて自分が学校で「異常」と言い渡された時の面倒くささや鬱陶しさ、さらには高校、大学への進学時に少し抱いたもやもやした気持ちも含めて、思い出すことはなくなった。もはや個人的にも社会的にも「解決済み」の事案になったのだから。

## 眼科医たちは警鐘を鳴らし、科学者は壮大なビジョンを描く

しかし、今、ぼくはこうやって色覚をめぐる原稿を書き始めている。

10年以上の完全な空白の時期を経て、色覚をめぐる問題系に「引き戻された」からだ。

２０１４年から15年にかけて眼科医の訴えが新聞などに掲載されるようになり、２０１６年、学校健診での色覚検査が事実上「復活」し「再開」したことが大きい。「これで問題は解決」というふうに感じていたことは甘く、「色覚異常」をめぐる社会的な現実はまだ厳しいものがあるのではないかという疑念が頭の中に芽生えた。

なによりも重く感じたのは、そういった「復活」劇を主導したのが、「現実」に寄り添う眼科医たちだったということだった。ぼくのそれまでの理解では、眼科医たちは色覚による職業制限や大学の入学制限を「撤廃」するために熱心で、学校健診から色覚検査をなくすことも後押ししたはずなのだが（のちにこの理解が、事実の一部しか見ていなかったと分かる）、その流れを、一見、逆流させるかのような主張を始めたのである。

背景にあったのは、やはり新たなタイプの「被害者」だった。学校健診で色覚検査を受けなかったがゆえに、色覚異常に気づかないまま育った子どもたちが、そろそろ就労する時期に差し掛かってきた。そして、就職活動の中ではじめて自らの色覚の特性を知り、道を閉ざされる事例が出てきた。かつて、進学、就労に際していわれのない「差別」を受けてきた先天色覚異常の当事

者の大部分が、今、そういった悩みから解放されている半面、少数の人たちに負担を強いてしまう構図になっていることに、ぼくは衝撃を受けた。

一方で、同時期に、科学的な色覚研究の最前線の知識に触れる機会に恵まれた。2016年2月、日経ナショナルジオグラフィック社のウェブサイトでの連載「『研究室』に行ってみた。」において、「色覚の進化」について東京大学の河村正二教授を取材した。

取材の中で、大いに感じ入ったのは、河村らによる霊長類の色覚研究とそこから導かれる壮大なビジョンだ。河村らが明らかにしてきた霊長類の色覚進化の知見は、人類がその集団の中に「正常」と「色覚異常」を混在させてきたことについて、なにか積極的な意味があったのではないかという示唆すら与える。

ぼくはこんなふうに妄想した。

狩猟採集生活をしていた頃の人類が狩りに出る時に、5人なり10人なりのグループを編成するとして、そのうち1人は今でいう「色覚異常」の人がいた方が有利だったかもしれない。色によるカモフラージュに騙されず見ることができ、草むらに潜む獲物や、あるいはこっちを狙っているかもしれない肉食獣を、他の人よりもすばやく察知できるとしたら、それはグループの利益にかなうのではないか。つまり、金子みすゞの有名な詩のように「みんなちがって、みんないい」のだ……。

これは現時点においては、よくても「根拠がある想像」くらいのものだが、河村らはそういった「多様性を維持する意味」の尻尾を摑みかけているように見えた。

## 引き裂かれる感覚

眼科医たちは、先天色覚異常の職業適性などを語り、時に「軽いほど危険」と言い立てて、色覚検査を受けるようにと呼びかける。

一方で、科学者たちは、色覚異常は「異常」ではなく、多様性の一部であり、それがヒトの集団で維持されてきたことについて、なにがしかの理由があるかもしれないと示唆する。そこからは「美しいビジョン」すら描きうる。

この違いはいったいなんなんだ！　まるで、引き裂かれるような感覚を抱いた。

もっとも、この混乱はあくまでぼくの頭の中の話だ。

こと色覚がメディアで取り上げられる時には、つまりは色覚異常の話題であり、その際に登場するのはほぼ間違いなく、先天色覚異常に詳しい眼科医である。

その一方で、色覚の基礎研究をしている研究者たちの存在は、一般にはあまり知られていない。また、色覚にかかわる科学者と眼科医が、公の場で討論するような機会はほとんどない。

だから、これはたまたま両者を知るようになったぼくの頭で、突如、意識されるようになったギャップであり、それゆえに起きた混乱である。

ぼくの頭の中は、認知的不協和の嵐が吹き荒れ、かくなる上はこういった不整合をどうつなげられるのか自分自身が考えるしかないところに追い詰められた。

そして、取材を始め、進めるうち、冒頭で述べたような、様々なことを考えるに至って、本書をしたためているわけである。

## ロードマップを示す

本書のロードマップを示しておく。

まず準備の章「先天色覚異常ってなんだろう」では、色覚についての基本知識を確認する。後の章（第4章）で現代的な色覚の科学を紹介するので、ここではなるべく「最低限」で済ませる。これまでにも色覚異常に関する本を読んだことがある人にとっては「当たり前」のことが書いてあるかもしれないが、まったく知らない人にはそれでも負荷が大きいだろう。まずざっと目を通して、分かりにくいところがあってもいったん放置し、後で戻ってくるのも一つの読み方だと思っている。

そこから先、本書は3部構成を取る。

第1部は、現況の確認と20世紀の振り返りだ。

第1章「21世紀の眼科のリアリティ」では、ぼくがこの問題にふたたび関心を持つようになった学校健診での色覚検査の「再開」をめぐる経緯をたどる。現在における「色覚異常」の眼科的な関心とはどのあたりにあるのだろうかというのが議論の中心だ。

第2章「20世紀の当事者と社会のリアリティ」は、章題通り、20世紀を顧みる。先天色覚異常の当事者が、就学や就労の制限を通じていかに社会から締め出されてきたのか、その記憶が風化していると痛感し、あらためて調べた。自分自身、そういった時代の最後期をかろうじて知るのみなので、さかのぼって史料にあたり、驚くほどの制限、いや、差別を掘り起こすことになった。知らなかったことの一つとして、当時のこういった「差別」が、中学、高校の保健の教科書にきちんと書かれている「教科書レベル」のものであったことだ。これには、戦後の日本において希望に満ちた未来を設計するための「科学」であった優生学/優生思想が関与していた。ぼくは本書の中で、科学啓蒙主義的な記述を繰り返すことになるが、実は科学的であればそれが常に正しいという考えは素朴すぎることもあらかじめ強調しておく。

第2部では、現代的なサイエンスから（色のふしぎ）と色覚を見る。

この部分は、取材も執筆もとても楽しく、いったん書籍版の倍以上の原稿を書いた上で削った。読者も大筋において「知的探究」として楽しんでいただけるとうれしい。

第3章「色覚の進化と遺伝」では、まず、東京大学の河村正二らの研究を中心に、霊長類進化、人類進化の中で、色覚の多様性がどんな意味を持っていたのか考察する。河村らが21世紀になって成功させた、野生のフィールドとラボ（研究室）を行き来する研究スタイルは実にスリリングだ。また、現在、注目されるゲノム科学の源流に位置する学術団体、日本遺伝学会が、先天色覚異常を今後、「異常」として扱わないと宣言した真意にも本章で迫る。

第4章「目に入った光が色になるまで」では、色覚の基礎研究で今、抜きん出た存在の一人である栗木一郎（東北大学電気通信研究所・准教授）にガイド役をお願いする。眼球のレンズである水晶体を通って目に入った光が、網膜で電気的な信号に変わり、その信号が脳に伝えられて、色として感じられるまで。そして、高次の脳の活動として「色のカテゴリー」が生じたり、色を言葉であらわしたりするところまでを追いかける。ほとんどすべてのトピックにおいて、色覚の多様性についての特筆すべき点があり、つまり、ヒトが持っている色覚の多様性を示唆してやまない。

ここまでで、21世紀の色覚の科学を俯瞰したなら、第3部では、その背景知識を持ったまま、ふたたび、ヒトの先天色覚異常の話題に戻る。すると、これまでの狭い枠組みでは見えなかった様々なことが、まさに「色鮮やか」に見えてくる。

第5章「多様な、そして、連続したもの」では、「日常生活では自覚できない色覚異常の当事者」であるぼくが、「自分という謎」を追いかけることをとっかかりにして、前章までで見た「多様性」の具体的な事例を、今そこにあるものとして、見つめ直す。自分自身、高校時代以来、三十数年ぶりに色覚の検査を受け、非常に面倒で面白い「症例」だと知った。「多様性」だけでなく「連続性」についてもここで意識することになる。

第6章「誰が誰をあぶり出すのか」では、このような「多様性と連続性」を所与のものとした時、日本の学校健診で行われてきた検査が、まったく「科学的」ではなかったかもしれないという驚くべき可能性に切り込む。実を言うと、20世紀の日本で大々的に行われてきた学校健診における色覚検査は、スクリーニング検査として原理的に機能していなかった可能性が高い。にもかかわらず「共鳴箱」の中で、自らが原因であり結果であるようなループを作り出すメカニズムが働いて、維持されてきた。実に暗澹とさせられるのだが、ぼくたちはこの事実を嚙み締めた上で先に進まなければならない。

終章「残響を鎮める、新しい物語を始める」では、21世紀の色覚異常の問題をどう扱うべきか考えた上で、「色覚」から見える景観の広がりについて考え、いくつかの他分野へと「リンクを張る」試みをする。

以上、長い旅になる。

しかし、最後までお付き合いくださった方は、充分に報われると請け合う。医学と科学のせめぎ合いや、社会との相互作用でひとたび形作られた信念の体系が、「不思議な社会」日本において半世紀以上も、しばしば疑問を提起されつつも継続してきた構造を知ることは、今を生きるぼくたちにとってまさに役立つ智慧につながるだろう。おまけに、それは「多様性の時代」「ゲノム時代」である21世紀に立ちはだかる様々な課題を、壮大に先取りする事例かもしれないのである。

正直に言って、ぼくは自分自身の身の丈を越えた領分まで越境して、ほとんど祈りのような気持ちを込めつつ取材と執筆に挑んだ。自分自身が意図したものを越えて、21世紀を生きる読者のそれぞれの生活体験や専門知識などと響き合い、新たな認識や、新たな視野が拓かれるのではないかと期待する。

つまり、あなたの魂に届き、インスピレーションを与えうるものでありますように。

さあ出発だ。

準備の章

# 先天色覚異常ってなんだろう

これから「先天色覚異常」について考えていくためには、「色」や「色覚」の背景にあるメカニズムと用語をある程度理解しておかないと進みにくい。色覚にまつわる基本的な知見は20世紀中に確立しているので、誰に聞いても基礎は同じだ。今、研究が進んでいる部分や、多少込み入った部分は、第4章と第5章で掘り下げることにして、ここでは最低限の解説をする。と同時に、ちょっと興味深い科学史的な要素もあるので、適宜、触れる。

なお、本章で語ることは、あくまでも本書での議論の土台になるものなので、標準的な色覚理論や色覚研究の歴史の中から、必要な部分だけを抽出していると考えてほしい[★1]。

## 光そのものに色はついていない

色覚というのは、字面の通り、色の「感覚」だ。その点では、味覚や聴覚と変わらない。

でも、味とはなんだろうと考えても簡単には言い表せないように、色とはなにかという問いかけも実は奥が深い。

近代科学の父アイザック・ニュートン（1642-1727）は、彼の不朽の著作のひとつ『光学』（1704年。邦訳には岩波文庫の島尾永康訳がある）で、「光そのものには色はついていないが、光は人間の視覚に色の感覚を起こす能力がある」と看破した。

色というのは、光（電磁波）そのものの属性ではなく、人の感覚（色覚）が作り出しているものだ。赤いリンゴを見ると、リンゴの表面に「赤」がくっついているように感じるけれど、決してそうではない。リンゴの表面から目に届く光の特徴に応じて、ぼくたちが脳内で色を塗って得られるのが、「赤い」という色の感覚なのである。

もう少し詳しく言うと、こんなかんじだ。

まず、ヒトは（同じような目のメカニズムを持つ動物は）、環境中の電磁波のうち、ある波長の範囲を、網膜上のセンサーで感じることができる。これを「可視光線」と呼ぶ。そして、その際、反応した網膜上のセンサーからの信号が脳に送られ、処理された上で、色の感覚が生じる。

## スペクトルとは？

では、どんな光に応じてどんな色を感じるのだろうか。これは、光の「スペクトル」に応じて色が決まることが分かっている。

とすると、スペクトルとはなんだろうということになるのだが、この言葉はとても広範囲に使われているので注意が必要だ。こと「色」について語る時には、可視光線の信号を波長成分ごとに分解して、その成分ごとの強度を示したものを意味する。

たとえば、「この蛍光灯のスペクトルは——」「オリオン座ベテルギウスの可視域のスペクトルは——」というふうに使う。日本語では「分光分布」（光をプリズムに通して分けた時の成分ごとの強度分布だから）とも呼ばれるし、「スペクトル分布」も普通に使われる。

こういった分布は、横軸に波長（あるいは周波数）、縦軸に強度をとって表すことが多い。図0－1（次ページ）は、太陽光（曇天）、蛍光灯、液晶モニタ、照明用ＬＥＤが出す白色光のスペクトル分布を比較したものだ。

ここで理解しておきたいのは、まず、可視光線の波長の範囲だ。

人間が目で捉えることができるのはだいたい波長４００ナノメートルから８００ナノメートルくらいの電磁波で、これが可視光線の範囲だ。言い方を変えると、この範囲の電磁波だけを、ヒトは「光」として見ることができる。これよりも波長が短くなると紫外線で、長くなると赤外線だ。赤外線よりもさらに波長が長い領域の電磁波は、マイクロ波となっていわゆる「電波」の領域に入っていく。自然界の電磁波は可視光線の部分だけがあらかじめ切り分けられているわけではないので、ぼくたちは目に入った電磁波の可視光線部分だけを使って光を感じることになる。

もう一点、図0－1で意識しておきたいのは、示した光のスペクトル分布の違いだ。いずれもぼくたちには白色光（透明な光）に見えるものだが、スペクトル分布はかなり異なっている。これは、「スペクトル分布→色」、という矢印は正しいけれど、「色→スペクトル分布」の矢印の先は一意には決まらないことを意味している。つまり、同じ色に見えても、その光のスペクトル分布はいろいろ違いうる。

ここではたまたま白色光を例にしたけれど、赤、緑、青、黄といった色味を感じさせる光でも同じことだ。口絵1を見れば、似たような黄でもまったくスペクトル分布が違いうることがひと目で分かるだろう。詳しくは第4章で述べるので、ここでは、「一意に決まらない」部分がありつつも、基本的には、スペクトル分布の違いを色として見る仕組みがヒトには備わっているということをまず理解して

図0-1　様々な白色光のスペクトル分布

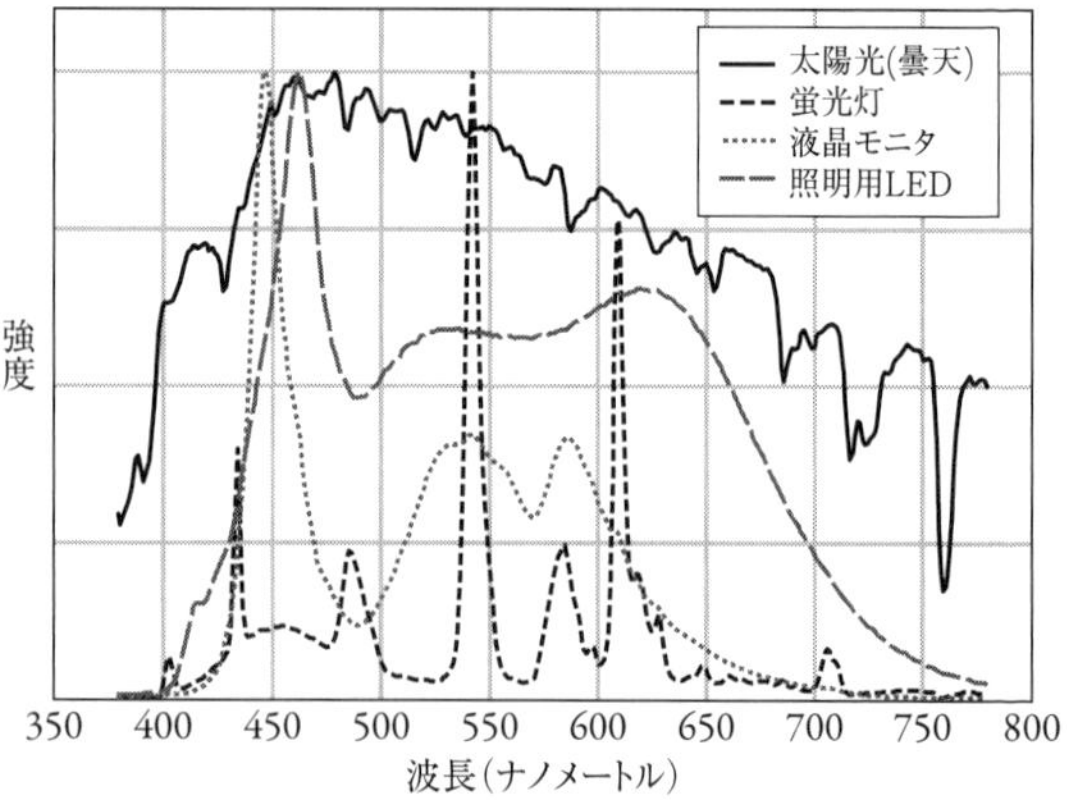


太陽光（曇天）、蛍光灯、液晶モニタ、照明用LEDの白色光は、いずれも白色（透明）と知覚されるものの、かなり違うスペクトル分布を示す。横軸は波長で、縦軸は強度（ただし、波形の違いに注目してもらうため、それぞれの最大値をあわせて表示している）© Ichiro Kuriki

おこう。

## 3色説と反対色説

では、実際にどんなふうにして、こういったスペクトル分布の違いが色として見えるのだろうか。つまり、色覚のメカニズムはどうなっているのだろうか。

ここは歴史をたどりつつ説明する。まず、登場するのは、「ヤング＝ヘルムホルツの3色説」だ。イギリスのヤングが1800年代のはじめに提唱して、ドイツのヘルムホルツが1860年代に発展させた。★2

これは思い切りざっくりと言うと、受け取った光の波長によって反応が違うセンサーが網膜上に3種類あれば現実の色の見え方を説明できるというものだ。今、ぼくたちはR（赤）、G（緑）、B（青）の3原色を駆使して、スマホやパソコンのモニタにフルカラーの世界を再現できているわけで、そのことから考えても、この説には妥当性があった。

実は、「先天色覚異常」について一般的な理解を得るためには、3色説を理解すれば充分なのだが、本書の視野はもっと広いところにあるのでもう少しだけ先に進む。

実は、3色説には弱点がある。

ひとつ例を挙げると、中学、高校の美術の授業で学ぶ「色相環」や「補色」について、3色説では直観的な説明が難しい。

色相環とは、その名の通り色相を環状に配置したものだ。赤、橙、黄、緑、青、紫、そしてふたたび赤というふうに円環状につなげていくと、それらが連続的に変化して「一周する」と感じられる。ここでのポイントは、長波長寄りの赤と、短波長寄りの青や紫(英語のvioletで、むしろ菫《すみれ》と言った方がよいかもしれない)が、隣の色と感じられて、そこで円環が閉じることだ。太陽光をプリズムで分光して出てきた「虹の7色」は「横並び」なのに、なぜここでは、端と端をくっつけて円環にすることが自然に感じられるのだろう。

また、色相環で対称の位置にある色どうし、例えば、赤と緑、青と黄が「補色」の関係にあるというのも不思議な部分だ。ある色を見続けた後で、それが視野から外れると、補色の残像が見えることがある。赤いものをずっと見続けた後に、緑の残像が残る、というふうに。こういったことは、3色説ではにわかには説明し難い。

そこで、生理学者のエヴァルト・ヘリング(1834-1918)は、1874年に「反対色説(4色説)」を唱えた。[★3]

ヘリングは、目には、赤―緑物質、青―黄物質(さらには、白―黒物質)があって、受けた光によって「同化」と「異化」という化学反応が起き、例えば、赤―緑物質が同化すると緑、異化すると赤を感じるというような仕組みを考えた。この場合、赤―緑を横軸、青―黄を縦軸を取った平面上に、「赤―緑物質」「青―黄物質」の「同化」と「異化」の割合に応じた色をプロットしていくと色相環が出来上がるし、原点を挟んで点対称の色が補色になることも導ける。

3色説と反対色説は一長一短で、説明しやすいことと説明しにくいことがともにあったため、20世紀になっても決着がつかなかった。量子力学の創始者の一人のエルヴィン・シュレーディンガー（1887-1961）は、「3色説」と「反対色説」が実は数学的には同じことを言っていること（一次変換すれば同じ、言い換えれば、足し算引き算すれば変換できること）を見出して1920年に報告しており[★4]、つまり、目から入ってきた光を処理する際の数学的な理論としてはどちらも矛盾がないものの、生理的な機構としてはどちらが正しいかが研究の対象となった。

## 色覚のセンサー「錐体細胞」が見つかった

長年の論争に決着がついたかに見えたのは20世紀も半ば、1950年代だった。日本の研究者も含めて多くの人々がかかわっているものだが[★5]、ここから先は論争の結果「分かったこと」をベースに示しておく（研究史はかなり込み入っている）。

先に軍配が上がったように見えたのは「3色説」の方だった。つまり、RGBの3色に相当するような「視物質」が見つかったのである。

網膜上で光の刺激を受け取る視細胞には、桿体《かんたい》細胞と錐体《すいたい》細胞（図0-2）があることは19世紀末から知られていた。

そのうち桿体細胞は、弱い光にも反応する非常に感度のよいもので、暗いところではこれが働く。ただし、桿体細胞の視物質は1種類だけなので、色の識別には基本的にはかかわらない。

一方、錐体細胞は3種類あり、それぞれどんな光に反応するか特性が違う。それが、3色説で想定されてきたような「吸光分布」を示すことが明らかになったのである（ここでは「分光分布」ではなく、どんな波長の光を吸収するかという問題なので「吸光分布」と呼ぶ）。

図0-2　錐体細胞の模式図

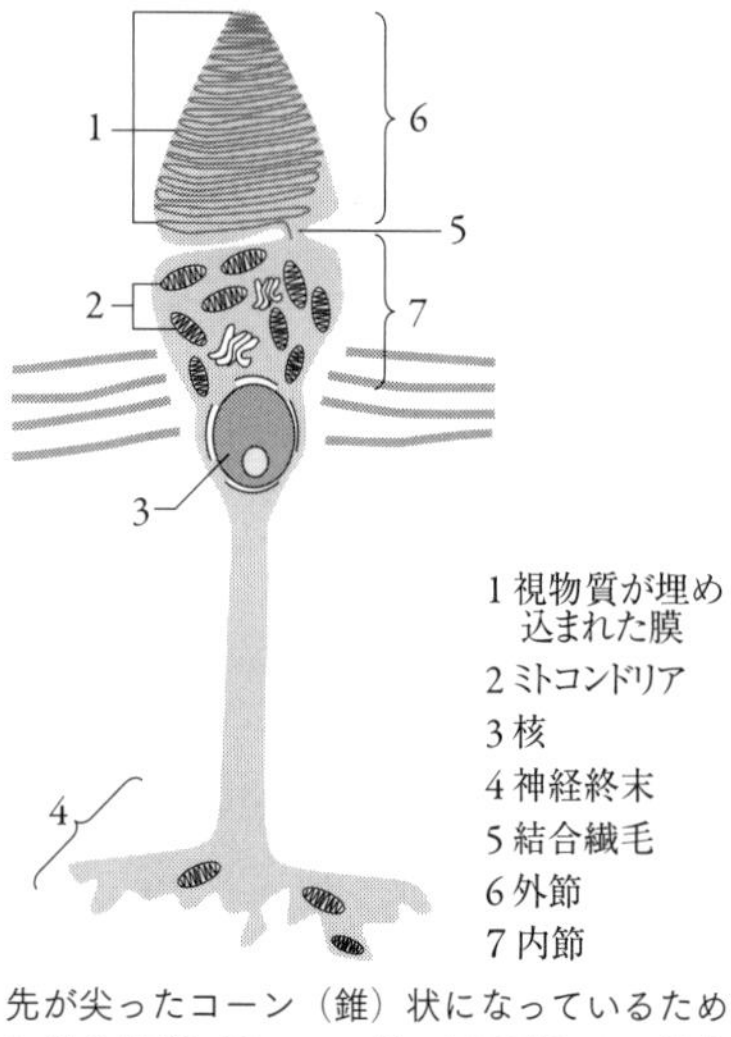

先が尖ったコーン（錐）状になっているために錐体細胞（Cone cell）と呼ばれる。外節部分（outer segment）に光を受容する視物質がある。Distorted CC BY-SA 3.0

3種類の錐体細胞について、横軸に「波長」を取って「吸光分布」をグラフにしてみると違いがよくわかる（図0－3）。反応する光の波長が短いものから順に、S錐体、M錐体、L錐体と呼ばれる。[★6] それぞれ、短波長"Short"、中波長"Middle（Medium）"、長波長"Long"の頭文字だ。そして、それらは見事にヤング＝ヘルムホルツの3色説に相当するような分布を示していた。

もっとも、いったん完全勝利を収めたかに思われた3色説に対して、実は反対色説も生き残った。視物質の種類は3種類でも、網膜の神経回路ですぐに信号が変換され（シュレーディンガーが指摘した一次変換である）、まさに反対色説に対応する「反対色応答」が起き、その形で脳に送られる。結局、色覚メカニズムは3色説と反対色説のどちらかが勝利を収めたわけではなく、「段階説」によって統合された。これは科学史上、特筆すべき豪華絢爛な論争の、とても美しい決着の事例だとぼくには見えている。

## 先天色覚異常の仕組み

先天色覚異常がはっきりと認知されて、研究の対象となるのは近代、それも18世紀から19世紀の変わり目の時期だ。

これもまた科学史の重要人物にか

図**0-3**　3錐体（S、M、L）のスペクトル吸光分布

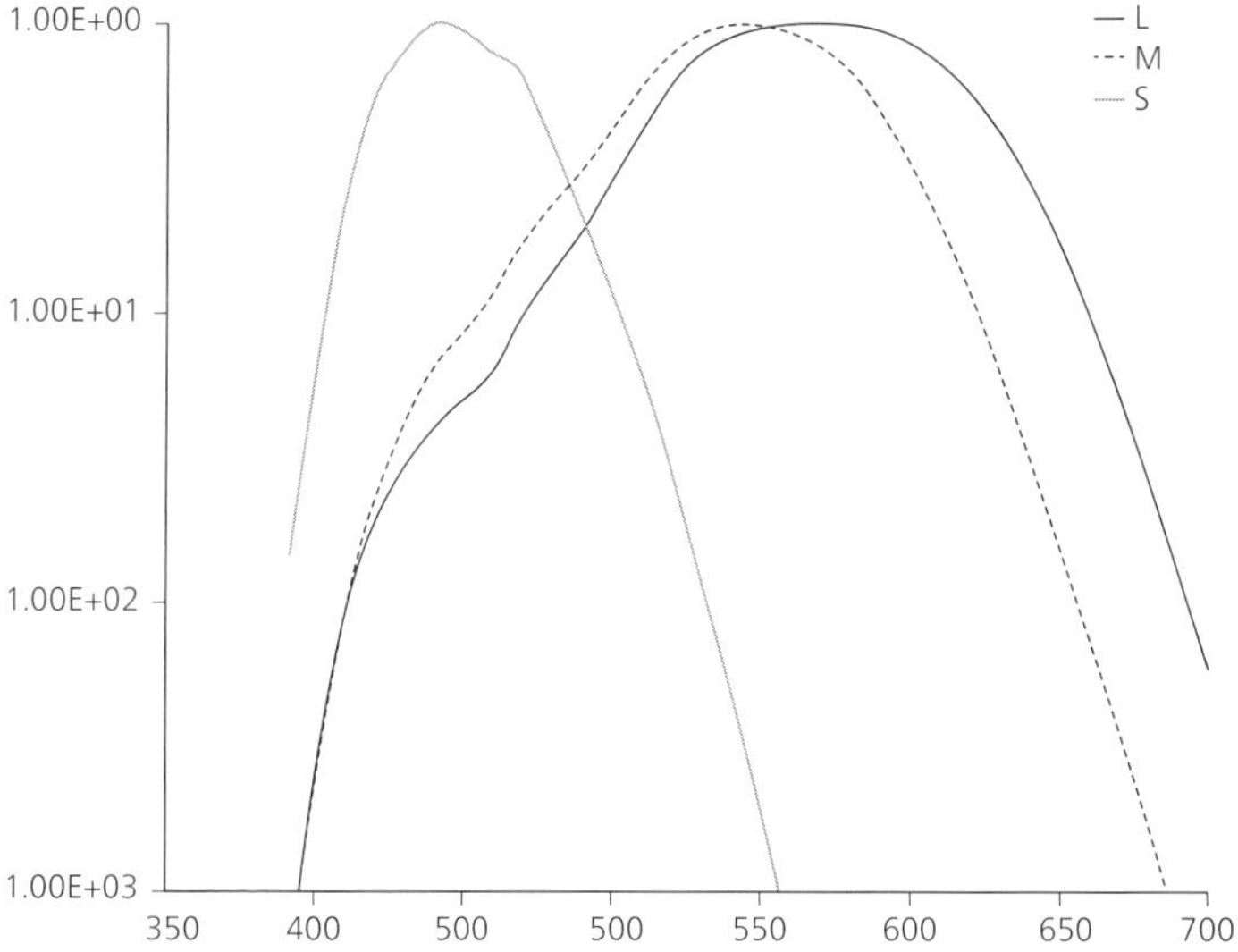


横軸は波長（ナノメートル）で、縦軸は相対感度。MとLが非常に似ているのに対して、Sとの間が大きく開いている。Stockman & Sharpe (2000) から作成。© Ichiro Kuriki

かわることで、気体の法則や原子論で有名なジョン・ドルトン（1766-1844）の功績が大きかった。自らが先天色覚異常だったドルトンが、自分や親族の色覚を確認して1794年に報告したことで、[★7]先天色覚異常という現象が広く知られるようになった。現在でも、先天色覚異常のことをドルトニズム（Daltonism）と呼ぶことがある。

また、ヤング＝ヘルムホルツの3色説が提唱される際にも、先天色覚異常の被験者によって議論や理論が深められたという背景がある。色覚についての理解と、先天色覚異常についての理解は、研究史上でも、表裏一体だった。

では、先天色覚異常のメカニズムはどうなっているのか。3種類の錐体細胞の特性を示す、吸光分布の図（図0-2）をふたたび見てみよう。

ひと目見て、M錐体とL錐体の吸光分布の曲線がかなり重なっているとわかる。これは、進化の過程で哺乳類のほとんどは2色覚、つまり2種類のセンサーしか持っていなかったのに対して、霊長類のグループでは、L錐体から新たにM錐体を派生させたからだ。

錐体の吸光分布を決めるのは、オプシンと呼ばれる視物質（タンパク質）で、L錐体のオプシンとM錐体のオプシンの遺伝子は、染色体上でも隣に位置している。具体的には、性染色体であるX染色体の「長腕（Xq28）」と呼ばれる部分だ。

非常によく似た遺伝子が隣り合っているので、途中で交叉することで、いわゆる「非相同組み換え」（不等交叉）が起きやすい。結果、M′（Mダッシュ）あるいはL′（Lダッシュ）と表記しうる、似ているけど違う特性を持った融合遺伝子ができることがある。さらに、「MだけでLがない」や「LだけでMがない」という状態になることもある。

こういった人たちは、まさに標準的ではない（多数派ではない）色の世界を体験することになり、そういった場合を先天色覚異常と呼んでいる。[★8]

## 色覚異常が男性に多い理由

ところで、先天色覚異常は、男性の方が圧倒的に多い。

日本では、男性の5％に対して、女性は0・2％くらいだ。一方、欧米では、フランス、北欧のように、男性の10％に達する社会もあるが、女性はせいぜい0・5％くらいまでだとされる。

もっとも、遺伝子を持っている保因者まで含めれば、日本でも女性の10％、フランス、北欧では20％が広義の当事者となる。しかし、実際に見え方の違いがあって色覚検査で検出できるものとしては、やはり男性の方が多いことは間違いない。[★9]

こういった性別による偏りが起きるのは、MとLの視物質の遺伝子が、X染色体（性染色体）上にあるからだ。男性はX染色体を1本しか持たないので、その上の遺伝情報が先天色覚異常のものなら、それをそのまま反映した色覚になる。一方で女性はX染色体を2つ持っているので、どちらか片方が「正常」なものなら「正常色覚」になる（保因者の状態）。こういう遺伝の仕方を

「伴性遺伝」という。

なお、先天色覚異常が、伴性遺伝すること自体は、かなり前から分かっていた。まず、ドルトンが論文を書いた時代（1794年）でも家系の問題、遺伝の問題であるとすでに気づかれていたし、ユーゴー・ド・フリースによるメンデルの法則の再発見（1900年）、ウォルター・S・サットンによる染色体説の提唱（1902年）以降は、誰もが「X染色体の上に遺伝情報がある伴性遺伝」だと気づき得た。遺伝物質の本体がDNAで、それが二重らせんの形をとっているとわかった1953年以降、分子生物学的な手法が徐々に発展し、1986年にとうとうX染色体の「長腕（Xq28）」にあるMオプシン、Lオプシンの遺伝子の塩基配列が同定されたのだった。★10

さらに、多くの被験者の遺伝子を読み、先天色覚異常の様々なタイプとゲノムとの対応が確認されていくようになるのは1990年代の研究で、その探究は21世紀になっても続いた。実は、今も完全な理解に至っていない部分もあり、今後、個々人のゲノム（パーソナルゲノム）をローコストで素早く読む技術が普及するにしたがって、新たな知見が得られることもありそうだ。

## 2色覚か3色覚か

先天色覚異常には様々なタイプがあり、それぞれ診断名が与えられている。

これについては図0-4を見ながら考えてほしい。

まず、標準的なS、M、Lの錐体細胞を持つ場合が正常3色覚だ。

一方、MかLを欠いている状態は、錐体細胞が2種類のみなので、2色覚と呼ぶ。

また、MがM′に、あるいはLがL′になって、SM′L、SML′（さらには、SL′L、SMM′、SM′L′）という、標準とは違う構成になっている場合は、異常3色覚だ。

2色覚は古い呼称では「色盲」（赤色盲、緑色盲、総称として赤緑色盲）と呼ばれ、異常3色覚は古くは「色弱」（赤色弱、緑色弱、総称として赤緑色弱）と呼ばれた。古いとは言っても、2007年の日本眼科学会の用語改訂までは「色盲」も「色弱」も使われていた。

かつて色盲と呼ばれていた2色覚は、モノクロの世界にいると思われることがある。しかし、2色覚には2色覚の色の世界がある。3色覚の人たちの間でコンセンサスが取れている色の世界では、識別できない色の組み合わせがあるものの、一方

図0-4　先天色覚異常のタイプ分け

| | 異常3色覚・旧色弱（Anomalous Trichromacy） | 2色覚・旧色盲（Dichromacy） |
|---|---|---|
| 1型色覚（Protan） | 1型3色覚 PA（ProtAnomaly） | 1型2色覚 P（Protanopia） |
| 2型色覚（Deutan） | 2型3色覚 DA（DeuterAnomaly） | 2型2色覚 D（Deuteranopia） |
| 3型色覚（Tritan） | 3型3色覚 TA（TritAnomaly） | 3型2色覚 T（Tritanopia） |

3型色覚（S錐体の「異常」による色覚異常）については、表の整合性のために加えたが先天性は少ないとされる。また、この表以外にも、1色覚（桿体1色覚、あるいは錐体1色覚）が稀に報告される。

で色のノイズに惑わされずにより明瞭に明暗を見分ける特徴があり、違うやり方で世界に色付けしていると考えられる。

一方、異常3色覚については、2色覚に近い場合から、3色覚に近い場合までいろいろなパターンがみられる。そこで、異常3色覚の中でも、軽度、中等度、強度（2色覚も含む）といったふうに分けて表現することもある。

また、ここで、当然、「1色覚はあるのか」という疑問が出てくると思うが、実際、まれに報告される。かつて「全色盲」と呼ばれていたケースだ。L錐体とM錐体を両方とも欠いてS錐体と桿体のみの錐体1色覚や、錐体をすべて欠いた桿体1色覚があり、いずれも視力が低かったり、羞明《しゅうめい》といって強い光に弱かったりといった症状が同時に出ることが多い。頻度にして、それこそ10万人に1人いるかいないかというものなので、そういう症例に出会った眼科医は症例報告を書いて学会に報告するレベルだ。[★11]

## 1型（P型）色覚か2型（D型）色覚か

先天色覚異常のもうひとつのタイプ分けとして、どの錐体が欠けていたり、「正常」とずれたりしているか、という点に着目するものがある。実は、はじめてこの話を聞いた時、ぼくはかなり混乱した。本書でも最後まで言及なしで通すわけにもいかないので、書き記しておく（でも、ここですっきり理解せずともよいと思う）。

ぼくがこの用語について混乱した理由は、単純にややこしい！からだ。

というのも、前項で出た、1色覚、2色覚、3色覚といったこととは別に、新たに1型色覚、2型色覚といった分け方も導入しなければならないのである。

あらためて、表を見ながら読んでほしい。

1型色覚とは――

L錐体が欠けていたり、標準的なものとずれていたりしているタイプの色覚のこと。

つまり、L錐体を欠く「1型2色覚」と、L錐体のかわりにM′を持っているなど（SMM′などの構成で、つまりLの特徴が薄い）「1型3色覚」がある。

また、2型色覚とは――

M錐体が欠けていたり、標準的なものとずれていたりするタイプの色覚のこと。

つまり、M錐体を欠く「2型2色覚」と、M錐体がL′になっているなど（SL′Lなどの構成で、Mの特徴が薄い）「2型3色覚」がある。

表を見れば一目瞭然ともいえるが、頭の中では混乱要素だ。特に口に出す時には、「2型色覚」のつもりで「2色覚」とうっかり言ってしまうことがある。

なお、表の中にある、P、D、PA、DAというのは、英語の論文などで使われる略称だ。「1型3色覚」と言う代わりに「PA」、「2型2色覚」と言う代わりに「D」と言ったほうが混乱せずにすむことも多く、日本語の文献でも使われることもあるから紹介しておく。

## 見え方はどう違う?

では、先天色覚異常の当事者がどのように世界を見ているかだが、色の体験はあくまで主観なので、他者の色覚を自らのものとして体験することはできない。これは「正常色覚同士」でも同じことだ。

そこで、「どう見えている」ではなく、「どの色の組み合わせが区別しにくいか」というふうに問いを変えると、多少は説明しやすくなる。例えば、1型2色覚(P)の当事者は、深い赤と黒の区別がしにくい、というふうに。しかし、これにしても、特定のタイプの当事者の特徴の一部にすぎないので、簡単には一般化できない。

本書では、個別のタイプの色覚の特徴や、その特徴に応じた生活上の工夫などについてはカバーしないので、興味のある方は各自調べてほしい。インターネット上にも信頼できる情報源はある。[★12]

なお、無料のスマホアプリ「色のシミュレータ」[★13]などを使えば、その「区別の付きにくさ」を仮想的に体験することができる。ネットでよく「色覚異常の人の見え方」とされている画像も同じ原理で生成されたものだ。ただし、これらも実際に「このように見えている」というわけではなく、区別のつきにくさをシミュレートしたものだということを心得ておくべきである。

## 石原表は優秀な検査法である

本章の最後の最後に、色覚の「検査」について簡単に見ておく。

先天色覚異常が社会的に注目されるようになって、検査が行われるようになるのは19世紀末以降だ。1875年、9人の死者を出したスウェーデンでの蒸気機関車の衝突事故で、運転士が色覚異常だったからではないかという疑念が持たれた。現在では、この「疑惑」は否定されているものの、とにかくそれをきっかけに鉄道会社や海運会社の従業員が色覚検査を受けるようになったとよく説明される[★14]。

初期の検査は、様々な色の毛糸を使って同じ色のものを見つける毛糸検査法などが使われていたという。その後、先天色覚異常の当事者には見えにくい色の組み合わせで描かれた文字、数字、図形などを判読させる「仮性同色表」が開発されて、そちらが主流になっていく。

しかし、仮性同色表という言葉からして分かりにくい。

これは英語では、"Pseudo Isochromatic Plate"なので、PIPとよく略される。"Pseudo"は「偽の」、"Isochromatic"は「同じ色の」という意味だ。簡単に言うと、「先天色覚異常の人には同じ色に見えるけれど、正常色覚では弁別できる色」というのが「仮性同色」で、それを使って正常と先天色覚異常では別の読み方がされるように描いたのが仮性同色表ということになる。

中でも、1916（大正5）年に陸軍軍医だった石原忍（1879-1963）によって開発された「石原式色盲検査表」は、非常に優秀で感度が高い（取りこぼしが少ない）ものとして重宝されてきた。100年以上が経った今でも、後継の「石原色覚検査表Ⅱ」が世界中の医療機関や研究機関で使われている。時代とともに様々なバージョンが出版されているので、今後、総称としては「石原表」とする。

石原表は、日本での色覚検査においては支配的な立場にあり、日本で色覚検査をかつて受けたことがある人は、100パーセント、この検査表を使っている（そう断言できるほど普及している）。名称だけではピンと来ない人も、実物を見れば「ああ、あれか」と思うはずだ。

現行版の「石原色覚検査表Ⅱ　国際版38表」は、その名の通り38の図表からなる。それぞれの図表は、「正常」の人と「異常」の人では違った数字や図形に見えるように工夫されており、それらのうち22表が「異常」の有無を判定するために使われる。「誤読」表数が4表以下であれば正常色覚、「誤読」表数が8表以上であれば先天色覚異常で、「誤読」表数が5から7表の場合は、判定に「アノマロスコープ検査」が必要とされている。

では、「アノマロスコープ検査」とはなに？　ということになる。

## 「確定診断」にはアノマロスコープ

1907年にドイツで開発された「アノマロスコープ検査」は、先天色覚異常の検査のゴールドスタンダード、つまり、検査基準を提供するものとされる。[★15] 単眼の顕微鏡のような形をしており、その接眼部から中を覗きこむ。そして、視野に提示される赤い色光と緑の色光を重ね合わせて、「黄を作る」のが検査のあらましだ。（口絵4）

先天色覚異常では、中波長に感度が強いM錐体か、長波長に感度が強いL錐体が、欠けていたり標準的なものとずれていたりするわけだから、緑の色光（中波長）と赤の色光（長波長）をどのような比で混ぜれば、それらの間にある黄に見えるかというのは、個々人のM錐体やL錐体の吸光特性をかなりダイレクトに反映する指標になる（この原理は第4章、第5章で詳しく見る）。

もっとも、一般にはあまり普及してきたとはいえず、学校健診での色覚検査全盛期ですら、アノマロスコープを所有し運用していたのは、大学病院や色覚外来に特に

図0-5　アノマロスコープ

現在入手できるナイツ社のOT-II　© CUDO

熱心な病院・医院に限られた。つまり、ほとんどの当事者がアノマロスコープ検査を受けないまま「先天色覚異常」の診断を受けた。

一方で、色覚研究の現場では必須なので、今も研究室レベルでは所有し、運用している場合が多い。

以上で、予備知識の章は終わりだ。いよいよ本論へ入ろう！

---

★1――21世紀の色覚理論の教科書なら『講座　感覚・知覚の科学　視覚Ⅰ』（篠森敬三編、朝倉書店、2007年）、先天色覚異常の基礎的な知識を網羅的に知りたいなら『色覚と色覚異常』（太田安雄・清水金郎、金原出版、1999年）を挙げる。

★2――トマス・ヤング（1773-1829）は、「ヤングの実験」（光の干渉縞を観察するもの）や工学分野ではおなじみの「ヤング率」に名を残し、ヘルマン・フォン・ヘルムホルツ（1821-1894）は熱力学の第1法則を導き出した。ともに19世紀科学の巨人だ。本章ではすでにアイザック・ニュートンが登場しており、量子力学の立役者シュレーディンガーまで名を連ねる。さらに、マクスウェル方程式で有名なジェームズ・クラーク・マクスウェル（1831-1879）は3色説の理論からカラー写真を考案し、言語哲学者ルードヴィヒ・ウィトゲンシュタイン（1889-1951）は「青っぽい黄色、赤っぽい緑の色概念を持つ人は存在し得るか」「透明なものが緑であることは可能だが、白であることは不可能なのはどうしてか」といったことを考え続けた（『色彩について』新書館、1997年）……等々。色覚研究史に登場する人名は豪華絢爛だ。

★3——3色説がアイザック・ニュートンの光学的なアプローチの後継者だとすれば、色の「見え」を重視するヘリングの反対色説は、ニュートンに嚙み付いた詩人のヨハン・ヴォルフガング・フォン・ゲーテ（1749-1832）の議論と親和性が高い。ゲーテはニュートンより1世紀後の人であるが、自身が主著とみなす『色彩論』（1810年）の中で、ニュートンの『光学』（1704年）を、罵詈雑言ともいえる強い口調で非難し尽くしている。『色彩論【完訳版】』（工作舎、1999年）の「論争篇」で読める。さらにゲーテに師事したショーペンハウアー（1788-1860）の議論は、馬場靖人の『〈色盲〉と近代　十九世紀における色彩秩序の再編成』（青弓社、2020年）に詳しい。

★4——Schrödinger, E. "Grundlinien einer Theorie der Farbenmetrik im Tagessehen", *Annalen der Physik*, Bd.63 (21), 1920.

★5——日本での研究については、慶應義塾大学の冨田恒男（1908-1991）が、鯉の実験で3錐体の存在を生理学的に示した1967年の論文が世界的に有名で今も引用される（Tomita,T., Kaneko, A., Murakami, M., & Pautler, E.L. "Spectral response curves of single cones in the carp", *Vision Research*, vol.7(7-8),1967.

★6——日本の医学用語としては、かつて「青錐体」「緑錐体」「赤錐体」と呼ばれていたものの、2007年からは「S-錐体」「M-錐体」「L-錐体」に改められた（「日本医学会　医学用語辞典WEB版」http://jams.med.or.jp/dic/colorvision.html）。本書では、少し略して、「S錐体」「M錐体」「L錐体」とする。

★7——Dalton, J. *Extraordinary Facts Relating to the Vision of Colours: With Observations* ,1794 という書籍。ペンシルバニア大学の科学協会アーカイヴからダウンロードできる。　https://digital.sciencehistory.org/works/fb4949523.

★8——ここでは、L錐体とM錐体の「異常」だけが取り沙汰されて、残りの一つのS錐体はどうなのだと気になる人もいるかもしれない。S錐体は常染色体の上にあって比較的安定しており、先天的な「異常」は非常にまれだとされている。しかし、後天的には糖尿病網膜症、網膜色素変性症など様々な疾病で、S錐体にまつわる色覚異常が見いだされる。学校などで行われる通常の色覚検査は、L錐体とM錐体がかかわるタイプの色覚異常を見つけることを目的にしており、S錐体がかかわるものは検出できない。

---

★9——様々な国、地域における頻度については、Fletcher, R., Voke, J. & Hilger, A. *Defective Colour Vision Fundamentals, Diagnosis and Management*, Bristol, 1985.

★10——スタンフォード大学のNathansらが１９８６年に*SCIENCE*誌に発表したNathans,J., Thomas, D. & Hogness, D.S. "Molecular genetics of human color vision : The genes encoding blue, green, and red pigments" *Science*, vol.232(4747), 1986.

★11——イギリスの神経学者オリバー・サックス（１９３３–２０１５）の『色のない島へ——脳神経科医のミクロネシア探訪記』（ハヤカワ文庫、２０１５年）において、著者は1色覚の人たちが例外的に多く住んでいるミクロネシアのピンゲラップ島を探訪して、島民たちの生活を活写している。この島の1色覚者たちは、日中、羞明のためにサングラスを外せないが、暗がりでの視力はむしろよく、月明かりの下での漁で大活躍する印象的なエピソードが語られる。

★12——日本眼科医会のウェブサイトには、冊子『色覚異常を正しく理解するために』(https://www.gankaikai.or.jp/colorvision/post_9.html)が公開されており、日本学校保健会のウェブサイトでは「色のバリアフリーを理解するためのQ&A」(https://www.gakkohoken.jp/themes/archives/7)が読める。さらに踏み込んだ内容としては、「色覚の多様性と色覚バリアフリーなプレゼンテーション」（岡部正隆・伊藤啓　https://www.nig.ac.jp/color/barrierfree/barrierfree.html）の第２回「色覚が変化すると、どのように色が見えるのか?」と第3回「すべての人に見やすくするためには、どのように配慮すればよいか」が参考になる。ただし、少々古いため（２００２年）

「色盲」という言葉が使われており、適宜、読み替えが必要。

★13——「色のシミュレータ」はオープンソースのアプリで、iPhoneでもAndroidでも使用できる。1型と2型の2色覚（PとD）だけでなく、異常3色覚（PAとDA）もスライダーを調節することでシミュレーションできる。プレゼンテーションのスライドを作る時に、色覚異常の当事者が判読できる色使いをしているかどうか確認する、という使い方もある。

★14——J. D. Mollonによる2012年の論文、Mollon, J.D. & Cavonius, L.R. "The Lagerlunda collision and the introduction of color vision testing", *Surv Ophthalmol*, vol.57(2), 2012. では、この「疑惑」が捏造されたものであったことを論証している。

★15——例えば、アメリカのナショナルアカデミープレスが1981年に出版した「色覚検査の手引」("Procedures for Testing Color Vision: Report of Working Group 41")には、「アノマロスコープは、色覚異常の診断の標準的な方法("standard instrument for the diagnosis of color vision defects")とある。

# 第 1 部

## “今”を知り、古きを温《たず》ねる

## パイプのけむりと21世紀

〈僕は色盲である。従って、実に、実に悲しい思いを、僕は色に関する限り堪《た》えて来ねばならなかった。〉

歌曲「花の街」や合唱組曲「筑後川」で知られる作曲家の團伊玖磨《だんいくま》（1924-2001）は、エッセイ集『パイプのけむり』（朝日新聞社、1965年）に収められた「色盲」というタイトルの一文をこのように始めた。みずからのことを「色盲」（今で言う2色覚）であるとカミングアウトした上で、それが「実に、実に悲しい思い」をもたらすものだったとする。

「このエッセイを読んで、こんな悲しい思いをする子がもう出ないようにしたいと思ったのが、先天色覚異常にかかわるようになったきっかけなんです」

そう述べたのは、眼科医の全国組織、日本眼科医会で学校保健委員を務める、宮浦徹医師だ。

都営三田線芝公園駅から竹芝ふ頭方面へと数分歩いたところにある事務局を訪ね、話を聞いた。

今現在の色覚問題のありようが眼科医側からはどう見えているのか知りたいというのが訪問の第一の目的だ。

話の最初の段階で、團伊玖磨のエッセイが話題に出た。日本眼科医会の学校保健委員というのは、まさに学校健診に深く関わる立場であり、宮浦にとってこのエッセイは「原点」に相当するものだという。書かれてから半世紀以上たっているものの、現代に通じる部分があり、決して等閑視し得ない問題提起をしているともいう。

そこで、そのエッセイをもう少し読んでみよう。團が堪えなければならなかったという「実に悲しい思い」とはどのようなものだったのだろうか。少々長くなるが引用する。

まず、はじめての恐ろしい思い出は小学校の図画の時間に起こった。ある朝、クレヨンでバラの花を写生していた時に、突然、教師は僕の描《か》いていた絵を取上げると、それを教壇の上からクラス中に示した。四十人の同級生の哄笑《こうしょう》が起こり、一斉に軽蔑の視線が僕を射《い》すくめた。

教師は僕を訓戒した。

「見た通りに描けとあれほど言ったのに何故見た通りに描かないのですか。先生の言った通りに出来ない子供は心のねじけた子供です」

（中略）

この教師は色盲について無知だった。毎週図画の時間が来る度に、僕は叱責《しっせき》され、立たされ、唇を噛んで涙を流さねばならなかった。同級生は、教室の一隅で立たされている僕に関係なく、楽しそうにいろいろなものを描いていた。僕は唇を噛みながら、楽しそうな皆を盗み見た。そして、意味なく自分を叱る教師を憎んだ。図画の時間は恐ろしい時間であり、図画のある日は恐ろしい日であった。やがて、僕はその日に仮病を使って学校を休むことを覚えた。

美を習うべき図画の教室で、僕は屈辱《くつじょく》を習い、憎悪を習い、嘘を習得したのである。

團が8歳、昭和一桁の頃のエピソードだ。

いかに「戦前」とはいえ、年端もいかない子どもが、自らの色覚のために「屈辱」「憎悪」「嘘」といったものを学ばざるを得なかったという述懐は、想像するだに恐ろしい。このような無理解な教員はさすがに21世紀の現在は存在しないと期待したい。

しかし、現実は決して予断を許さない。宮浦が語り始めたのは、そんな現況だった。

## 「色覚検査廃止」がもたらしたもの

2003年より、色覚検査は学校健診の必須項目から削除され、全国ほとんどの学校で行われなくなった。就労に際してもごく一部の職種をのぞいて制限が取り払われており、先に述べたとおり、色覚をめぐる諸々《もろもろ》の問題は解消したとぼくは感じていた。

しかし、その素朴な認識は誤りで、昭和一桁のエピソードがいまだに「過去の話」になっていないという。

宮浦はこのように説き起こした。

「学校で色覚検査がされなくなってから、教員は色覚異常の問題を忘れてしまった感があります。子どもが感じたままの色で描いていると、理解のない先生から訳も分からず叱られたというような報告が、わたしたちのところには複数来ています。團伊玖磨の時代にあったことが、いまだになくなっていないというのは残念でなりません」

宮浦が言及したのは、日本眼科医会が平成22・23（2010・2011）年度の2年間にわたって行った「実態調査」だ。学校健診で検査されなくなった時点から、将来起こりうる不都合に懸念を抱いており、検査を受けていない世代が高校を卒業して進学・就労するケースが出てきたこの時期に全国調査を行った。各都道府県の眼科医会が推薦する657の眼科医療機関を調査対象とし、当該の2年間で先天色覚異常と診断された症例を問い合わせて、941件の報告を得た。★1

941件といえば、かなり多くの症例を集めたという印象を最初抱いた。

しかし、これが全国各地の657眼科を対象にした2年間にわたる大規模な調査だと考えると印象が変わる。数千人に1人の希少疾患なら話は別だが、色覚異常は「男性の20人に1人」が相当するありふれたものだから、その観点からは少なすぎる。

「件数は1診療所あたり1年間に0・7件ということになります。これは、色覚検査がほとんどの学校で行われなくなったことが原因だったと考えています。学校健診で見つかって眼科を受診する流れがあったわけですが、それが機能しなくなったわけですから」

日本の学校健診で色覚検査は、先天色覚異常の子どもを一人残らず検出しようという水準で機能していたので、それがなくなったのを機に色覚異常での眼科受診が激減した。色覚外来を持つ大きな病院の担当医が、「10年間、暇だった」と語るのを聞いたこともある。先天色覚異常は、検査を受けない限り本人も周囲の人も気づかないことが多い。

つまり、そんな状況で、あえて受診した人たちが、941人(941件)いたということだ。この場合、親なり本人なりが、悩み、心配しているからこそ受診したのだろうと推察され、報告書には多くの印象的なエピソードがピックアップされている。

まず、團伊玖磨と同じように、図工の時間に辛い目にあった児童のエピソード。

〈色間違いをして、先生に「ふざけていてはダメ」と注意されたことがある　8歳男〉

本当にこれは、まさに「そのまんま」である。

21世紀の現代において、二重の意味で驚きを禁じ得ない。

まずは、先天色覚異常についての知識が、この教員には伝わっていなかったのであろうこと。

さらには、他の子と違う色使いをする児童に対して「個性的だね」と尊重することもできたであろうにという点だ。

「感じたままの色を使って、理解のない先生から訳も分からず叱られたという報告は複数ありました。これは本人がまだ自分の異常に気づいていない低学年ですね。高学年になると、友人との色使いの違いに気づきはじめるので、そういうこともなくなっていくのですが……」

また、古くから指摘されている「赤いチョーク問題」もあいかわらず語られている。

〈黒板の赤いチョークの字を読みとばした　9歳男〉

〈黒板の朱色の字が読みにくく、近視のせいと思っていた　15歳男〉

あるタイプの先天色覚異常では、「黒板に赤チョーク」が見えにくいというのは、もうずっと前から知られていることなのに、いまだに学校の現場が改善されないのはやはり驚きだ。

「現状では、養護の先生は先天色覚異常について知っていても、一般の先生や、図工や美術を教える先生のなかには理解できていない人が多いと思います。「色覚検査は義務ではない」となった理由の一つに「理解が進んできたから」というふうに言われてきたわけですが、それはちゃんとした調査がなされたわけではありませんし、わたしたちは事実ではなかったと思っています。本当は、教員になる教育の中で先天色覚異常について勉強してもらいたいのですが、文科省は「子どもの不利益にならないようにしてください」と言うだけで、教職過程で何も教えていません。このままだと、これから先、もっとひどくなるのではないかと心配です」

ここで浮き彫りになったのは、学校健診で色覚検査がなくなったのは「理解が進んできたから」だというのは、少なくとも現場の教員レベルでは真実ではなかったこと。そして、そんな状態で検査をなくしたものだから、その時点ではあったかもしれない先天色覚異常にまつわる知識もごっそり忘れ去られてしまったのではないかという懸念だ。

## 就職の今昔

年齢が上がると、今度は進学や就職が問題になってくる。先に紹介したエッセイ「色盲」の時代にもこれは同じで、團は「色盲はどこまでも追《つ》いて来た」と表現した。
〈色盲はどこまでも追《つ》いてきた。中学を終え、上級学校へ進む時に、そのことは僕の前途を狭《せば》めた。理科系統には進めず、陸軍や海軍の学校も当然駄目であった。そのころはもう音楽に進むことを決めていたから構わなかったが、矢張り、十の学校のうちの七つ八つは受験出来ぬのだということは、不愉快なことだし、口惜《くや》しいことでもあった。
子供ながらに、僕は、自分の色彩感覚の欠陥が将来負い目にならぬ道に進もうと考えていた。無論それだけの理由ではないが、音楽の道を選び、上野の音楽学校に入った理由の一つは、音楽に色盲は比較的負い目にならぬと考えたからである。〉
團にとって幸いだったのは、「音楽の道」という選択肢があったということだ。「十の学校のうちの七つ八つは受験出来ぬ」状況なら、自分自身の関心や適性とはかけ離れた進学を余儀なくされ、あるいは進学を断念し、本人としては不本意な職業につく者も多かっただろう。

さすがに21世紀の今、これほどひどい状況ではない。鉄道の運転士、航空パイロットや管制官、航空自衛隊、警察官、消防官など一部の職業で色覚の制限があるものの（分野ごとに条件は様々に違う）、ほとんどの職業、職種では門戸が開かれている。

「團伊玖磨の話は戦前、戦中のことですが、戦後も2000年頃までは、進学についても職業についてもいろいろ差別的なものがあったと認識しています。それらは、その後かなり改善しました。今の問題は、むしろ、検査をしないで放置された色覚異常の中学生、高校生の中に、採用試験などで指摘されてはじめて気づく人たちも出てきたということです。これは深刻です。様々な職業に門戸を開くので、自己責任でなんとかしなさいということになっているのに、そもそも自分のことを知らないと、対策も取りようがないわけです。ずっと夢だった職業に就けずに失望したり、会社に入ってから苦労したというようなことがあちこちで起きています」

## 就職試験で色覚異常を知る

前出の「実態調査」では、高校3年生を中心とする当該世代の就職活動、就職試験でのトラブルが紹介されている。
・警察官志望だったが、色覚異常と分かり断念した（18歳男）

・就職試験（自動車整備業）ではじめて色覚異常を指摘されて驚いている（18歳男）
・鉄道会社の就職試験前日、学校で色覚検査を受けてはじめて異常を知る（18歳男）
・消防の仕事を希望し、願書提出の際に検査があり異常を指摘された（18歳男）
・警察官採用試験で初めて指摘された（19歳男）

鉄道の運転士では今も色覚が「正常」であることが強く求められているし、警察も都道府県によって違いはあるものの、強度の色覚異常を持つ者は採用されないようだ（現況を概観できる全国調査はない）。

一方、消防については、2017年に全国調査が行われているので全体像がわかりやすい。[★2] それによると、採用試験の際に色覚検査をしない消防本部は40・1%、検査結果が採用に影響しない消防本部が10・1%で、つまり、半分程度が色覚を不問にしている。また、色覚を問う場合でも「運転免許を取得でき、赤青黄が判別できる」という緩い基準のところが14・8%ある。消防という同じ仕事ながら、採用の基準はかなりばらついている。

いずれにしても、就職試験の段階でいきなり「あなたは色覚異常だから」と拒否されたとしたら、その衝撃は非常に大きなものになるだろう。自分が先天色覚異常だと早い段階で分かっていれば、鉄道員のように固く門戸が閉ざされている職については軌道修正できたかもしれない。

「こういうことになるのは目に見えていたので、学校健診での色覚検査が事実上廃止された時、日本眼科医会としてはむしろ残してほしいという意見でした。日本眼科医会が色覚検査を廃止するために動いたというわけではありません」

これはぼくが誤解していた点である。学校健診での色覚検査が必須項目でなくなるにあたって眼科医が熱心に支持する意見を表明していたと記憶していたのだが、それは「一部の眼科医」であって、日本眼科医会としてのものではなかったことを宮浦は強調した。そして、色覚検査を受けていない世代が就職する時点で予想通りに起きたトラブルを丹念に拾い上げて、行政に働きかけることで、2014年の「色覚検査の復活」に至った。

色覚検査の復活とはいっても、ふたたび必須項目に指定されたわけではない。文部科学省スポーツ・青少年局長が、各都道府県教育委員会に向けて出した、以下のような通知をもって事実上の「復活」となった。

〈児童生徒等が自身の色覚の特性を知らないまま不利益を受けることのないよう、保健調査に色覚に関する項目を新たに追加するなど、より積極的に保護者等への周知を図る必要がある〉

2002年に色覚検査が学校健診の必須項目から外されたのは、「義務ではなくなった」というだけで、その後も希望者には個別に実施することができた。しかし、それが事実上「禁止」のように受け止められることが多かったという。そこで、より積極的に保護者等への周知を図ろうというのがこの通知の趣旨である。文科省はさらに、色覚検査の希望をつのる保護者に向けた文書の雛型まで配布して、「再開」を志向することになる。

そして、2015年には、「色覚検査のすすめ!」というポスターを作成して、全国の医療機関などに配布した。これは、表題通り、学校で色覚検査を受けることを勧めるものだが、際立った特徴がある。色覚検査を受けた方がよい理由として、ひたすら職業上の問題に焦点をあてていることだ。

「学校での色覚検査を呼びかけるわけですから、進路指導のもとになる目安が必要です。色覚異常で業務に支障があるかもしれない職種を挙げているのを見て、差別的な線引きだと感じる人もいるでしょうが、そういう意図はありません」

とはいうものの、ここでちょっともやもやしたものが頭をもたげてくる。

「色覚検査のすすめ！」のポスターに挙げられている「目安」は非常に広範にわたる。はたして、こういった目安を「早め」に広く知らしめることは当事者にとってよいことなのだろうか。いや、そもそもこういった目安自体、妥当なものなのだろうか。かりにそうだとしても、啓発ポスターの中で伝えるべきことなのだろうか。

図**1-1**

日本眼科医会が2015年に作成したポスター「色覚検査のすすめ！」。一番下の表に「支障の目安」がまとめてある。

### 色覚の異常の程度による業務への支障の目安

ポスターでは、次のような職業や職種が、色覚異常の程度によっては困難だったり努力が必要だったりすると述べられている。

【異常3色覚でも困難を生じやすい業務】
鉄道運転士・映像機器の色調整・印刷物のインク調整や色校正・染色業・塗装業・滴定実験
【2色覚には難しいと思われる業務】
航海士・航空機パイロット・航空・鉄道関係整備士・警察官・商業デザイナー・カメラマン・救急救命士・看護師・歯科技工士・獣医師・美容師・服飾販売・サーバ監視業務・懐石料理の板前・食品の鮮度を選定する業務
【2色覚でも少ない努力で遂行可能な業務】
医師・歯科医師・薬剤師・教諭・調理師・理髪師・芸術家・建築家・電気工事士・端末作業を伴う一般事務
【2色覚でもまったく問題ない業務】
モノクロ文書による一般事務・その他色識別を必要としない業務（色以外の情報がすべて付加されている業務を含む）

じっくりと読んでみて、いくつも疑問が湧いてくる。

挙げられている職業のほとんどは、現在、色覚について特段の制限が設けられていないものだ。このポスターを作った日本眼科医会は、学校健診における色覚検査だけでなく、かつてあった様々な職業の制限も復活させるべきという立場なのだろうかとすら最初感じた。

もちろんそんな意図はないということなのだが、とはいっても、どのような根拠でこんなリストを作っているのかぼくの頭の中は疑問符でいっぱいである。自分自身が直接、体験したり見聞して知っている職種もここでは挙げられており、それが現実を反映していないようにも思えた。

たとえば、【2色覚には難しいと思われる業務】の中にあるカメラマン。

かつてテレビ局員だったぼくは、テレビ局で色覚が問われたのは放送を最終的に送り出す主調整室に勤務する技術職だけで、他の職場では特に問題にされていなかったと記憶する。自分が働いていた報道の現場では、スタジオ用カメラも取材用のカメラも、フォーカスの精度や階調の把握などのためにあえてビューファインダーをモノクロにしてあった。

静止画を撮影する仕事は、ぼく自身、テレビ局をやめて独立してから時々、請け負ってきたし、また、カメラマンと一緒に仕事をすることも多い。それで知りうる限り、少なくとも、報道的な分野では決定的な瞬間を切り取ることが最優先され、繊細な色覚が問われることは少なかった。シャッターを切るタイミング、ピント、フレーミングの問題もある中、「色」は相対的に「カメラに任せきり」にすることが多いからだ。

つまり、ポスターでは「難しい」とされるカメラマンのうち、ぼくがたまたま知っている一部の分野では、先天色覚異常はほとんど問題にならない。それをこの「目安」を読んで、自分はなれないと思い込むとしたら、かなり残念なことではないだろうか。こういった事例は、挙げられているほかの職業に詳しい人にヒアリングすれば、たくさん出てくるだろう。

また、仮に現時点でこれらの「目安」が妥当だとしても、将来にわたってそのままだろうか。例えば、日本の民間航空パイロットは、本稿をまとめている2020年の時点でも、就職に際して制限があるようだ。しかし、はたして今の小学校低学年の子の多くが就職する10年以上先に、今と同じ基準で運用されているのだろうか。基準は時代とともに変わる。

1964年生まれのぼくの世代は、まさにそういう変化を身をもって体験してきた。小学生の時に先天色覚異常だと判明した際には、「理系には行けないかもしれない」「医師や教員は無理だろう」と言われたにもかかわらず、実際の大学受験ではほとんどの学部学科で門戸が開かれていた。こういう場合、早めの軌道修正がむしろ選択肢を狭める結果になってしまう。実際、「医者にはなれないと聞いて、希望を封印した」という同世代の友人もいる。

さらに、このような目安のリストは、容易に独り歩きする。日本眼科医会という「権威」が、21世紀になってわざわざこのようなリストを作り配布することで、いったんは薄まっていた職業の制限についての意識が再興してしまう可能性はないだろうか。

結局、ぼくは、目安が差別につながるのではないかという点と、そうでないとしても、色覚異常の当事者に早めに知らせることが本人の利益になるのかどうか、両方の点で疑問を抱いている。

## 論文「先天色覚異常の職業上の問題点」について

「色覚検査のすすめ！」のポスターには、「元ネタ」があって、一番下の部分に小さな文字で出典が明記してある。

〈中村かおる：先天色覚異常の職業上の問題点。」（東京女子医科大学雑誌　第82巻　臨時増刊号　平成24年（2012年）1月）〉

日本眼科医会による調査の報告が出たのが2012年10月だから、同じ年にやや先立って、まさに「職業上の問題点」に切り込んだ論文が公表されていたわけだ。著者の中村かおる医師は、東京女子医科大学病院の眼科などで色覚外来を担当しており、おそらくは今、日本で最も多く、先天色覚異常の診断とカウンセリングを行っている一人である。

中村論文には「職業上の問題点」の具体例が列挙されているので、当事者に「実害」があったとおぼしきものをピックアップしてみる。エピソードを語った人の年齢、職業の他に、P、Dなど記号が加えられているのは先天色覚異常のタイプを示すものだ（37ページの図0−4参照）。

・広告ポスターの色校正のミスで損害を出し、転職せざるを得なくなった（26歳、営業職D）

・自動車の塗装の色がずれているとクレームを受けた（27歳、塗装業PA）
・パソコンのモニタ画面が暗転していたため、電源のLEDランプがスタンバイのオレンジ色であると思い押したところ、実は緑色でモニタがスリープ状態であったらしく、そのまま強制終了となって、一日分の入力データが失われてしまった（25歳、大学職員DA）
・ズボンの裾上げをしたときに、緑の生地に茶色の糸を使ってしまった（26歳、アパレルD）
・動物の血便に気づかず辞職を勧告された（25歳、牧畜業D）

職を失うという深刻なものから、作業のやり直しなどが必要になったものまで軽重は様々だが、気づかずにいるとトラブルのもとになるという事例である。

中村は文字通り言葉を選びつつ、注意喚起をしている。

〈自覚の有無や生活不自由度は本人の性格や生活の状況によっても異なり、深刻に悩む場合から何の支障も感じない場合まで、問題意識も多彩である。さらにその家族や上司などは、本人の感覚を実体験できないため、色誤認を過不足なく理解することが難しく、過剰反応や過小評価により先天色覚異常者が不利益を受けてしまう恐れがある。〉

色にかかわる感覚は言葉にすることがきわめて難しい。だから「色覚異常」と聞くだけで、色のない世界に住んでいるというような誤解すらある。こういったことは明らかな過剰反応だろうし、一方で過小評価も中村は問題視する。それによって、先天色覚異常を持つ者が受ける不利益とは、つまりは「現場で困る」ということだろうか。

〈やや独断的ではあるが、著者の診療経験のなかで考えるにいたった、一部の業種における色覚異常の程度による支障の目安をTable3に記す。これは目安であり、実際には、色覚異常の型や程度が同じであっても、さまざまな要素によりTable中の配置は上下する。業務内容は千差万別であり、色識別の要求度も個々の業務により異なる。一般には、専門性が高くなるほど微妙な色識別が要求される〉

Table3とは、後に「ポスター」に引用されることになる「色覚異常の程度による業務への支障の目安」の表だ。表だけを見るとまさに「独断」的に見えるが、結局は「業務内容は千差万別だし、色覚以外の要素によっても左右されることが明記されている。ただ、表はあまりにも具体的で、こちらの注記は慎重に読まないと印象に残りにくいかもしれない。

さらに中村はこのように結論する。

〈もっとも重要なのは本人の意識と能力である。いかに自覚し、色誤認を理解し、その対策を立て、実行しているかによって、色誤認は回避され、高度な業務へも活躍の場が拡大する。場合によっては不断の努力が必要となることもあろうが、それでもその業務を継続する熱意があれば、多くの業務は2色覚でも遂行可能である〉

きちんと色覚検査を受けて、みずからの色覚の特徴を理解して対処するべし。さすれば道は拓かれるだろう、というふうに読める。

## 制度が変わると相談内容も変わる

このような「支障の目安」は、どんな経緯で策定されたのか。論文著者の中村を訪ねた。

1990年代から色覚外来に携わる中村は、20世紀の最後期から色覚臨床の現場に入り、21世紀になって学校健診での色覚検査が行われなくなってからの時期、さらにはその「復活」後のすべてを現役の医師として経験してきた。その経験からこのように述べる。

「規則の改正がされて、制度が変わると色覚外来の相談内容も変わります。学校健診でやっていた頃は、学校で発見されたからびっくりしてとか、色覚検査が雇用時健康診断の必須項目だった頃には、就活時に落とされて驚いてですとか、あるいは、あらかじめ備えてとか、いずれにしても、受動的な動機で来る人が多かったんです。でも、検査がなくなってからは、実際に困ることが起きないと受診にいたりにくくなりました。なにか現実的な問題があって、深い悩みを抱えている人も多くなります」

では、具体的にどんな悩みだったのか。

さきほど、論文の中で紹介されているもののいくつかを引用したけれど、それらに加えて、一段、深い含意を感じさせられるこんなエピソードがある。

「就職後に苦労して診断を受けにくるケースがしばしばありました。例えば建築の現場監督になったけれど、現場のコンクリートの上に描いてある赤い線が見えないというんですね。それで、上司も一緒に来て、助言を求められたので、「この赤は見えにくいから朱色に変えたらどうか」などアドバイスをしました。でも、結局、朱色の塗料は特注になってコストがかさむということで、「うちには無理だから来年からは制限を厳しくする」ということになってしまいました。ちょっと印象に残っている話です」

赤が暗く感じられて見にくいというのは、先天色覚異常の一つのタイプによくある特徴だ。注意喚起や警告のための色として赤を使うなら、少し黄方面に寄った朱などにすると画期的に改善するのだが、これを知らないと一部の人にとても見にくい色遣いになってしまう。

分かってしまえば簡単なことなので、これからは塗料を変えればいい。しかし、現実には慣習的に使われているものを変えるのが難しいことが多々ある。本当にこういうものは慣習の問題だ。人の注意を引きたい時に使う「赤」が、実は見づらい人がいることを社会的に共有できれば、「朱」が特注ではなく安価なものになるだろうに、それが簡単には起きない。自分の色覚について知らずに就職した後の苦労だけでなく、それをきっかけに社会的な理解よりも、拒絶の方向に針が振れてしまったように見える悲しい事例だ。

「色覚検査を受けないまま企業に採用されて、後で困るケースを10年以上見てきて、それをきちんと書きたいと思っていました。声がかかった時に、かなりの分量が必要だと分かっていたので、多めにページをもらいました。そして、言葉を選んで気をつけて書いたつもりです。同業者からかなり控えめにしたでしょうとも後から言われました。もちろんあくまで私が色覚外来で出会った患者に基づいた目安ですから、何カ所にもそのように断っています。「自分の独断」ともあえて書きました。自分の色覚のことを何も知らないまま何も努力をしないでいると、後で苦労することがある、ということです」

## 自己責任の問題

日本眼科医会の宮浦が用いた「自己責任」という言葉を思い出す。

「様々な職業に門戸を開くので、自己責任でなんとかしなさい」というのが現況だと宮浦は語っていた。そして、中村は、自分の色覚のことを何も知らないまま何も努力をしないでいると、こういう職業では苦労するという考えで「職業上の問題点」をリストアップし、論文のまとめの部分では「重要なのは本人の意識と能力」「いかに自覚し、色誤認を理解し、その対策を立て、実行しているか」「場合によっては不断の努力が必要」と結論した。やはり、色覚異常の当事者がいかに自覚して努力するかという自己責任の論である。

もちろん本人がどんな色覚であれ、そのこと自体の「責任」が当人にあるはずもない。しかし、こんな「自己責任」の世の中なのだから、早い時期に色覚検査をして自己防衛すべきという意味だとぼくは理解している。それにしても、日本眼科医会の学校保健部門を代表する立場で語った宮浦と、日本を代表する色覚外来の一つで診断とカウンセリングを続けてきた中村がともに、そういったことを強調するのは印象深い。

もっとも、ひたすら自己責任論に傾倒しているわけでもないので、そこは注釈が必要である。

例えば――

日本眼科医会は色覚異常に配慮した配色を普及させる「色のバリアフリー」を推進する立場だ。特に学校でどのような配慮が必要かについては大きな関心事としており、宮浦自身、学校における「色のバリアフリー」についての啓発活動をしている。また、中村も「色のバリアフリー」に関する論文や解説を著して知識の普及につとめている。[★3] 学校の養護教諭の情報源となっている「学校保健」ポータルサイト（公益財団法人日本学校保健会による情報提供事業）には、「色のバリアフリーを理解するためのQ＆A」というコーナーが設けてあり、宮浦も中村も、ともにこのコーナーを作成した「委員」だ。

学校においても、職場においても、みんなが分かりやすい色の使い方を工夫していくべきだということも、色覚臨床にかかわる眼科医の標準的な主張だ。それでも「自己責任」や「自衛」が議論の前景に飛び出してくるのは、ひとつには、どうにも変わらない社会の現実があるということと、また、もうひとつには、医師は患者個人と直接相対する立場なので、個々人ができることとして「自覚をしなさい」「自衛しなさい」（場合によっては「自制をしなさい」）と言うことができる現場にいるということがあるだろう。

もっともそのように背景に思いをめぐらした後で、あらためてポスターを見ても、最初に抱いた印象を変えるには至らない。論拠になった中村の論文自体、読み手自身がバランスを取りながら読まないと、「就けない仕事リスト」に読めてしまう部分がある。そして、そこから「表」だけを取り出すと、まさに「就けない仕事リスト」に化ける。

## 検査を徹底すれば事態は改善できるのか

これまでに出てきた「色覚検査撤廃後」に顕在化した問題は、（1）「先天色覚異常についての配慮が忘れられ、学校などで不利な扱いを受ける」、（2）「就職の時になってはじめてわかり、その時になって進路の修正を余儀なくされる」という2点に集約される。

これらは、本当に色覚検査が行われなくなったために起きたことなのだろうか。また、色覚検査を学校でふたたび広く行うようになれば改善されるのだろうか。

（1）については、「撤廃」後、当事者であるぼく自身が「色覚問題は解決済み」と感じてきたように、学校の現場でもそう感じている教員が多い可能性は高い。しかし、考えてみれば、日本のすべての学校で色覚検査が広く行われていた20世紀を通じて、不当な仕打ちを受けてきた児童・生徒たちは常にいたわけだし、検査を再開したからといって、それが急に改善されるとは思えない。なにか別の方策が必要だろう。

（2）については、たしかに、学校での色覚検査を全員が受けていれば、起きにくい。しかし、だからといって、非常に若い時点で「きみはこういう職業は要注意」と本人や保護者に伝えることは正しいのだろうか。むしろ、必要な人に、適切な時期に、必要な情報を、という最適化をしないと、「負のラベリング効果」のみを与えることになってしまうのではないか。

宮浦や中村ら、現場で色覚臨床にたずさわるオピニオンリーダーたちの話を聞いた後で、ぼくが率直に思ったのはこのようなことだった。

もっとも、これに対して、宮浦からは鋭い応答があった。

「——学校健診での色覚検査は、あくまでもスクリーニングなんです。がんのスクリーニングもそうですけど、取りこぼしがあってはいけませんよね」

「——そもそも、なぜ負のラベリング効果だと思いますか？　もし社会的にそう思う人が多いなら、その偏見をなくしていかなければならないんです」

前者についてぼくは異論がある。しかし、それを言語化できるのはずっと後のことだ（第6章）。

一方で、後者については、なるほどその通りだとぼくもその場でうなずいた。

「先天色覚異常」と言われること自体が、負のラベリング効果になってしまう現状がおかしい、というのはまったく同意する。

しかし、ここで同意できるとしたら、逆に理解し難く感じる部分が出てくる。件のポスターにしても、「色覚異常の人はこんな仕事ができない」という誤解を広げる方向に作用しうることに、宮浦が無自覚であるように思えてならないのだ。

宮浦はこう続けた。

「なぜ、色覚異常だけ、そんなに特別なんでしょうか。このテーマは、すぐに議論が過熱しすぎます。近視の人のことを屈折異常といいますが、それは別に問題にならないですよね」

ぼくはふたたび大いにうなずいた。その点も、まったく同意だ。

たしかに、屈折異常について、それを「異常」と呼んだだけで社会的な議論がヒートアップするようなことは想定しにくい。

しかし、色覚異常という言葉は、非常に強く響く。なぜ、かくも「特別」なのか。ぼくは宮浦から宿題をもらったかのように、しばらくこの件を考えていた。

## 色覚異常はなぜ特別なのか

色覚異常が「特別」なのはなぜか。いや、そもそも「特別」なのだろうか。

結論を言うと、やはり「特別」だったと考える。

先天色覚異常をめぐる日本語文献を読んでいると、ある際立った特徴に気づかざるを得ない。

色覚の臨床医は、診断名の「先天色覚異常」はともかく、それに「者」をつけた「色覚異常者」をごく普通の語彙として使う。さらに、その省略形として「異常者」を多用する医師もいる。

異常者！

この言葉は非常に強烈である。先天色覚異常の当事者であるというだけで、人としての存在を否定されたような気持ちにさせられる。

その一方で、近視、遠視、乱視の人について「屈折異常者」という言い方は、あまりしない。これは大きな違いではないだろうか。

あくまでも印象論なので、客観的な裏付けを得るためにまずは邦文論文検索をした。2020年9月に国立情報学研究所のCiNii論文検索でヒットした件数を示す。また、「異常者」の用例数を「異常」の用例数で割ったもの（いわば〝異常者／異常〟比）を指標として、計算しておく。

| | | | | |
|---|---|---|---|---|
| 色覚異常 | 801件 | 色覚異常者 | 250件 | 0・31 |
| 屈折異常 | 425件 | 屈折異常者 | 6件 | 0・014 |

論文の検索に限ったのは、センセーショナルな話題ではなく、手堅い内容のものに絞ることができるからだ。またGoogle検索のように常にインデックスを更新している検索エンジンではその更新作業中の検索結果が安定しない。CiNii論文検索はその点、新しい論文を追加していくタイプなので、検索結果に一貫性がある（執筆中、改稿するごとに確認した）。

これで分かるのは、色覚異常も屈折異常も3桁にのぼる件数の話題がある一方で、そこに「者」をつけて、色覚異常者、屈折異常者とするだけで、大きな違いが出てくることだ。色覚異常者は普通に使われ、屈折異常者はほとんど使われない。

さらにいくつか、「◯◯異常」で検索したので、まとめて表にしてみた。

これらを見ると、「◯◯異常」に対して「◯◯異常者」の表記の頻度が、「色覚異常者」でだけ際立って高い。結局、色覚異常という概念は、屈折異常などと違い、当事者の重要な属性とされ、「異常者」という呼び方につながることが多いことが分かる。

こういった傾向を踏まえた上で、もっと一般的な場での使われ方を見るために、今度はGoogle検索してみた。すると、「色覚異常者」を一般向けに使っているのは、大学の眼科学教室から町のクリニックまで、広く色覚の臨床や研究にかかわる医師や医学博士たちだと分かった。

図1-2

| | +異常（A） | +異常者（B） | B/A |
|---|---|---|---|
| 色覚 | 801 | 250 | 0.31 |
| 屈折 | 425 | 6 | 0.014 |
| 脂質 | 1900 | 8 | 0.004 |
| 代謝 | 8538 | 24 | 0.003 |
| 染色体 | 3085 | 4 | 0.001 |
| 精神 | 120 | 20 | 0.17 |

国立情報学研究所のCiNii論文検索で「◯◯異常」「◯◯異常者」がヒットした件数（2020年9月）。「色覚異常」だけ「色覚異常者」と表記される割合が十数倍から数千倍多い。

ここで、「なぜ、色覚異常だけ、そんなに特別なんでしょうか」という問いかけに対して、ある仮説を提示できる。

つまり、「先天色覚異常はなぜか人の属性として強く意識され、眼科医をはじめとする専門家みずからが「色覚異常者」「異常者」などと特別扱いしているからではないでしょうか」と。

もちろんこれは単純かつ一方的すぎる仮説である。

というのも、ぼくがこれまでに会った色覚の臨床にかかわる医師たちは、色覚異常の当事者の現況をなんとか改善したいと願い、行動してきたのであって、別に「異常者」扱いしたいわけではさらさらないからだ。それは火を見るより明らかなレベルで確信する。

なにか独特の背景がここにはあって、色覚異常を「特別」ならしめている。医師も、研究者も、当事者も、社会も、それに巻き込まれている。

それはどのような背景であり、どのように発生し、維持されてきたのか。20世紀から連なる歴史的な慣性の中にぼくたちが今もいることは間違いないだろう。

## 小さな問題と大きな問題

ここで、2つの問題を設定しよう。いわば「小さな問題」と「大きな問題」だ。

小さな問題というのは、ここで眼科医が訴えている21世紀の色覚問題は、どんなふうに解決されるのがよいだろうか、というものだ。

そして、大きな問題とは、「小さな問題」をふくめて、20世紀からつながる色覚をめぐる「問題系」がどんな形をしているのか、ということだ。

野心としては、「大きな問題」を見ることで、「小さな問題」を解く道筋を見つけたい。

しかし、「大きな問題」を見るには、さらに大きな視野が必要だ。それに挑むのは第2部以降でのことになる。

今はまず、20世紀の色覚異常と当事者や社会をめぐる状況を知りたい。ほとんどの人が「差別があった」とするあの時代からつながっている21世紀の「今」を考えるため、古きを温《たず》ねよう。

★1——宮浦徹・宇津見義一・柏井真理子・山岸直矢・高野繁「平成22・23年度における先天色覚異常の受診者に関する実態調査」『日本の眼科』83巻10号、2012年、「平成22・23年度における先天色覚異常の受診者に関する実態調査（続報）」『日本の眼科』83巻11号、2012年の2篇。
★2——カラーユニバーサルデザイン推進ネットワークによる消防全国調査。http://cudn.jp
★3——中村かおる「色覚バリアフリー」『色覚異常の診療ガイド　Monthly Book OCULISTA』43号、全日本病院出版会、2016年など。

## 21世紀の新たな問題

20世紀、色覚異常の当事者は、進学や就職において多くの制限を受けてきた。後で述べることになるけれど、いわゆる理系の高校、大学、職種だけではなく、小学校の教員から銀行の事務にいたるまで、社会のありとあらゆる分野でなにがしかの制限があった。それは、まぎれもなく差別だったと、当時を知る人は誰もが認める。少なくともぼくは、取材の中で「差別ではなかった」とする人には出会わなかった。

しかし、21世紀になって20年がすぎた今、当時の記憶は急速に薄れている。たぶん、今30代以下のほとんどの人の頭の中で、「色覚」はネットで時々拾うおもしろネタにすぎないのではないだろうか。「色覚異常だと焼き肉の焼け具合が分からないって本当？」とか、「ゲームの色覚設定を変えたら、（自分は正常色覚だけど）見やすくなった」とか、「ウェブ上での色覚テストで完璧な色覚だと判定された！」とか。

21世紀のはじめに、労働安全衛生規則の一部が改正されて雇入時健康診断での色覚検査の実施義務がなくなったことと、学校保健法施行規則の一部改正で学校健診での色覚検査が必須項目から削除されたことを機に、先天色覚異常をめぐる問題系が表に現れることは少なくなった。

かつて不名誉や不合理な制限を押し付けられてきた当事者たちにしても、社会の関心が薄れた今、積極的に語るモチベーションは薄い。もはや自分が「当事者」であることを忘れて過ごしている人も多いかもしれない。ぼくもついこの前までそうだった。さらに色覚検査をしたことがない若い世代は「自分がそうだと知らない」ことも多そうだ。

社会的な関心が薄れた先天色覚異常の問題が前景化するのは、「自分がそうだと知らない人」が、今も一部で続く「制限」に触れた時だ。日本眼科医会学校保健部の眼科医たちは、この手の「悲劇」が起きることを予測しており、だからこそ21世紀の「色覚検査廃止」第一世代が就職活動するタイミングで調査を行って、就職をめぐるトラブルの事例を報告した。

メディア側も眼科医会の注意喚起に応えた。2012年に眼科医会の宮浦らが調査結果をまとめ、会誌「日本の眼科」に発表した後、「廃止」後10年となる2013年には全国紙に以下のような記事が掲載された。

・色覚異常「早く知りたい」差別批判　検査廃止10年　就職で発覚、職種により支障に（毎日新聞　2月27日）

・色覚異常　遅れる発見　中高生「進学・就職時に」45％　眼科医会調査（朝日新聞　9月19日）

・色覚異常「発見」遅れる　眼科医会調査　学校での検査　任意で（読売新聞　9月20日）

これらの新聞記事では、眼科医会の調査を引いて、当事者は「早く知りたい」だろうとする。その上で、学校健診で色覚検査を受けるべきだという眼科医の意見を肯定的に伝えている。

こういった新聞記事で先天色覚異常をめぐる言説にはじめて触れた人は、「検査して自分のことをよく知っておくのはいいことのはずなのに、なぜ行われていないのか」と思うだろう。検査の「廃止」は愚策だったと考え、「ふたたび学校で幅広く色覚検査をするべき」と憤る人も多いはずだ。

しかし、ここで「待ってくれ！」と言いたくなる人たちも少なくない。

意見の違いの背景にあるのは、20世紀の「差別」を知っているかどうかにつきる。

たしかに、自らの色覚を知りたい人が確認できる環境は大切だ。アクセスしやすいところに窓口があることの意義は大いに認める。

かといって、かつてのように全員に網をかける検査の「再開」を目指すのはどうか。それは、あの「悪夢」の再来をも意味するのではないか。そのような懸念を、ぼくはほぼ自動的に感じる。これは「恐怖」と呼ぶのがふさわしい強い感覚だ。

## 2つの恐怖

こういった恐怖はどこから来るのかと、自分に問うてみると、大きく分けて2系統の理由があると思う。

一つ目は——

かつての学校での色覚検査は、すごく「野蛮」だった。

また同じことが起きないだろうか、ということ。

これは本当に経験しないと分からないことかもしれないが、教室の衆人環視の中で無造作に行われてきた色覚検査には、トラウマを持っている当事者が多い。「え、色が分からないの？」「これ何色？　これは？」というふうに囃《はや》し立てられるのは、色覚検査特有の現象だ。今の学校では、以前よりも児童・生徒のプライバシーに配慮しているというが、もしも、ほぼクラス全員が検査を受けるとなると、かつてのようなことが起きるのではないだろうか。

もう一つの理由は——

学校健診での色覚検査は、かつての「差別」を維持する装置の動力の一つとして機能したが、色覚検査を復活させることで、そのメカニズムが再起動するのではないかという懸念だ。

ぼくは、高校、大学の入試、そして就職にあたっても、就労上も、自分が対象年齢になる少し前に制限が「撤廃」された世代だ。だから特段「被害」を受けていないのだが、それでも、恐怖を抱かざるを得ない。率直に言って、単純に怖い。

こういった実感は、ぼく自身のものだが、「当時を知る人」の間では、かなり共有されていると思う。取材を通じて、この数年、かつてないほど「当事者」と出会っているので、以前よりも確信を深めている。ただし、個人の実感レベルの話であって、統計的な裏付けはない。

だから、ここでは、「かつて」どんな状況だったのか、「ソース＝自分」「理由は肌感覚」ではない議論を心がけたい。

## 当事者に残した傷跡をたどる

20世紀、それも、戦後の日本社会での当事者の声を紹介したいと思い、調べ始めたところ、さっそく困難に直面した。

なにしろ、文献がない。前章で、團伊玖磨の『パイプのけむり』（1965年）を紹介したけれど、それは当事者の発言としては例外中の例外で、その後も長らく「当事者の生の声」は表に出てこなかった。その頃の当事者は、カミングアウトすることで大きなリスクを抱え込むことになったことが、理由として考えられる。

事態が変わってきたのは、1980年代後半以降だ。まずは一部の眼科医が当事者の声を吸い上げ始め、90年代以降にはいくつかの当事者団体が結成された。そして、会報や書籍などで体験談が採録されるようになっていった。

画期的といえるのは、90年代後半に出版された『つくられた障害「色盲」』（高柳泰世、朝日新聞社　1996年）と『たたかえ！　色覚異常者——「色盲・色弱」は病気ではなく、個性なのです』（高柳泰世、主婦の友社、1998年）だ。

著者の高柳泰世《やすよ》は名古屋市で開業する眼科医で、1985年頃から、色覚異常の問題に取り組み始めた。80年代後半に、色覚異常をめぐる数々の制限が緩和された背景には、高柳をはじめとする眼科医たちの積極的な活動があったと考えてよい。ここでは90年代もなかばを過ぎて出版された高柳の2著を、20世紀の当事者の語りを紹介するものとして読む。

まず、『つくられた障害「色盲」』は、色覚異常とは検査表によってまさに「つくられた障害」だとした上で、帯では「300万「色覚異常者」怒れ！」と語りかける。高柳の活動を通じて集った、色覚異常の当事者でもある医師や研究者たち、永田凱彦（放射線科医師）、金子隆芳（筑波大学名誉教授・日本色彩学会元理事長）、井上俊（名古屋大学医学部名誉教授・衛生学）、村上元彦（慶応義塾大学名誉教授・視覚生理学専攻）らが、実名で手記を寄せている。★1 これらは専門家の所見であると同時に、当事者がカミングアウトした上での意見表明としても注目される。そして、この著作に刺激を受けた日本各地の当事者たちから寄せられた便りを中心に編まれたのが、2年後に刊行された『たたかえ！　色覚異常者』だ。さらに高柳の議論をきっかけに1994年に結成された「日本色覚差別撤廃の会」の会報『CMS Letter』にも、色覚検査をめぐる痛切な当事者エピソードが掲載されている。

いずれも、当時40代、50代だった書き手の声だ。戦後の先天色覚異常をめぐる扱いの歴史を今に伝えてくれるものと言えるだろう。

## まずは本人が衝撃を受ける

学校での色覚検査について、はたしてどんな声がピックアップされているだろうか。出典は「つくられた」「たたかえ！」「CMS Letter」と表記し、語りの当事者の年齢などはすべて掲載時のものとする。

〈私は赤緑色弱者です。小学校のころから身体検査のたびに「色覚異常」の判定を受け続けてきました。見た目には、周りの友だちと何一つ違わない自分が、なぜ「異常」のレッテルをはられるのか、子ども心にもげせない思いでした。ですから身体検査の日は、一年じゅうでいちばんきらいな日でした……昨年から会社の健康診断で色覚検査をするようになり、年に2回、またつらい思いをしなければならなくなりました。目の前に「石原式検査表」をおかれるたびに、何か犯罪者扱いをされているような気がします。医師の言葉は尋問であり、目の前の字は、まるで取り調べ調書です〉（43歳　東京都　会社員「たたかえ！」）

〈福沢諭吉は「身分制度は親の仇でござる」と言ったそうですが、私にとっては、石原忍、そしてあの「色盲検査表」は親の仇であり私の仇です。身体検査のたびに嫌な思いをし、嫌がらせを受けたり、就職の際にはやはり差別されました。ことに、中学3年の時、ホームルーム担当の女教師（保健体育の教師）が、「よいか！　色盲の者とは結婚するな！」といったひどい人権侵害の言葉は生涯、いや、来世になっても忘れることはできないでしょう〉（「CMS Letter」４号、１９９９年10月　三重県津市　荒木健次）

さらに、「クラスでたった一人、「色盲」と言われて、泣いて家に帰った記憶がある」（55歳　大阪府　公務員「たたかえ！」）、「検査のとき、後ろに友達がいるときほど辛く思いました。「こんなのわからないの」という声が聞こえてきそうで」「なぜ自分だけがこんな嫌な思いをしなければならないのか、母を責めたりもしました」（43歳　男性　地方公務員「つくられた」）といった声が簡単に見つけられる。

学校での色覚検査について「自分の色覚がわかるのはいいことだ」という発言が、20世紀の状況ではとてもそぐわなかったということを感じていただけただろうか。少なくともここに登場する当事者たちは、学校での色覚検査を人生の大きな分岐点として認識している。それも人生が暗転したイベントとして。

この頃は、先天色覚異常であるだけで進路に巨大な壁が出現した時代であり、それだけでもショックを受けるに足るわけだが、同時にプライバシーに配慮しない実施方法も問題だった。もちろん、学校健診で他の級友が見ている前で行うのは、視力、身長、体重、座高などの測定も同じだったのだが、「色」というあまりに当たり前の感覚が他人と違っているということは自覚が難しく、自分自身にとっても、まわりの級友たちにとっても、青天の霹靂のごとく感じられ、クラスが騒然となるような状況があったのだろうと想像する（自分自身の体験としても、容易に想像できる）。教員が「色盲の者とは結婚するな！」と公言するような状況下では、色覚検査が「取り調べ」に感じられるのも道理だろう。

## 母親の動揺

そして、本人以上に「保因者」である母親もショックを受ける。

〈私は38歳の主婦で、9歳のひとり息子がおります。この子は小学1年生のときの検査で、色覚に異常があることがわかりました。大学病院で精密検査をした結果、「第一色覚異常（強）」と判定されました。原因は母親の私からの遺伝ということで、あまりに思いがけないことに、ただ涙、涙の毎日でした。母系の何世代も色覚異常者は出ておらず、私自身が保因者であることなど、夢にも思っておりませんでした。ショックで打ちのめされましたが……いつもはおしゃべりな息子が、声もなく、ただ涙を流して、「好きな絵を描いても、色を塗ると友だちにからかわれるんだ。僕は目は手術をしても治らないの？」と聴かれ、答えるすべもありませんでした〉（38歳　埼玉県主婦「たたかえ！」）

〈初めての家庭訪問で、担任の先生から色覚異常であることを知らされました。……私はすっかり動転してしまい、あちこちに相談の電話をかけまくってしまいました。……先生が帰られたあと、息子が10色入りのボールペンで絵を描こうとしていましたので、私は気持ちを抑えきれずに、10色の色について質問してしまいました。私も動転していて、息子がどう答えたか覚えていないのですが、焦げ茶とか、紺色とか、緑とかがわからないらしいのです。びっくりして青と緑のチェックのいすのシートの色を聞きますと、何色かわからないといって泣くのです。ポロポロ涙を流す息子を見て、このままいっしょに死んでしまいたい気持ちでした。……家庭訪問の日以来、わが家では、色の話はいっさいしないという異様な状態がつづいています〉（33歳　東京都　主婦「たたかえ！」）

これらを読んで、どう思われるだろうか。

「ただ涙、涙の毎日」「このままいっしょに死んでしまいたい」という言葉を大げさにすぎると感じる人がいるかもしれないが、そこまで思いつめる背景があったのだと理解していただければと思う。また、ここでは母親は「保因者」とされているが、むしろ、実質的には当事者なのだと強調しておきたい。

実は、この数年間、当事者団体の会合に出るようになって、21世紀になって20年が過ぎた今も「息子の色覚異常」に戸惑い嘆く母親が多くいることを知った。涙を流しながら「息子がどんな苦労をするか心配だ」と語る母親は、「保因者」として自責の念に苛《さいな》まれている。当事者団体なので、その涙を受け止めるのはみんな当事者なわけだが、「お母さん、ちゃんと育ちますから」「ほら、ぼくたち、普通に大人になってますよ」などと言って落ち着いてもらうのは、ある意味、定番だ。

もう一つ、ぼく自身の個人史的なエピソードも開示しておく。ぼくの母は、ぼくの前で感情を表に出すことはなかったもののやはり「責任」を感じたらしく、しきりと調べ物をして東京のクリニックで「治療」ができるという噂を聞きつけてきた。高校2年生の頃だ。

当時、千葉県千葉市の鉄道駅からバスで30分もかかる内陸部に住んでいたぼくは、片道2時間近くかけて東京のそのクリニックに何度か通い施術を受けた記憶がある。左右両側のこめかみに電気ショックを与えることで色覚が改善するという触れ込みだった。これは後に偽医療だと指弾されたもので、結局、時間とお金の無駄遣いになった。しかし、母の「なにかできることをしたい」という思いを受け止める受け皿になったこともまた間違いない。

## 一族の問題

本人がショックを受け、責任を感じた母親が涙にくれたり、「このまま死んでしまいたい」と追い詰められたりするだけでなく、「一族の問題」にも発展していく。

〈私ども姉妹の父は、元小学校の校長をしていました。私の第三子の男の子が小一の春、色覚異常を学校より指摘され、私が驚きのあまり実家へ泣き付いたとき、初めて父自身、色弱であるとの事実を知りました。……父は教師になりたい一心で、検査表を丸暗記したそうです。私たちに隠していたことを父になじりますと、父は畳に頭をついて「申しわけなかった」と詫びました。私ども親子は抱き合って泣きました〉（女性「つくられた」）

〈実は私は、自分が赤緑色弱であることを、妻にも子どもにも話していません。高柳先生のご著書も、家族にないしょで、隠れて読みました。いま、私の最大の悩みは娘のことです。娘はたぶん保因者なので、将来結婚して男の子が生まれれば、いずれその子が石原式検査表でひっかかり、自分が保因者であることを知るでしょう。たぶん私は、娘から「なぜ隠していたの」と、泣いて詰問されるに違いありません。娘の結婚、孫の誕生……普通なら、人生のこのうえない祝いごとが、私にとっては苦しみであり、恐れでもあるのです〉（43歳　東京都　会社員「たたかえ！」）

また、別の当事者は「孫の色覚異常の要因が、祖父の小生にあるだけに、この問題に関しては、一日として安らかな日を過ごしたことがありません」（68歳　埼玉県　会社役員「たたかえ！」）と思い悩み、その一方で「人並みに結婚への夢もありますが、遺伝のことを考えると、私と結婚してくれる人などいないのでは」（24歳　北九州市　会社員「たたかえ！」）と嘆く未婚の女性当事者もいる。こういった状況は、追い詰められた母親たちのケースと同様に深刻で切実だ。本当に、なぜ、ここまで大きな話になってしまうのだろうか。

一つのヒントは、前項で、担任の保健体育教師から受けた「暴言」にある。「色盲の者とは結婚するな！」という「人権侵害」の言葉は、実はその教師の素養によるものではなく、むしろ、国が内容を認めた教科書レベルでの指導だった可能性が高いのである。

## 検定教科書が「職業適性」を語る

東京都江東区にある教科書研究センター教科書図書館で、1950年代以降に中学校と高校で使われた保健体育教科書を閲覧した。

先天色覚異常は、主に2系統の単元で言及されていると分かった。

一つは、職業適性。もう一つは、遺伝にかかわる項目だ。

職業適性については、代表的なものをひとつ挙げる。

『四訂　中学保健』（大日本雄弁会講談社、昭和30（1955））年では、まず「色盲の人は、交差点や、ふみきりの、赤・青の信号の区別もつかないわけであるから、交通事故を起こす一つの原因とも考えられる。職業を選ぶときにも、ふつうの人以上に注意する必要がある」とした上で、別ページで「身体的欠陥と不向きな職業の例」という図表を掲載している。その図表では、「色盲」は「画家・工芸家・医師・薬剤師・交通従業員・装飾図案家」に不向きだとされている（図2－1）。

これが当時の「色覚異常と職業」についての標準的な理解だったらしく、同時期に使われていた『新編　新しい健康教育』（東京書籍）、『健康への道』（中教出版）、『健康生活』（教育出版）でも、同じような記述がある。

画一的な説明が各教科書で繰り返される背景には、むしろ、文部省の学指導要領の指示があったと考えられる。そこで、国立教育政策研究所の「学習指導要領データベース」で確認したところ、昭和24（1948）年度の「中等学校保健計画実施要領（試案）」の中に、「特殊感覚器とその衛生」の項目があり、「色神異常と職業との関係」を扱うようにと指示があった。さらに言えば、職業との関係を扱うべき特性として具体的に指定されているのは色覚異常だけだった。

**「結婚はよく考えろ」と教科書に書いてある！**

遺伝にかかわる項目では、先天色覚異常がとてもはっきりとした伴性遺伝であることから、遺伝の法則を教えるためにまずは取り上げられる。その上で、その知識を、よりよい子孫を残すために使うように指導される。

例えば、昭和29（1954）年の『健康生活』（教育出版）には、「よい子孫をのこそう　2．正しい結婚」という項目があり、その中でこんな助言がある。

〈（3）じゅうぶんな家計調査　遺伝学的に健康な家系であるかどうかをよく調べて結婚することはたいせつである。遺伝をするといわれているものに、精神病・精神薄弱・病

図**2-1**

| 身体的特性 | 不向きな職業 |
|---|---|
| かぜにかかりやすい素質 | 発塵性作業・高熱作業・低温作業・戸外作業 |
| 胃腸の弱い素質 | 重筋作業・高熱作業・立ち作業・発作業 |
| 高血圧 | 重筋作業・高熱作業・寒冷作業・発塵作業・高圧下作業 |
| 聴力不全 | 交通運転作業・危険作業・商人・勧誘員・電話交換手・音楽家・案内係り・医師・看護婦 |
| 色盲 | 画家・工芸家・医師・薬剤師・交通従業員・装飾図案家 |
| 肺疾患 | 発塵作業（鋳物工・研磨工・製粉工・採鉱夫など）・料理人・理髪師・教員・うば |
| てんかん | 大工・やね職・電線工夫・機械運転工・交通従業員 |

『四訂 中学保健』（大日本雄弁会講談社 昭和30（1955）年）に掲載されていた「不向きな職業の例」。

的性格（ふうがわり）・白子・色盲・先天性聾啞・血友病などがある〉

こういったトーンは、ほかの教科書でも一貫しており、

〈病気の中には、親から子に遺伝するものがある。このような病気を遺伝病という。遺伝病には血友病、色盲、精神病などがある〉（『標準中学保健』大日本雄弁会講談社、1956年）

〈いずれにせよ親の性質が子孫に長く大きな影響を与えることを考えるとき、私たちはよく調べて、不用意に結婚したり、子供を産んだりすることを避けなければならない〉（1952年『改訂中学保健』大日本雄弁会講談社）

〈これらの事実は、遺伝が個人や家庭生活にばかりでなく、社会に対しても、どんなに重大な意義を持っているかを物語っているものといえよう。したがって、結婚に際しても、一時的な感情に走ったり、縁故関係などにとらわれたりしないで、遺伝について考えなければならない。結婚する両者の家系に悪い遺伝病があるような場合には、優生保護相談所をたずねて相談するのがよい〉（『新編　新しい健康教育』東京書籍、1956年）

といったふうに、遺伝的疾患を持った者との結婚を避けるようにとする記述が多い。その真意は「悪い遺伝によって不幸な人の生まれることは、その家庭にとっても重荷であるばかりでなく、社会にとっても困ることである」『私たちの健康生活』（中教出版、1952年）からだ。

こういった、今から考えると衝撃的としかいいようがない記述は、さすがに次第にトーンダウンするものの、1960年代に入っても、「色盲は、奇形などのように、病気というよりはむし

ろ、生まれつきの異常な状態というべきものである」（『新編　新しい保健教育』東京書籍、1965年）といった記述が散見される。さらに時代が下って1974年の『保健体育科辞典』（恒星社厚生閣）の「色弱」の項目にも、「職業選択などの日常生活に注意するとともに、結婚などにおける優生対策が予防上大切である」という記述がある。

先に紹介した「色盲の者とは結婚するな！」と指導されたという事例が、心無い教師の独自見解というよりも、まさに「保健」の教科書に書いてあるままの忠実な「指導」だった可能性が高いということがご理解いただけると思う。

## 背景には優生思想

背景にあったのは、優生学／優生思想だ。

優生思想といえば、第二次世界大戦中のドイツを想起する人が多いと思うが、日本で本格化したのはむしろ戦後だったという。★2

1948年に優生保護法が制定され、「優生上の見地から、不良な子孫の出生を防止する」として、遺伝性疾患やハンセン病、精神障害などを理由にした不妊手術や中絶を認めた。これは1996（平成8）年に「母体保護法」に改正されるまで続いた。

そして、実際に、本人の同意がない強制的な不妊手術が多く行われていたことが近年、明らかになっている。2018年1月、宮城県の60代の女性が、遺伝性の知的障害を理由に15歳の時に不妊手術を受けさせられたと、勇気ある告発を行い、国を相手に損害賠償の訴訟を起こしたのをきっかけに、同様の告発と訴訟が相次いだ。1949〜92年の間に本人の同意なく強制不妊手術が行われた数は、1万6000件を超えると言われている。★3

本当に滅茶苦茶な話だが、こういったことが「社会のため、本人のため」という理由で実際に行われていた。色覚異常の当事者たちは、まさにこのような社会の中で、学校の教科書に書いてある公の指導として「不用意に結婚したり、子供を産んだりすることを避けなければならない」と言われ続けたのである。★4

## 「色盲」は優生手術の対象だった?

もう少し、保健体育の教科書と優生学というテーマを深掘りしよう。

先にも紹介した教科書の一つ『私たちの健康生活』(中教出版)では、優生学の創始者の一人とされるイギリスのフランシス・ゴルトン(1822-1911、進化論のチャールズ・ダーウィンのいとこである)の肖像画まで掲載して、「優生学という学問は、遺伝の学問を基礎にして、民族の質をよくすることを研究する学問である。英国のゴルトンは1869年『遺伝的天才』を発表して、優生学の基礎をおいた。優生学はわが国でも研究されている」と解説している。

そして、その項目の中で、「悪い遺伝によって不幸な人の生まれることは、その家庭にとっても重荷であるばかりでなく、社会にとっても困ることであるから、わが国では、1948年に優生保護法という法律を出して、社会の健康をはかるために、なるべく悪い病気のある者に手術をほどこして、その子供が生まれないようにすることが認められた」と誇らしげに述べている。

それと前後して「色盲の遺伝」と題した家系図の解説がつらなるので、素直に読むと、「色盲」もまさに「手術」の対象であるように思える。

これは本当なのだろうか。

優生保護法では、医師が公益上必要と認める時、本人や配偶者の同意なく、都道府県優生保護委員会の判断で、手術の適否を決めることができた。その対象となる疾患やリストの中には、「強度且つ悪質な遺伝性身体疾患」として、「全色盲」が挙げられている。視覚にかかわるものとしては他にも、「遺伝性視神経萎縮」「網膜色素変性」「先天性白内障」などがリストの中にある。

「全色盲」とは、今の言葉では「1色覚」のことで、本書で主に話題になっている2色覚や異常3色覚にくらべてはるかに頻度が低い。しかし、先天色覚異常の当事者としては、これはまさに「地続き」であり、他人事ではないと感じる人が多いだろう。

では、実際に強制不妊手術を受けた被害はあったのだろうか。

被害者が高齢化、もしくは亡くなっているケースも多いと考えられるが、2020年から、国会の厚生労働委員会の舵取りで実態調査が行われることになったため、今後、新たな被害事例が明らかになる可能性も大いにある。

いずれにしても、20世紀における先天色覚異常の位置付けを考えるだけで、非常に薄暗い20世紀の影の部分へと至ってしまった。

## 進学や就職をめぐって

この章は、自分自身が感じている「怖さ」から始まった。

そして、あっという間に優生思想の闇を垣間見るところまで来てしまった。

そこで、もう一度、話をもとに戻す。色覚異常の当事者に対する「差別」としてよく語られるのは、進学や就職にまつわるものだ。教科書にも「職業適性」が説かれていたわけだが、実際の就学・就労について、どれだけの制限があったのだろうか。前章で引いた團伊玖磨はそのエッセイの中で、「十の学校のうち七つ八つは受験できぬ」と表現していたけれど、それは戦前・戦中の体験である。では、戦後の日本社会ではどうなったのか。

実は、進学・就職における壁については、眼科医や眼科学研究者らによる調査が、しばしば行われてきた。よく参照されるものとしては、石原忍が率いた東京大学の眼科学教室の出身者で、横浜市立大学教授だった大熊篤二（1908-1981）が1966年に行った「色覚異常者の就職並びに進学の現状」（『日本眼科学会誌』第70巻11号、1966年）がある。さらに19年後の1985年、前出の高柳泰世が別の手法で調査して、特に進学については網羅的、継続的な取り組みをした。その成果は、「大学入試における色覚異常者制限の現況」（『臨床眼科』40巻7号、1986年）を皮切りに断続的に発表された。

まず、1966年の大熊調査は、眼科学会の「宿題調査」として行われたもので、色覚異常の問題は、学術的な場でも関心を向けられていたことが分かる。

ぼくはこの報告を東京大学の医学図書館で確認した。報告が掲載されている1年分の合本を机の上に置いて開くと、ちょうど当該のページが自然と開いた。1000ページをはるかに超える中で、恐ろしい偶然と思われるかもしれないが実はそうでもない。過去にも、このページを開いた人たちが少なからずいたようで、そこで開きやすい癖がついていたのである。

さて、まずは大学進学について。

大熊は、国立・公立・私立の全大学270校の714学部、短期大学も全321校に調査書を送り、大学は478学部（67%）、短大は162校（50%）の回答を得た。

この時点で制限が多かった大学の学部について大熊はこう分析する。

〈医学部、薬学部、歯学部においては学校によって採用方針が区々であるが、その中では薬学部が最も異常者に対する制限が強い[★5]〉

学部レベルでみると、いわゆる医歯薬系の制限がまず特筆すべきであったという。医学部では回答があった34校のうち30校、つまりほぼ90%になんらかの制限があった。「色盲」（2色覚に相当）に関しては、29校で不可、つまり門前払いの扱いだった。かつて「医学部には行けない」とされていたのは、2色覚の当事者にとってはこの時点ではきわめて真実だった。

　また、薬学部は29学科中28学科になんらかの制限があり、そのうち18学科は2色覚も異常3色覚もすべて不可の一番厳しい制限だった。

　歯学部は、8学科に制限があったものの、異常3色覚についてはすべての学科で入学を許可していた。一方、2色覚だとすべて門前払いだった。

　就職の時にもそうだが、「正

図**2-2**

| | 学部・学科 | 校数 | 色覚異常者採否の方針 | | | | | | 入学制限の理由 | | | | | |
|---|---|---|---|---|---|---|---|---|---|---|---|---|---|---|
| | | | 色盲 ○ | △ | × | △ | × | × | 学業に支障 | 卒業後に支障 | | 資格取得に支障 | | 無根拠 |
| | | | 色弱 ○ | ○ | ○ | △ | △ | × | | | 就職に支障 | | 支障資格 | |
| 大学 | 教養人文学部 | 5 | 4 | | | | | | 0 | 0 | | | | 0 |
| | 文学部 | 83 | 80 | | 1 | 1 | | 1 | 0 | 0 | | | | 1 |
| | 法学部 | 40 | 40 | | | | | | 0 | 0 | | | | 0 |
| | 商経済学部 | 94 | 94 | | | | | | 0 | 0 | | | | 0 |
| | 社会学部 | 10 | 10 | | | | | | 0 | 0 | | | | 0 |
| | 宗教学部 | 8 | 8 | | | | | | 0 | 0 | | | | 0 |
| | 音楽学部 | 7 | 7 | | | | | | 0 | 0 | | | | 0 |
| | 美術学部 | 6 | 5 | | 4 | | 1 | 8 | 3 | 1 | 1 | | | 0 |
| | 教育学芸学部 | 56 | 59 | 6 | 62 | | 41 | 107 | 19 | 28 | 19 | 12 | 小学校教諭免許、中学校教員免許（理・美・家・技） | 0 |
| | 家政学部 | 16 | 8 | 9 | 3 | | | 6 | 4 | 3 | 1 | 2 | 看護婦、保健婦、養護教諭、栄養士 | 1 |
| | 理学部 | 44 | 40 | 1 | 4 | 12 | 7 | 27 | 16 | 9 | 7 | | | 0 |
| | 工学部 | 78 | 55 | 5 | 66 | 14 | 40 | 47 | 49 | 24 | 10 | 5 | 教員免許、電気技術者主任資格 | 2 |
| | 商船学部 | 2 | | | | | | 2 | 1 | 2 | | 1 | 海技免許 | 0 |
| | 医学部 | 35 | 4 | 1 | 15 | | 10 | 4 | 23 | 2 | | | | 1 |
| | 薬学部 | 26 | 1 | | 8 | | 2 | 18 | 18 | 10 | 5 | 4 | 薬剤師、衛生検査技師 | 0 |
| | 歯学部 | 8 | | | 3 | | 4 | 1 | 4 | 2 | | 1 | 歯科医師 | 0 |
| | 衛生看護学部 | 1 | | | 1 | | | | 0 | 0 | | | | 0 |
| | 農水産学部 | 46 | 42 | 3 | 32 | 9 | 18 | 29 | 30 | 14 | 8 | 8 | 農業改良普及員、獣医師、漁船運用海技免許 | 0 |
| | 計 | 565 | | | | | | | 167 | 95 | 51 | 33 | | 5 |

大熊の調査報告（1966年）中の「各学校における色覚異常者採否の方針と入学制限の理由」より大学の部分を抜粋して作成。

常」を求められる場合の他にも、「弱度はいいが、強度はダメ」といったバリエーションがあり、単純に「どこが一番厳しいか」とはいえない。大熊が「薬学部が最も異常者に対する制限が強い」としたのは、おそらく、当時色盲と呼ばれた2色覚はほとんど入れないことと、色弱と呼ばれた異常3色覚でも全体の3分の2近くで門前払いだったことを重く見たのだと思われる。

## 理工では化学系、教育系では小学校課程の制限が大きい

大熊の調査では、理学部、工学部、教育学部（教育学芸学部）でも非常に厳しい制限があることが明らかになった。

これらの学科では専攻ごとに大きな違いがあり、大熊は専攻科ごとに細かく検討する図表（「専攻科目別色覚異常者採用方針百分率」）を作成している。元になった数量データは開示されていないものの、図表から判別できる「9割超え」の学科を拾い出すと、工学部の工業化学科、農水産系学部の水産科、理学部化学科、教育学部の小学校課程、中学校課程（理科・美術・技術・家庭では100％）だ。一方で、理学部数学科は制限がゼロだったことが印象的だ。

さらに短大については、看護学科では100％、それも「色盲・色弱ともに不可」（色覚正常者のみ）というもっとも厳しい門前払いの構えだった。家政学科にも4割ほどのところで制限があった。

## 1985年以降の進学

大熊の調査からほぼ20年後の1985年度の入試について、高柳や安間哲史（名古屋大学眼科学教室）、長屋幸郎（のちに日本眼科医会会長）らが調査に着手し、高柳はその後、同様の調査をほぼ10年間継続した。全国の大学から募集要項を取り寄せるという方法で、漏れがない一貫した調査になったのが特徴だ。

初年度の調査結果は、1985年9月の第39回日本臨床眼科学会で学術展示された上で、臨床眼科学会の学会誌である『臨床眼科』（40巻7号、1986年）に掲載された。

それによると――

まず、医学部については、1985年の段階で国立大学の55・8%、トータルでは39・2%に制限があった。一方、教育学部の小学校教員養成課程では72・7%、中学校教育養成課程では、芸術が96・2%、技術が85%、理科が61・1%に制限があった。また農学部農芸化学科も61・1%の高い割合で制限が残っていた。

高柳らは、「色覚異常者の大学入学制限は緩和されてきているが、まだ色覚異常であるということのみで入学を制限している大学が多く、特に国立大学でその傾向が強い」とまとめている。

さらに、日本以外でのこととして、「我々が調査した限りでは、アメリカ、イギリス、ノルウェー、スイス、ドイツでは色覚異常は大学入試の合否の条件とはされていない」と付け加えている。

1966年の大熊の調査から比べて、数字の上で若干改善はあるといえる。しかし、先天色覚異常の医学部志望者にとってはいまだ高い壁があり、「小学校の先生」を夢の職業に思い描く児童・生徒にとってはさらに高い壁があったといえるだろう。

自分自身について言えば、1983年に現役高校生として、84年に一浪生として大学入試を受けたので、高柳のこの調査とかなり近い状況だったのではないかと思っている。自分と同世代の当事者の中には、医学部や教育学部への進学をあらかじめ除外して将来の計画を立てた者も多いと思われる。

ただ、高柳が調査結果を発表した翌86年から、大きな変化がある。高柳が前出の『つくられた障害「色盲」』の中で報告したところによると、日本眼科医会学校保健部が国立大学協会（国立大学間の連絡・協力を促進するために設立された法人）に働きかけたところ、各国立大学長に対して、大学入試での色覚異常への制限をさらに緩和する要望書が送付された。[★6] その内容は、「（色覚異常の当事者の）入学の許可要件としては、可能な限り緩和ないし撤廃の方向で」というもので、緩和だけでなく「撤廃」にも言及しており、翌年から画期的に事態が改善されたのである。

国立大学全体では、翌87年の入学試験に制限を設けた大学は、前年の半分の24・7％（23校）に激減し、93年には3校のみとなった。国立大学の医学部に限ると、87年には11・6％（5校のみ）になって、93年にはゼロになった。21世紀の今から振り返ると、80年代の後半に「大幅な緩和」があったとされるが、それはこういった流れを指している。

それ以降、先天色覚異常の当事者はそれまで入学不可だった学部や学科にうまく溶け込んだようだ。第1章で紹介したようなトラブルも報告されているものの、系統だった問題提起にはなっていない。かつて社会を覆っていた「これもできない、あれもできない」といった考えは、根拠の薄い思い込みの類だったということだろう。

ぼくは、先頭に立ってくれた医師や関係者に感謝の念を抱かずにはいられない。

## すべての業種に制限がある

一方で、就労についてはどれだけの制限があったのだろうか。

1966年の大熊調査では、企業に調査書を送り、回答を得ている。一方、高柳らは、1986年、中京地域のある大学に寄せられた求人票をもとに、当該企業を調べていく手法を取った。また、1995年、日本最初の当事者団体といえる「色覚問題研究グループ」が、東京の大学の求人票をもとに同様の調査を行った。

まず、1966年の大熊調査では、日本経済新聞社刊の『会社年鑑』から「適当に選んだ合計3034社」に調査票を送り、1117社から回答を得た。

結果、「ほとんどの業種で制限があった」と大熊は報告している。大熊は、事務職員、技術職員、現業員と3つの職種に分けて、それぞれについて色覚異常の制限を聞いているのだが、一番、縛りが少なそうな（実際に少ない）事務職員ですら、大態がカテゴリー分けした18の職種すべてで制限を設ける会社が最低1つはあった。

それどころか、「異常者を無条件に事務職員に採用する会社が50％を越す業種は、18業種の中でサービス不動産業のみ」だった。つまり、「サービス不動産業」を除くすべての業種では、事務職員ですら、過半数の会社が、採用時に先天色覚異常をめぐってなんらかの制限をしていたのである（サービス不動産業の「サービス」が何を指すのか大態は明示していない）。

別の視点から見ると、同じ業種でも「異常者を無条件に採用する会社から全然採用しない会社まで混在している」わけで、大態は「業務内容に対する色覚異常者の適否のはっきりした規準がないことを示す」と分析している。

また、調査票の中で「色覚異常者採用制限の理由」について問うたところ、それに対して回答を寄せた827社のうち、実際に支障があったからと答えたものは74社（9％）にすぎず、「はっきりした根拠はない」「実例はないが色覚異常のために仕事に支障を来すことが予想されるとの理由」が多かったことも報告されている。

予想される支障とは、具体的には「赤熱金属の色による温度判定支障」「機械操作標識誤認」（金属工業）、「製品および原料の色の誤り」（繊維工業）、「商品の選別に支障」（百貨店・繊維品商業）、「標識誤認よる事故の危険」（建設・木材業）、「色識別伝票に支障」「紙幣鑑別に支障」（金融・保険業）といったものだ。

伝票を識別できないだろうとか、紙幣を鑑別できないだろうとか、それはどんな了見だと聞きたくなるが、これらが大真面目に語られていた。

結局、この時点においては、ほとんどの企業でなんらかの制限があったわけで、先天色覚異常の当事者は、とにかく採用してくれる会社を自ら探すよりなかったと読める。

## 1986年以降の就職

一方で、1986年以降、高柳が中京地域のある大学に寄せられた求人票と会社の入社要項を調べた結果はこのようになった（出典は『つくられた障害「色盲」』）。

対象になった1822社のうち——
制限なしは、1579社（86・7％）
異常はすべて制限は、76社（4・2％）
強度異常のみ制限は、92社（5・0％）
職種によってすべて制限は、18社（1・0％）
職種によって強度のみ制限は、2社（0・1％）

大熊の調査から20年が過ぎ、8～9割の企業が制限をなくしており、ずいぶん門戸が開かれたように思える。ただし、銀行などで「色識別伝票を誤認する」という「予想される支障」は健在で、高柳は実際にどれだけの人が伝票を間違うのか実験まで行って議論している。結論は、間違う人も間違わない人もいる、という当たり前のもので、つまりは、伝票を色のみで識別することが必須だったとしても、眼科的な色覚検査をしただけでは判断できない個々人の色覚タイプによることを示した。つまり、実物を見せて確認するしかない、ということだ。こういったことを通じて、高柳は、就業に際しても実物を見せて判断するよう提案していく。

いずれにせよ、1980年代後半には、様々な職業の門戸が大いに開かれる傾向が強まったことは間違いない。

## 排除の装置として使われた?

もっとも、ことはそう単純ではなく、1995年に日本障害者雇用促進協会がまとめた研究報告では、高柳の調査とはちょっと違う傾向が出ていて興味深い。★7

調査グループ（当事者団体である「色覚問題研究グループ」）は、「色覚異常者」への聞き取り調査から、色覚異常の当事者を待ち受ける困難を素描する。

「高校卒業時の求人票がほとんど色盲色弱不可で、色覚異常不問の数少ない求人票に就職が限定された」「外交官になろうとしたが、試験に色盲チェックがあるため断念」「色覚異常が問題にならないと思われる職を選んで採用試験を受けたが、学科試験はパスしても身体検査ではねられた」「織物関係の会社に入社するが、健康診断で色弱が判明し、一か月後に解雇」など、これまで紹介したものと変わらない切実なエピソードに事欠かない。

これが、高柳の調査よりも10年下った90年代の話なのである。

前章では、21世紀型の「色覚悲劇」として、自らの色覚を知らないまま就職活動にのぞむ時に起きることを紹介したが、20世紀の当事者にとってはしばしば「夢の職業につく」といった話以前の問題だった。

また、この報告で驚かされるのは、調査対象になった大学によって結果がまったく変わってくることだ。東京都内の私立大学4校と国立大学1校に寄せられた求人票を分析した結果、それぞれの大学への求人票で色覚に制限があった割合は次の通り。

私立のA大学34・8%、B大学24・4%、C大学38・2%、D大学3・2%。一方で、国立のE大学は理工系大学であるにもかかわらず求人レベルでの色覚による採用制限はゼロ。

さて、いかがだろうか。

こういった大学間格差についての分析としては、「企業側の当該大学に対する評価と密接に関わっている可能性がある」ことと同時に、「大学が用意している求人票のフォーマットに色覚についての項目があるかどうか（色覚異常可、色弱可、色覚異常不可などと書き込む欄があるかどうか）」も大きな影響を及ぼしている可能性を指摘している。

この大学の学生なら無条件で採用したいという時には色覚を問わず、そうでない場合には色覚を問う。あるいは、それすら、求人票という既存の書類の書式レベルでの違いに左右されるというのは、なにか本質的ではないところで「色覚」の制限をうまく利用しうるということでもある。この報告書では、「「色覚異常」が、排除のための装置として安易に利用されている可能性を示唆する」としている。

## 循環する議論と閉塞感

以上、20世紀の先天色覚異常をめぐる差別や、進学・就職をめぐる困難を概観した。80年代に進学と就職をした自分自身の体験からは信じられないくらいの制限が、わずか5年、10年前にはあったことが明らかになり、正直、「怖い」という思いを新たにしている。少し前には、なんの根拠もなく「できないだろう」という思い込みで閉ざされていた世界が、自分がその入口を通る直前に拓かれた（あるいは、拓かれつつあった）ことを再確認し、「諸先輩」には感謝してやまない。

その背景にあった先天色覚異常への社会的な理解の仕方は、「怖い」レベルを通り越して、ホラー映画の世界に放り込まれたかのようだ。次世代に伝えてはならない遺伝的な「欠陥」を抱えた存在として、個人や家族に烙印を押す（強烈な負のラベリング！）ことが、社会的な正義として、学校で教えられていたのである。

知らなかった人は、ぜひ覚えておいてほしい。ぼくもここまでとは思ってもみなかった。先天色覚異常の件にかぎらず、このような社会を再来させてはならないと強く思う。

そして、翻って、この取材をするきっかけになった21世紀の現況を考えると、やはり別種の閉塞感を抱かざるをえない。

たしかに、今、様々な現場で、苦労している当事者がいるわけだし、新しい種類の困難に出会っている人もいる。それぞれ不満や不安を抱えているかもしれないが、それでも20世紀に戻りたいという人は誰もいないだろう。

今この瞬間の困難は解決されるべきものだが、だからといって「これは苦労する」「あれも苦労する」「だから、色覚検査を！」というのでは、旧世紀の思い込みに基づいた議論を多少はマイルドにしつつも再生産してしまうのではないだろうか。だから、もっと透明で、もっと合理的で、多くの人が納得できる方法を求めなければならないのだと思う。

では、どうやって？

ここでは結論を急がず、その違和感、閉塞感を持ったまま、先に進む。

そして、もっと広い視野を獲得したい。

色覚って何なのだろう。先天色覚異常とはどういうことなのだろう。

21世紀のサイエンスの現場から見える景観を理解した上で、こういった議論を振り返ったらどんなふうに考えられるだろうか。
そのために知見を広げるのが、次のテーマだ。

---

★1——金子隆芳は日本色彩学会理事長を務めた専門家。色彩科学の教科書『色の科学——その心理と生理と物理』（朝倉書店、1995年）をあらわし、その中に自らの体験を開示する章を設けている。村上元彦は、コイの実験で「3色説」を支持した1967年の有名な論文の共著者である。

★2——米本昌平ほか『優生学と人間社会——生命科学の世紀はどこへ向かうのか』（講談社現代新書、2000年）に収められた松原洋子の「日本——戦後の優生保護法という名の断種法」。

★3——「〝私は不妊手術を強いられた〟〜追跡・旧優生保護法〜」『クローズアップ現代』NHK総合テレビ、2018年4月25日等、2018年にテレビ、新聞で大きく取り上げられた。

★4——学習指導要領のレベルでも、「学習指導要領データベース」に登録されている中では、1956（昭和31）年の高等学校保健体育科に「国民優生、環境改善、栄養改善などを取り扱う」とされており、1960（昭和35）年の同科でも「母子衛生・家族計画・国民優生」の項目がある。

★5——前にも指摘したが、色覚異常者という言葉を省略して「異常者」と表記されているのを見るとその都度ドキッとさせられる。しかし、色覚異常について考察した文献を読むと頻繁に出会う表現でもある。ここは引用なのだからそのまま伝えるが、その旨、注意喚起しておきたい。

★6——「国立大学における入学者選抜に際しての色覚障害者の取扱について（依頼）」という文書。

★7——「色覚異常者の職業上の諸問題に関する調査研究（1995年）」。報告者の日本障害者雇用促進協会は旧労働省系の認可法人で、何度かの統廃合、改組を経て、現在は独立行政法人高齢・障害・求職者雇用支援機構になっている。

# 第 2 部

# 21世紀の色覚のサイエンス

# 第3章　色覚の進化と遺伝

## 景色が変わる体験

先天色覚異常をめぐる悩ましい問題を見てきたわけだが、第2部ではしばらく脇に置いておく。そして、可能な限り視野を広げてみよう。

つまり、社会的な問題としての色覚異常ではなく、色覚をめぐる科学を見渡したい。急がば回れということで、広い視野を獲得した上で、あらためて問題に取り組む方針だ。

本章では「色覚の進化と遺伝」に焦点を当て、次章ではヒトの色覚メカニズム研究の最先端を垣間見る。

色覚にかかわる科学研究は、21世紀になって、様々なサブジャンルで長足の発展をとげており、ぼくは科学者たちへの取材を通じて、いわばセンス・オブ・ワンダー（驚きの感覚）を抱いてばかりだ。そして、その都度、色覚とはなにか、先天色覚異常とはなにか、ということについても、まるで景色が変わるような体験を得ている。

読者にその驚きを共有していただきたく、ここからはしばらく自然科学者たちに問いかける形で話を進める。まずは楽しんでもらえればよい。そして、紙幅が許す範囲で遠くまで行ってから戻ってくることにしよう。

## 魚類から霊長類まで

脊椎動物の色覚進化について、世界的に注目される研究チームが日本にある。東京大学・大学院新領域創成科学研究科（先端生命科学専攻・人類進化システム分野）の河村正二研究室だ。河村教授らは、魚類から霊長類まで、脊椎動物の色覚進化について、実験室での研究とフィールドでの研究を組み合わせた探究を行い、多くの成果を上げている。

東京大学の柏キャンパス（千葉県柏市）にある河村研究室を訪ね、100枚以上にわたるスライドを見ながら「授業」を受けることができた。

「哺乳類がもともと、2色型の色覚、ヒトでいえば2色覚に相当する色覚だったことはご存じですよね」と河村は切り出した。

ヒトでは「3色覚」（3色型）が正常とされるが、大部分の哺乳類では「2色覚」（2色型）が標準だ。「3色覚」は、ヒトの先祖の霊長類が森での暮らしの中で獲得したものだろうとされている。イヌやネコは人間にとって大切な伴侶動物で、ぼくたちの住居の中に一緒に暮らしているけれど、色に関してはヒトの「正常」とされる色覚とはかなり違う。

なお、河村が使う用語は、医学の診断名ではなく、生物学的な場面で使われるものだ。色覚タイプの「2色型」と「3色型」は、ヒトを対象にした医学では「2色覚」と「3色覚」のことだと読み替えて問題ない。

「では、まず脊椎動物全体を見てみましょう。色覚に関係する視物質オプシンには、大きく分けて5種類あり、それらは約5億年前、脊椎動物の共通祖先の時代にはすでに出揃っていたと考えられています」と河村は続けた。

網膜上にあって色覚のもとになる情報を与えてくれるセンサーは錐体細胞だとこれまで説明してきた。しかし、河村の説明はもう少し細かく、錐体細胞の中にあって光を吸収するタンパク質、オプシンを問題にしている。ヒトの錐体細胞も、オプシンの違いによって、L錐体、M錐体、S錐体というふうに分かれる。これだけだと3種類だが、河村は5種類だという。

「4種類の錐体オプシンと、1種類の桿体オプシンということで、5種類です。それらを、魚類、両生類、爬虫類、鳥類、哺乳類、そして、哺乳類の中でも特に霊長類で、どんなものを持っているか表にしましたので見てください（図3-1）。「○」をつけているのはそれを1個持っているという意味で、「◎」にしているのは、同じ型でも2つ以上の微妙に違ったサブタイプを持っている場合です。そうすると、魚類はすべて「◎」で多様な色覚を発達させたのが分かります。それと、哺乳類を除く四足動物は基本的にこれらを1個ずつ持っている4色型ですね。先祖代々のものをずっと大事に1個ずつ維持していると。ただ、両生類だけ「緑」型のオプシンが見つかっていません。これは単に見つかっていないのか、本当になくしてしまったのかはまだ分かりません」

ここで、図3-1について、いくつか注意点がある。

まず、ヒトの錐体のオプシンは、L、M、Sと表記してきた。古くは赤錐体、緑錐体、青錐体などと呼ばれていたものだが、錐体のレベルでは色があるわけではないからだ。しかし、脊椎動物の視覚オプシンについては、河村が一般向けに使う言葉を受け入れて、赤型、緑型、青型、紫外線型とする。また、暗がりでもよく光を捉える桿体細胞のオプシンもこの表に記されている。視物質オプシンの違いを見る立場としては、感度優先で色の識別には基本的には関わ

図**3-1**　**脊椎動物の視覚オプシンのレパートリー**

| | 赤型 | 緑型 | 青型 | 紫外線型 | 桿体型 |
|---|---|---|---|---|---|
| 魚類 | ◎ | ◎ | ◎ | ◎ | ◎ |
| 両生類 | ○ | ? | ○ | ○ | ○ |
| 爬虫類 | ○ | ○ | ○ | ○ | ○ |
| 鳥類 | ○ | ○ | ○ | ○ | ○ |
| 哺乳類 | ○ | × | × | ○ | ○ |
| 霊長類 | ◎ (L、M) | × | × | ○ (S) | ○ |

◎はサブタイプあり（遺伝子重複、あるいは対立遺伝子多型）河村正二の情報提供により作成。

らない桿体型オプシンもまさにそのうちの一つに違いないからだ。

「中生代の恐竜の時代、われわれ哺乳類の祖先は、おそらく夜行性の小動物だっただろうとされていて、暗いところでは高度な色覚は必要なかったと考えられています。むしろ夜行性への適応をしたほうが、はるかに彼らにとってはよかったのではないかと。それで基本的に脊椎動物は4色型なのですが、哺乳類は錐体を2種類失って、2色型になったんです」

魚類、爬虫類、鳥類では4色型が基本だったものが、哺乳類はいったん緑型と青型をなくして2色型になった。しかし、霊長類は、いったんなくした「緑型」を、「赤型」（Lオプシン）のサブタイプのMオプシンとして新たに創りだしたことや、「紫外線型」だったものを少し長波長に寄せて「青型」のように使っていることなども表から見て取れる。

## 森の環境が色覚の進化をうながした？

それでは、霊長類が2色型の哺乳類の中で、擬似的ともいえる3色型を取り戻したのはなぜだろう。それには、森の環境が大きく作用していたのではないかという説が、今のところ支持を得ている。

「霊長類が進化してきた時代、つまり新生代初期には、広葉樹の大森林が出現します。そこには木漏れ日がまたたく樹冠のような、光の状態が複雑な環境もあらわれたでしょう。霊長類はこういった環境の中で、3色型の色覚を取り戻したというのが一つの有力な説です。実際、葉の緑の中から果実が熟した時の赤っぽい色を識別できるかというと、2色型では難しいんです。明度（明暗）が違えば識別できますが、同じ明度で、色度だけを頼りに区別しようとしても埋もれてしまいます。2000年に発表された有名な研究があって、森の中での3色型色覚の有利性を示した図があります」

有名な研究というのは、ケンブリッジ大学のジョン・モロン（2020年現在、国際色覚学会会長）らによるものだ。★1 河村が示したのはその中での結論に相当する散布図だった。

モロンらは、野外で使えるコンパクトな分光計を持って霊長類の生息地を訪ね、その環境中にある葉や果実の表面からの反射光の特性を測定した。そうして得られたデータを、適切な横軸と縦軸をとった2次元の図にプロットして、2色型と3色型での見え方の違いを明らかにした。

図3-2をよく見てほしい（次ページ）。2種類の図が横に並んでいる。縦軸には「黄—青」と書いてあり、それは両方の図に共通だ。

一方、横軸は、左側の図では「赤—緑」、右側の図では「明—暗」というふうに別の尺度を取っている。それぞれ、何を意味するのか。

「まず、左側の図に注目してください。横軸、つまり赤—緑の軸で見ると、熟した果実と成熟葉が分離しているのが分かると思います。成熟葉が縦にまっすぐ狭く分布していますよね。つまり、いろんな植物の成熟葉が一様に「緑」という単一の色調に見えて、赤みが強い熟果と区別できるということです。一方、縦軸、つまり、青―黄の軸で見ると、熟果も成熟葉も混ざってしまって区別ができません。霊長類のような3色型の色覚では、縦軸、横軸、両方の情報を使えるわけですが、多くの哺乳類のように2色型の色覚ですと、この横軸の情報がないので、熟した果実と成熟葉を色で区別できる術がないと分かります」

霊長類は、先祖の哺乳類が2色型だったところに、L錐体からM錐体を派生させて、3色型を獲得した。それによって、赤―緑軸の情報を使えるようになったことが、ここで大きく効いているわけだ。

一方、右側の図は、縦軸は同じまま、横軸に明るさを取ったものだ。明暗の違いなら2色型も識別できるので、これが果実と葉を区別するのに使えないか、念の為に確かめている。結果は、一目瞭然で、明暗の違いで識別しようにも、熟果と成熟葉はごちゃっと混ざってしまう。結局、それらを分離して見

図3-2　3色型色覚の有利性

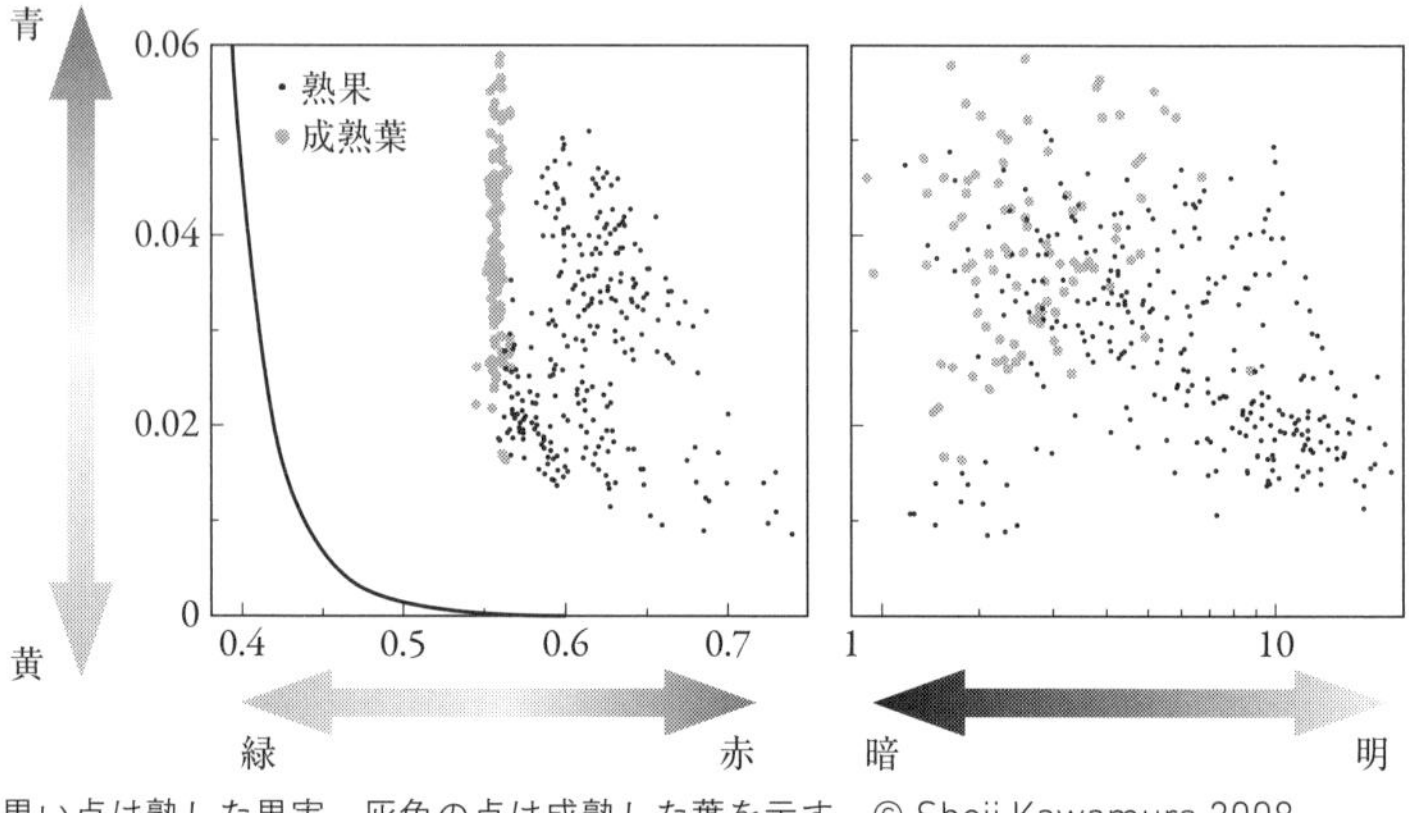


黒い点は熟した果実、灰色の点は成熟した葉を示す。© Shoji Kawamura 2008

るには、赤—緑軸の違いを識別する必要があり、それができるのは3色型の色覚だということになる。

「これが意味するのは、3色型の色覚なら、緑の背景から黄色やオレンジや赤っぽい果実がポップアップして見えるということです。そういう効果は遠距離ほど緑の背景が同時にひとつの視野に入るわけで、効いてくるはずです」

だから、狭鼻猿類、つまり、ヒトに近い類人猿やアフリカ・アジアのサルのグループは、「恒常的な3色型」だ。非常に「保守的」で、例外が少ない。河村らが、東南アジアに生息する小型類人猿テナガザル3属8種、個体数で157個体のサンプルからDNAを抽出し調べたところ、L／Mオプシン遺伝子を見ることができた152個体すべてが3色型だったという。[★2]さらに別の研究グループが、やはり狭鼻猿類であるチンパンジーやカニクイザルでも調べたが、それぞれ2色型は0・6％、0・4％と、とても少なかった。

これらは3色型色覚が非常に強固に守られている事例で、「森の中で果物を探すには3色型が有利」という説と整合する。

## ヒトの4割は色覚異常？

ところが、ヒトの話になると、なぜかそれがまったく変わってくる。

というのも、ヒトは、テナガザル、チンパンジー、カニクイザルなどと同じ「狭鼻猿類」なのに、はっきりと「色覚多型」があるからだ。つまり、3色型ではない個体（個人）が、普通に混じっている。

「ヒトをサーベイすると、まず2色型、眼科の言葉では2色覚が一定数、存在しますよね。さらに、それだけでなくて、3色型の中にも、変異3色型、つまり、MオプシンとLオプシンの遺伝子の前半と後半が組み換わったL－M融合オプシンを持った個体（個人）も、40％近くに見られるんです。こういうものは、テナガザルを150個体以上見ても、1個体もいませんでした。でも、軽微なものも含めたらヒトの半分近くにいることになるんですよ」

ここで、40％という数字に驚く人が多いだろう。ぼくも驚いた。

というのも、ヒトの先天色覚異常は、日本人の集団で、男性の5％、女性の0・2％というのがよく引用される数字だ。それがいきなり40％とは！　これはどういうことなのか。

「私が言っているのは、軽微な変異を含んでいるんです。L－M融合遺伝子を持っていて、それが染色体上で、LオプシンやMオプシンの遺伝子とどんなふうに並んでいるかによって、通常の色覚検査では検出できないくらいの色覚の違いにしかならないことがよくあるんです。実は私自身もそういう遺伝子を持っています。私はそれを「軽微な変異3色型色覚」と言っています」

つまり、ヒトには眼科的な検査で検出できる限界よりも軽微な色覚の違いがあり、あえて人間社会の文脈に戻すと「隠れ色覚異常」「プチ色覚異常」のような人たちが人口の半分近くいるというのである。なぜそう言えるのか、という点については多少、複雑なメカニズムの解説をしなければならないので巻末の補遺（338ページ）にまとめた。ここでは、「ヒトの4割（正確には正常色覚の4割）は、眼科的な検査では見つからない程度の違いの「L－M融合オプシン」を持った軽微な変異3色型だ」ということを受け入れた上で進む。

## 野生の広鼻猿の行動研究へ

軽微なものも含めればヒトの4割以上が2色型か変異3色型の色覚を持つというのは、恒常的な3色型を貫く狭鼻猿類の中では異例中の異例だ。なぜこんなふうになったのか問うためには、そもそも霊長類がなぜ3色型色覚を取り戻したのかを理解しなければならない。先に紹介した、森の中で熟した果実を見つけるのに有利だったという仮説は本当に正しいのだろうか。

河村は、広鼻猿類、つまり、クモザル、オマキザル、ホエザル、タマリンといった中南米のサルに注目することで、検証しようと考えた。

「実は、中南米のサルには、ヒトと同じような色覚多型があると分かっていました。そこで、彼らの果実採食効率を比較すれば、3色型色覚が本当に果実を食べるのに良いのかも含めて、さまざまな色覚型を持つ意味が検証できるだろうと考えたのです」

フィールドは中米コスタリカのサンタロッサ国立公園。2003年から続く、カナダのカルガリー大学やイギリスのジョン・ムーア大学との共同研究だ。

「野生のサルの色覚を知るには、まず糞を拾うんですよ。糞のサンプルがあれば、そこからオプシン遺伝子のDNAが読めますから。そもそも、そんなに糞が採れるのかというのが最初の問題でしたが、現地に行ってやってみると、わりと採れたんです。たった1週間で、オマキザルもクモザルもそれぞれ20くらいのサンプルが集まって、日本で分析してみたら、DNAはちゃんとあると。それでオプシンの遺伝子を増幅して、実際に多様性があると分かりました。まずは、オマキザルとクモザルで、同じ群れの中に、複数の種類の色覚を持った個体が混ざっていることがきちんと示されたんです」

ちなみに共同研究が始まった2003年は、

図3-3-1

河村らが研究対象にしているノドジロオマキザル（*Cebus imitator*）の親子。親が子の指の匂いをかぐ finger sniffing という行動をしている。© Shoji Kawamura 2011

ヒトゲノム計画が完了して、ヒトの全ゲノムが明らかになった年だ。河村たちの構想はなにも広鼻猿のゲノムをすべて読むことではなかったけれど、背景にあるゲノム科学の躍進は大いに効いている。

## 3色型は有利ではない？

ここでまず留意しておきたいのは、オマキザルやクモザルなどの広鼻猿ではヒトと同じように2色型と3色型が混在しているとはいっても、その「メカニズム」は違うということだ。

ヒトの場合は、2色型などに相当する「色覚異常」が「男性に多い」と言われるけれど、多くの広鼻猿類ではオスは「すべて」2色型だ。一方で、メスは3色型と2色型が混在する。やはり性染色体が絡む現象なのだが、ここでは詳

図3-3-2

河村らが研究対象にしているチュウベイクモザル（*Ateles geoffroyi*）© Shoji Kawamura 2009

細には立ち入らない。★3 とにかく、広鼻猿では、こういった色覚多型が進化的にも安定しており、分かっている例外は、夜行性のヨザルが1色型であることと、ホエザルが「全員3色型」だということくらいだという。

その上で、河村らの研究の方向性は、異なる色覚が混在するオマキザルやクモザルの群れを個体識別し、色覚のタイプも把握した上で行動を観察するというものだった。そうすれば、3色型が森の中で有利であることが確認でき、霊長類が3色型を取り戻した理由もはっきりするのではないかと考えられるからだ。

「当時の学生たち（東京大学の平松千尋〈現在は九州大学准教授〉とカルガリー大学のアマンダ・メリン〈現在はカルガリー大学アシスタント・プロフェッサー〉）を中心に、それぞれクモザルの群れとオマキザルの群れを何カ月も見続けて、行動観察もちゃんと数値化して記録していったんです。果実を発見してから食べるまでの流れを考えると、まず見つけるところから始まりますよね。これを「発見」とします。それからかじったり、臭いをかいだり、触ったり、じっと見つめたりして確かめる。これをインスペクション、「検査」。それから最終的に食べるか、口に入れてからペッと吐き出すか、あるいは食べずにポンと捨てるか。これを「摂食」。そういったふうに定義して、単位時間当たりにどれだけのことをやるか割り出してみたんです。果実検出の頻度ですとか、正確さ、そして、時間あたりで考えたエネルギー効率ですとか。さらに、嗅覚にどれだけ依存するか。けっこうサルはよく臭いをかぐので、気になりだして、これも観察して評価しました」

その結果、驚くべきことが分かった。理論的には、3色型が有利になって然《しか》るべきなのだが……。

「予想に反して、3色型と2色型に違いがまったくありませんでした。さきほどの3つの行動指標のどれでも、まったく差がない。どういうことだというので、結局あれこれやってわかったのは、実は明るさのコントラストが一番利いていたということになったんです[★4]」

これは、驚きの結果だ。3色型の色覚なら、背景の葉っぱから果実の赤がポップアップして見えて有利なはずではないか。明暗だけをたよりにしても区別しにくいのではなかったのか。フィールドに小型の分光輝度計を持ち込んで確認して、3色型の方が果物を見つけやすそうだという結論を得ていたにもかかわらず、現実には差が見出せなかったのである。

「ひとつの解釈は、僕たちの観察は、サルが果実のすぐ近くに行ってから先の行動しか見ていないから、というものです。いったん近くまで行ったら、色覚型の優位性ってほとんどなくなっちゃうんじゃないかと。それから、嗅覚ですね。3色型も2色型も、熟してもあまり色が変わらずに葉っぱと見た目が似ている果実の臭いをよくかぎます。つまり、目で見てよく分からないものは、臭いをかいで、その結果として食べたり食べなかったり決めると。使える感覚は何でも使って採食を行っているわけです。言われてみれば当たり前のことが分かったんですけども、要するに色覚の型がすべてを決定しているキーではないということですね」

## 実は、2色型の方が有利？

研究はさらに続く。

「実は、2色型のほうが良いという事例まで見つかりました。それは昆虫を食べる時です。2色型色覚は確かに赤―緑の色コントラストに弱いけれども、逆に明るさのコントラストや形状の違いに非常に敏感です。それで、カモフラージュしているものに対しては2色型のほうがより強いと。それで、単位時間当たりにどれだけ昆虫をつかまえたかというのをオマキザルで実際に調べたら、2色型のほうが良いと分かりました。特に森の中で日が差さない暗いところに行けば行くほど、2色型が有利で、3倍近く効率がいいんです。統計的にもきちんと有意です★5」

野生の動物で2色型のほうが有利であったという行動データはこれが初めての報告だったので、

**図3-4　カモフラージュした昆虫を見つけるのは2色型色覚の方が上手**

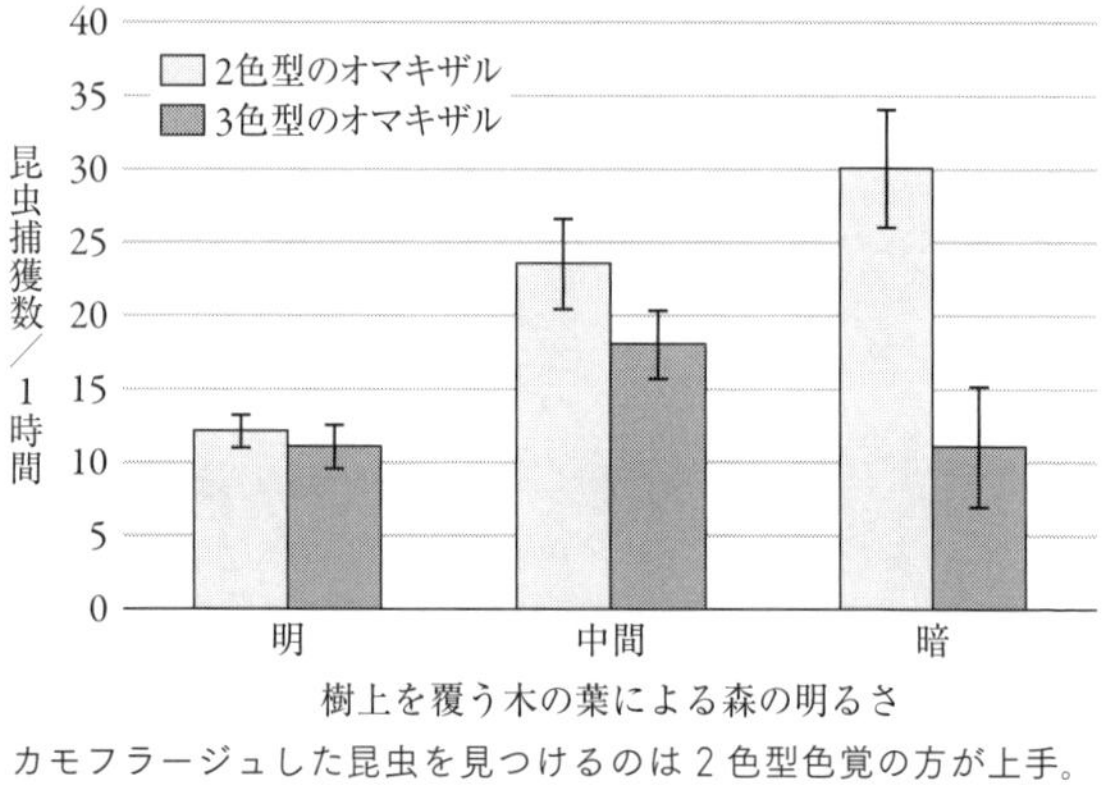


カモフラージュした昆虫を見つけるのは2色型色覚の方が上手。2色型の方が時間あたりの昆虫捕獲数が多く、暗くなるほど有利。Melin et al. 2007 Animal Behaviour 73:205-2141から改変　© Shoji Kawamura 2007

この研究は、「サイエンス」誌のオンラインニュースで紹介されるほど話題を呼んだ。

こういう2色型有利の結果が出る理論的な説明を、河村らは実験までして確かめている。

「霊長類の赤―緑の色覚というのは、実は物の形を見る神経回路をそのまま使っていて、物の輪郭を見る機能を犠牲にしているんですよ。なので、サルに丸いパターンを選ぶと餌がもらえるという訓練をして、それを緑だけ、赤だけで訓練を重ねていって学習をしたあとに、ときどきモザイクになっているやつを混ぜる実験をします。そうすると3色型色覚のサルは、とにかくすぐに餌がほしくて手を出して、正答率が偶然レベルまで落ちてしまうんです。でも、2色覚のサルは惑わされません。人間に同じテストをやると、間違えはしないんですが、答えまでの時間が長くなります」

2色型は、明暗を使ってものの輪郭を見分ける明度視に秀でている、と。それは、霊長類の赤―緑の色覚が実はものの輪郭を見るための神経回路をそのまま流用しており、輪郭を見る能力を犠牲にしているからという説明だ。

## 飼育下のサルでも裏付けがある2色型の有利

河村が言及した実験とは、具体的にどんな条件で行ったのか。論文の第一著者の齋藤慈子（現在は上智大学総合人間科学部心理学科准教授）を訪ねる機会があり、教えてもらった。[★6]

ここで研究の対象になったのは、3種の霊長類だ。

まず、中南米の広鼻猿としては、フサオマキザル。これは、コスタリカのフィールドで観察されているノドジロオマキザルと同じオマキザル科の仲間だ。2色型の4個体、3色型の2個体をトレーニングした。

そして、狭鼻猿としてはカニクイザルとチンパンジーの2種。

カニクイザルもチンパンジーも、自然界に「色覚異常」のものはほとんどいないことが分かっている。しかし、研究上、とても幸運なことに、齋藤らは飼育下で色覚異常の個体を見出しており、カニクイザルについては2色型を2個体、3色型を2個体（インドネシアで捕獲・飼育されていたもの）、チンパンジーについては、2色型に近い変異3色型を1個体、3色型を2個体（日本で飼育されていたもの）、それぞれトレーニングした上で実験することができた。

齋藤は、独自に開発した、実験用の仮性同色表（さすがに数字を読ませるわけにはいかないので、図形を用いたもの）を使い、色でカモフラージュされた丸い図形を正しく選べた場合に報奨（果物、ナッツ、サツマイモなど）を与える実験を行った。結果、すべてについて、3色型の方が色でカモフラージュされた図形を「誤読」し、2色型の方が正しく見破るとわかった。

齋藤と話をしていて印象的だったのは、眼科医と話す時の「正答」と「誤答」とは正反対になっていることだ。眼科で使われる「石原表」には、「正常」の人は読めないけれど、「異常」の人には読めるものがある。この場合、「読める」場合は fail や error、つまり「誤読」としてカウントされるのだが、考えてみれば、ヒトの3色覚と2色覚には、それぞれ得手不得手があり、3色覚では見破れないものを2色覚が見破ることができる（つまり「正答」）と捉えるのも、一つの観点だ。[★7]

いずれにしても、こういった色カモフラージュにおける2色型の優位が、広鼻猿類と狭鼻猿類の両方で実験的に確認され、また、広鼻猿については、野生での行動でもそれを支持する結果が

図3-5　飼育下霊長類の「色覚実験」

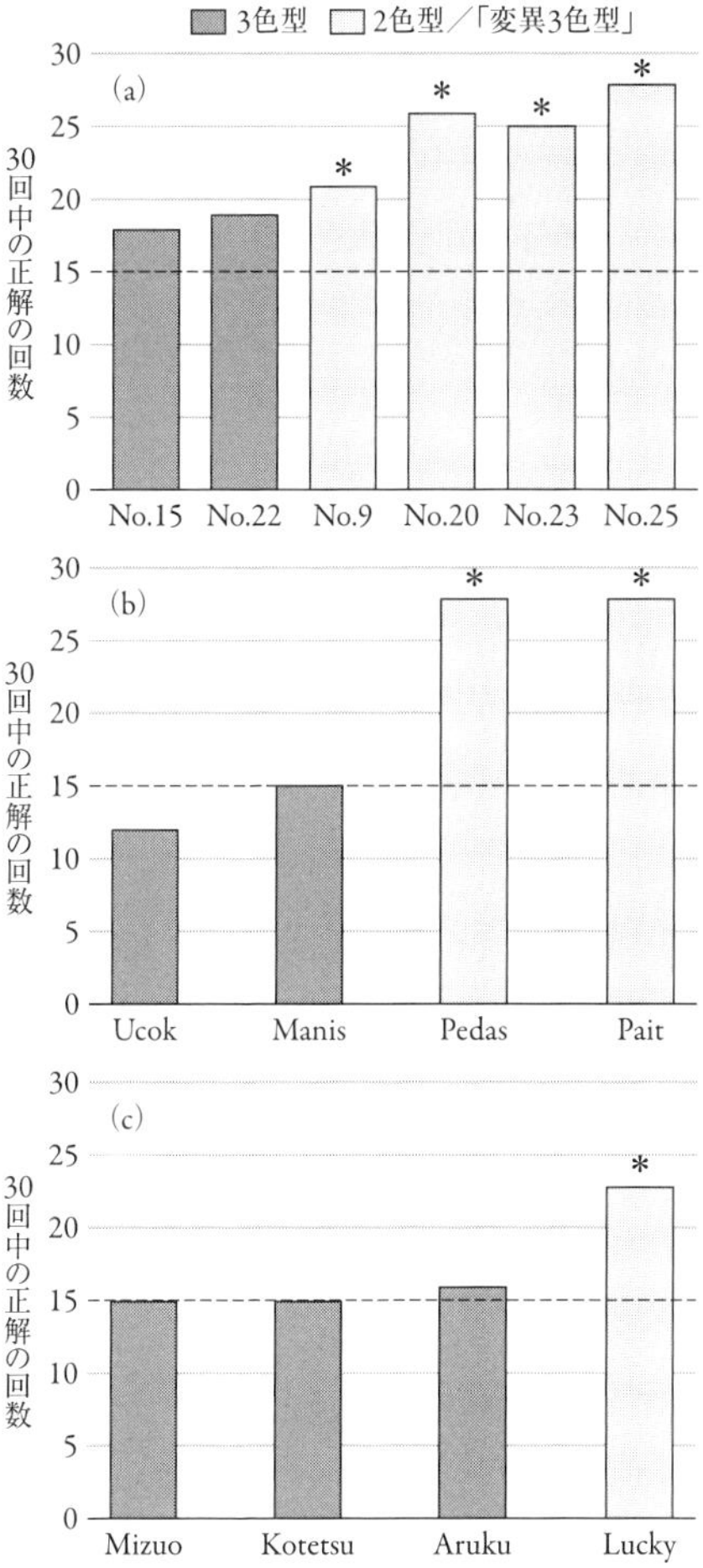


オマキザル（a）、カニクイザル（b）、チンパンジー（c）の30回の試行での正答の数を示している。グラフの□は2色型（チンパンジーのみ「変異3色覚」）で、■は3色覚。2色型／「変異3色型」はすべてチャンスレベル（5割）よりも正答が多く（5パーセント有意水準）、カモフラージュを見破った。© Atsuko Saito 2005

出たわけで、ますます「2色型のメリット」がはっきりしてきたといえそうだ。

話を戻す。

### やっとみつかった3色型のメリット

結局、3色型のメリットははっきりとは見出せず、2色型のメリットが目立つことになったのだが、本当に3色型は良いことがないのだろうか。

河村を訪ねてしばらくたった2017年9月、「進展がありました！」と新しい論文を添付したメールが届いた。『米国科学アカデミー紀要』（PNAS）という伝統的で広く知られた総合学術雑誌に掲載されたものだ。野生の霊長類ではじめて「3色型有利」を見出した報告なので、大いに話題になった。★8

その内容を見ると、つまりは、以前よりも長い期間、多くの個体を観察することで突破口が開けたということだ。72頭のオマキザルをのべ14カ月にわたって観察しており、その間、食べた植物の種類は27種、記録した採食行動は2万回にも及んだ。

データが増えると、細かな解析が可能になる。例えば、食べた果実を3種類に分類して、別々に傾向を見た。緑の葉を背景にぱっと目に入ってくる「顕色」（熟すと黄色、オレンジ、赤といった赤系の色になる果実）の21種、緑の背景に隠れがちな「隠蔽色」（熟しても緑のままか茶色の果実）の3種、さらに「暗色」（熟すと黒っぽくなる果実）の3種類に分けて解析した。

「顕色の果実において、単位時間当たりの採食量が多い、ということをついに示せました。それまでは3色型の優位性を明確に示すデータがとれず、どうして色覚多様性が維持されるのか説明ができていなかったのですが、やっとそれを明らかにできたんです。また、隠蔽色系の昆虫採食では、2色型が単位時間当たりの採食量が多いことはすでに示していますので、ようやくそれぞれに優位な点があることが示せました」

そのようにメールに書いた河村の筆致は、興奮と達成感、そしてどことなく「ほっとした」というようなニュアンスを醸し出していた。実際、これは、河村らだけでなく、霊長類の色覚、ヒトの色覚の進化を研究する者たちにとって、宿願と言ってもよいものだった。

もっとも、同じ宿願だとしても、河村らにとっての宿願と、広く霊長類の色覚進化研究者の宿願は、微妙に違っていたかもしれない。

「3色型が有利なのは当然のことで、それを確認したいという意味（確認できないのは困る）での宿願が従来からあったわけですが、我々は2色型の昆虫食での有利性や果実食での差の無さから、そもそも3色型は何によいのだと、何かよいことがないと維持されないので、それは何なんだという、それまでは問いにならなかった問いに向き合うことになりました。その問いにもやっと答えられたんです」

また、この研究からは、別の深い洞察ももたらされた。これも、多くのデータを集めたがゆえなのだが、色覚のタイプだけでなく、性別、年齢、群れの中での「社会的な順位」と採食の関係についての分析も行われているのである。

「性別や社会的な順位と、果物の採食には大きな関連はないと分かった一方で、年齢はおおいに関係しています。3色型で顕色の果実の採食に有利なのは、若年個体に顕著で、オトナになるにつれて有意差が消えていくんです。これも発見の重要なポイントです。つまり、2色型が明度や嗅覚などの情報を使って追いつくからこうなるのだろう、と考えています。つまるところ、みんな自分の持っている感覚を総動員して生きているわけで、1つの感覚の性能のみで全体を語るのには慎重でなければならない、という私たちのそれまでの主張を補強していると思っています」

## ヒトの色覚進化をめぐって

中南米に生きる広鼻猿という、3色型と2色型が混在して暮らす霊長類を見ることで、2つのことが分かったと思う。

ひとつは、従来から言われていたように、「3色型は森の中で果物を探して食べることに有利であり、それが3色型への進化をもたらしたのかもしれない」ということ。

もうひとつは、「にもかかわらず、2色型も年齢とともに、おそらくは経験を積むことで3色型に近い採食効率を実現できること。また、カモフラージュされた昆虫などを見つけて食べることはむしろ3色型よりも有利である」ということ。

そして、これらを総合して、河村は「つまるところ、みんな自分の持っている感覚を総動員して生きているわけで、1つの感覚の性能のみで全体を語るのには慎重でなければならない」と述べるのである。

「みんな」というのは、研究対象になった広鼻猿だけでなく、ほかの動物たちも、もちろんヒトについても言えることだ。「色覚のタイプと野生での行動」を徹底的に詳しく見たからこその結論だ。

しかし、それと同時に、ヒトの色覚がなぜ、このようにあるのか、という問いはまだ宙ぶらりんのままだ。これについて、まだ明確な回答はない。それでも、ここまで研究が深まってきたのだから、現時点で見えているものを教えてもらおう。それは、つまり、研究で明らかになったことの上に立って発する「問い」だ。

「ヒトは、文化・文明によって、色覚異常が不利にならないように保護してきた、ということなんでしょうか。それとも、もっと積極的な意味があったのでしょうか。ヒトは3色型の色覚が重要な意味を持つと考えられる森林を離れ、石器を作り、狩猟採集生活を始めて、肉食にも大きく依存するようになった特殊な霊長類です。狩猟においては獲物も、ヒトを襲う捕食者も、カモフラージュされている場合が多いと考えられますし、2色型色覚の有利性が発揮できるかもしれませんよね。この状態は農耕が始まる約1万年前まで約200万年も続いたはずなんです。こういったことと、ヒトの色覚多様性の間に何か関係はあるのかもしれないとは思っています」

繰り返すが、こういった問いにはいまだ明確な回答が得られていない。しかし、河村らが明らかにしてきた数々の証拠は、色覚のタイプによって局面ごとの「優劣」を見出しつつも、全体としてはそれで終わらず、多様な能力が存在することの意味を、もっと広い視野をもって議論すべきだと示唆している。今後の研究の進展に期待したい。

その上で、ぼくとしては、3色型と2色型が相互に利益を得つつヒトの色覚の多様性が維持されてきたという「相互利益」説に強く惹かれることを告白しておく。

例えば、狩猟採集生活をしていた頃の祖先に思いを馳せてみよう。リーダーが、狩りに赴くグループを編成する際には、投槍の名手や、勢子《せこ》として走ることができる者、獲物を運ぶ力自慢といった様々なことに秀でた人々に加えて、カモフラージュされた獲物や、こちらを狙う肉食獣を誰よりも早く見つけることができる「目がいいやつ」（つまり、それは今で言う色覚異常である）も一緒につれていきたいだろう、と。そして、それぞれの得意な分野で協力し合って狩りを成功させ、集団を繁栄させただろう、と。[★9]

## 色覚「異常」ではない。多様性だ

河村が切り拓いて得た色覚についての景観は、一つだけの分野にそびえる単独峰から見た独自のものというわけではない。本章では、もう一つ、別の研究分野のエピソードを重ねよう。

２０１７年9月、日本遺伝学会が、「先天色覚異常」について異例のアナウンスを行った。

色覚異常は「異常」ではなく「多様性」と捉えるべき、というのである。

先天色覚異常は「遺伝」がかかわることであり、２０２０年に１００周年を迎える日本遺伝学会は、遺伝の研究において「源流」に位置する立場の学会だ。遺伝学の用語を整理する役割もあり、２０１７年の遺伝学用語集『遺伝単』（ＮＴＳ、日本遺伝学会 監修・編）の中でまさにそのような主張をした。

中学・高校の生物の授業でお馴染みだった「優性・劣性」を「優劣ではない」という理由から「顕性・潜性」とするなど、一般にも興味を引く改訂が多く、新聞やネット媒体でもよく取り上げられた。その際、「色覚異常」という言葉を廃止することも一緒に取り上げられる場合が多かったので、ご存じの読者も多いかもしれない。

色覚異常について書かれた部分を引用する。

日常的には本質的な不便さがない個人的形質に対して、「異常」という語をあてることには違和感もある。そしてその頻度に注目したい。わが国では色覚が異なる人（医学用語では2色覚と異常3色覚）は男性20人に一人（５％）ある（女性は１／５００）。欧州では男性の9％という高い頻度の国もあり、この頻度はわが国での血液型ＡＢ型の割合（約1割）

に匹敵する。ＡＢ型を血液型異常と言わないことを考えれば、色覚異常と呼称することの不自然さが分かる。

遺伝学の見地からは、色覚異常とは「異常」ではなく、むしろ多様性の一部として捉えるべきだという。「色覚多様性」の概念を提唱して用語の再考も促しており、まさに科学側からの医学側への働きかけといえる。

用語改訂を主導した一人で、日本遺伝学会の会長（在任２０１７-２０２０年度）である、東京大学の小林武彦教授を訪ねた。

**異常だとしたら、とてももたない**

小林は、東京大学の弥生キャンパスにある定量生命科学研究所・生命動態研究センターの教授である。自身は生物の老化についての研究などで知られるが、ここでは日本遺伝学会の会長として、色覚についての一連の提案について教えてもらおう。

そもそも、なぜ異常ではなく、多様性、なのか。それをわざわざ用語改訂という形で示したのはどうしてなのだろうか。

「学会のひとつの役割として、学術用語を整理することがあります。今の時代、科学の現場ではどんどん研究が進んで、新しい概念や言葉も増えているので、それを整理しなければならないわけです。そこで2008年頃から議論をはじめました。まず会員に「問題がある用語」をばーっと出してもらって検討しようとしたところ、その中に色覚異常という言葉もあったのです」

科学は常に進んでいるので、かつてよく使われていた用語が実情にそぐわなくなったり、曖昧な使われ方をするようになっていたとしたら、基準を示さなければならない。日本遺伝学会はそういったことをするように期待されている。そして、2008年時点で、日本遺伝学会の会員たちは、自分たちの研究分野の知見からは、色覚異常に対して「異常」という語を当てることに違和感がある、と感じていたようなのである。

「初学者、特に高校生あたりに分かりやすいように、というのをひとつの基準に置きました。学ぶためにはなるべくニュートラルなものがいいわけですが、「異常」は決してニュートラルな言葉ではないですよね。英語としては、color blindness ですから、直訳すると色盲です。それを色覚多様性、color vision variation という言葉で語るわけですから、用語を変えたというよりも概念を置き換えました。色覚異常という言葉は医学の言葉としては成立しているのだと思いますが、遺伝学あるいは生物学の言葉として教科書に載せるのは私たちの用語が適していると思います。中学・高校の生物の教科書で「いろんな人がいるんだよ」と分かってもらいたいのです」

用語集だから、ユーザーは初学者である。初学者にはできるだけフラットな、それこそ変な色のついていない概念を、適切な言葉で伝えたいというのが、ひとつの強い動機になっている。

「というのも、色覚異常が「異常」だとしたら、とてももたないんです。生物学の観点からは、ある尺度で見た時に、良い悪いというのが出てきても、それは、あくまで一つの尺度で見たら、ということです。それを効率が悪いものとして排除するなら、実は別の面で効率がいいものを排除するのと同じです。色覚異常を「異常」などと言っていたら、とてももちません。学問としての遺伝学、あるいは生物学が成立しないのです」

「もたない」というのは独特の言い回しだ。なにか譲れないものを守るかのような切実な響きが感じられた。

## ヒトの色覚は「進化と多様性」を体現する

さて、『遺伝単』の中で、日本遺伝学会が提唱していることは、大きく分けて2つある。

ひとつは、「色覚異常は「異常」ではない」。

もうひとつは、「色覚異常は色覚の多様性として理解すべきである」。

これらの言明は密接につながっており、コインの裏表の関係だ。しかし、それぞれ力点が違うので、まずはひとつひとつ解きほぐしていこう。

まず「多様性」の方から。

「ヒトの色覚異常というのは、遺伝的な面から言うとこんなふうに説明できます――」

小林は机上にあった紙に、ささっと図を描き始めた。

「ご存じの通り、ヒトが持っている3種類の錐体細胞のうち、L錐体とM錐体の遺伝子は、性染色体であるX染色体の端のところにあります。哺乳類では、Lの遺伝子しかなかったのに、遺伝子増幅という現象からMの遺伝子を作り出したんです。だから、LとMはよく似ていて95%の相似性があります。そのため、その間の組み換えがよく起こり、雑種の遺伝子を作ったり、コピーの脱落もよく起こります。また、M錐体の遺伝子は、人によってコピーの数が違います。コピー数多型といいます。こういったことがまさに多様性の源で、多様性そのものなんですよ。同じことがゲノムのいろいろなところで起きているんです」

ヒトの色覚は、多様性の典型的な例だという。遺伝子増幅で遺伝子が増えて、変異が入り、多様性を増していく。そして、それが進化へとつながっていく。そういう「多様性と進化」というテーマを体現するのが色覚だ。だから、かつて色覚異常が遺伝的に決定される先天異常の代表として教科書に掲載されていたときのネガティヴな印象とは逆に、ヒトが進化の中で培い、また進化を支えてきた多様性の事例として、それこそ教科書で語るべきだという。

では、なぜ多様性を尊重すべきなのか。

小林はまず、大きな枠組みの話をした。

「人間のご先祖様にあたる哺乳類はほとんど2色型です。恐竜の時代には夜活動していて、暗いところで働く桿体細胞が発達して、明るくないと働かない錐体細胞は種類が減ったと言われています。恐竜が絶滅して、生活環境が変わって、特に霊長類の場合、森の中で果実の色が分かると有利かもしれないということで、錐体細胞が1種類増えて3色型になりました。実は、さかのぼると、爬虫類や魚類は、4色型です。一回、減ってまた増えて、それぞれその時その時の自然の選択として、種を救ってきたんです。今はどうですか？　夜型の生活の人が増えてますし、まわりの他の遺伝子とリンクしていてそれが有利だったら、また2色型が増えるということだって考えられますよ」

色覚進化の研究者である河村から聞いたことを、ここでは遺伝学の観点から説明し直してもらった感がある。

ぼくたちの祖先はその時その時の環境に適応して4色型（魚類や爬虫類）から2色型になったり（哺乳類）、そこからまた3色型になったり（霊長類）、さらにもっといえば3色型と2色型が集団の中で混ざり合ったり（ヒトや広鼻猿類）、様々に色覚を変化させて対応してきた。現在の色覚の多様性はその結果であり、また、そういった多様性こそ、新しい環境に適応するためのベースでもある。つまり、進化の中で果たしてきた役割と、これから果たすかもしれない役割を考えると、多様な色覚はそのままリスペクトすべきものだ、ということになる。

## 色覚だけを特別扱いできない

2003年にヒトゲノムの解読が完了して以降、ゲノムや遺伝子についての知識が飛躍的に増した。その流れの中で、ヒトの遺伝的な「異常」についての考え方が変わってきたことも大きな要素だ。

「ヒトの核ゲノムには30億以上の塩基対があり、遺伝子の数としては当初予想されたよりもかなり少なくて2万数千ほどだと分かりました。遺伝子が書き込まれている領域は全体のわずか2％程度で、残りの98％は「非コードDNA領域」です。でも、「非コードDNA領域」もただのジャンクの寄せ集めというわけではなく、時には遺伝子の外からDNAの転写を調節する制御領域として関わったりするなど様々な機能を持っています」

こういったヒトのゲノムについての理解は、本当にこの十数年の間に爆発的に知見が増した。ここで大事なのは、ヒトのゲノムは世界中どこにいる人でもほとんど同じでありつつも（だからこそ、ヒトという同じ種だ）、実はある範囲内で驚くべき多様性を持っているということだ。標準的な塩基配列が分かるとともに、バリエーションがある部分も見えてきた。

「たとえば、SNP（Single Nucleotide Polymorphism スニップと読む）、一塩基多型というものがあります。ゲノムの塩基配列の中で、1000カ所に1カ所くらい、つまり、30億の1000分の1ですから、数百万カ所は、標準的なものと入れ替わっていることがあります。それが遺伝子やその制御領域にあれば、その遺伝子の発現や機能にも影響を与えるので、個人差や個性の源になると考えられます。また、遺伝子のコピー数が違うコピー数多型（CNV: Copy Number Variation）によっても、形質が違ってくることがあります。こういった研究が、この10年、20年の間にどんどん進んできたんです」

ヒトゲノム中の数百万カ所で見出される一塩基多型（SNP）は、例えば、血液型、髪の毛の縮れ具合、目の色、お酒の強さ、といったことに影響していることがすでに分かっている。一塩基の違いなので、比較的、研究がしやすく、いち早く理解が進んだ。巷で人気の民間遺伝子検査も、現状ではほとんどの場合、一塩基多型を見る検査だ。それに対して、コピー数多型の方は、解析が難しく、最近、研究が進んできたところだ。

ヒトの先天色覚異常にかかわる大きな要因は、LオプシンとMオプシンの雑種遺伝子をつくる「非相同組み換え」で、これは一塩基多型を持ち出さずとも説明できる。しかし、実はまったく関係がないわけでもない。日本の滋賀医科大学のチームは、制御領域にある一塩基多型が色覚に影響する事例も発見していて、こういったものが、頻度は低いものの、やはり色覚の多様性にかかわっていることを示している。★10

そして、本当に様々な要素で決定される色覚も、たくさんある遺伝的な「変異」の中に置いてみれば、ひとつの事例にすぎない。全ゲノム的にみれば、一塩基多型だけでも数百万カ所もあることを考えれば、ほんのささいな違いだ。

ぼくが何度か「変異」という言葉を使った時、小林はふっと口元に笑みを浮かべた。初学者に大切な概念を伝える教師の表情だった。

「実は、そこで変異とか異常という言葉はそもそも使っていないんです。一塩基多型は、多型（polymorphism）であって、一塩基「変異」とは言いません。その理由は色覚異常を「異常」と言わないのと同じです。つまり、頻度が高いものは、変異とは呼ばないということです。頻度が1％よりも高いものは多型で、それよりも少ないと、「変異」（mutation）と呼びます。頻度が高いものはすでに定着した多型であり、本来持っている多様性の一部として考えるということです」

頻度の高いものをいちいち異常と呼んでいては、あれもこれも全部異常になって、正常などこにもなくなってしまう。1％のあたりで切るのは、ある意味で、恣意的なものだが、しかし、だいたいそれくらいを見ておけば、集団の中で定着したものか、それとも、たまたま現れたものなのか区別がつくだろうというコンセンサスはあるという。

こういったことを、言葉の言い換えに過ぎないとか、あるいは、「言葉狩り」と感じる人もいるだろう。しかし、小林は単なる言い換えではなく、「概念を置き換えた」と強調した。新しい概念に新しい言葉を、ということだ。

いずれにしても、頻度が高いものを異常と呼ぶときりがないというのは少し想像してみると分かる。お酒に弱い異常、目の色異常、縮れ毛異常、肌のくすみ異常、耳の垢が乾いている異常、大根おろしの苦味を感じない異常、などなど、考え始めたらきりがない。ちなみに、挙げたものは、すべて実在する一塩基多型によって違いが出るものだ。

## とはいっても見えていない

以上のような話は、あくまでサイエンスの現場からのひとつの意見だ。学会としてのコンセンサスを得ているとしても、一分野の見解と言われても仕方ない。

また、頻度が1％以上だから異常ではないというのも、「でも、実際に見えていないんだから」と言われるとそれまでだ。実は、このフレーズは、色覚にかかわる眼科医から何度も聞いた。生物学的な観点から異常ではないといっても、実際に検査をすると色の識別に問題があり、生活上、就労上、トラブルになるかもしれないのだから、と。

「たしかに、医学の人たちは「見えない」方を強調するかもしれません。でも、我々、生物学の立場は多様性をリスペクトします。ある基準で見れば、良いこともあれば、悪いこともある。それも含めての多様性は重要だという立場です。錐体の種類が減って2色型になったからといって、それも多様性の一部なんです」

さらに小林は、医師もしばしば関わる遺伝についての啓発活動について言及した。

「遺伝教育で、障がい者理解について語る時、異常と正常を決めてかかる議論では、理論的に説明しきれません。障がいを理解しようと言いながら、それは悪いものなんだということになってしまう、あるいはそのように受け止められてしまう可能性もあります。「ある尺度で見れば、いいものが出ることもあれば、悪いのも当然出る。それも、あくまでその尺度で見た時の良い悪いなんだ」と私たちは言います。「正常あるいは多数派と違うのだから異常だ」と語っていたら、到底もたないんです」

**背景に優生学の反省がある？**

小林は徹底的に多様性を支持すると述べた。これは小林自身の立場というよりも、日本遺伝学会で共有される（さらには関連諸科学の分野で基本的に共有される）大原則だ。

こういったことを強く語る理由、つまり、小林が「もたない」と表現した背後にあると考えられるものを、本章の最後に指摘しておきたい。

「遺伝教育」の話題が出たところで気づいた方も多いと思うが、遺伝学という分野は歴史上、前章で言及した優生学／優生思想と密接な関係がある。

初期の遺伝学の知識は優生学／優生思想に大いに活用されたし、遺伝学者がそのまま優生論者であったことも多い。日本では１９７０年代まで、中学・高校の「保健」の授業で、「結婚」について、「色盲」などの「先天遺伝疾患」の持ち主が結婚し家族を持つことには慎重であれという指導を行っていたことは第２章で見た。該当する者は、自治体の優性保護相談所に相談すべきという一文がある教科書も複数見つけた。そして、その根拠になった「優生保護法」は１９９６年まで「現役」だった。

今となってはなんとも恐ろしい話だが、こういった方向性を支持したのが、戦後の科学者や医学者だったことは間違いない。当時としては限りない善意の発露として、よりよい未来を創るために優生論を展開した[★11]。

21世紀の遺伝学、ゲノム科学の基本的な立場には、そういった過去への反省が反映されている可能性が高い。

---

★1――J.D.Mollonは、霊長類の色覚からヒトの色覚まで幅広く研究する色覚研究界の巨人。2000年のこの論文は霊長類の色覚進化研究の新時代を拓いた。Sumner, P. & Mollon, J.D. "Catarrhine photopigments are optimized for detecting targets against a foliage background" *J Exp Biol.* vol.203 (13), 2000.

★2――科学研究費補助金研究成果報告書「テナガザル視物質遺伝子の多様性に関する研究」で詳しく読める。https://kaken.nii.ac.jp/ja/file/KAKENHI-PROJECT-17405022/17405022seika.pdf

★3――広鼻猿類の色覚メカニズムについては、WEBナショジオの連載「「研究室」に行ってみた。」における河村正二インタビュー「第5回ヒトのような色覚多型を野生のサルで発見!」を参照。https://natgeo.nikkeibp.co.jp/atcl/web/16/012700001/020400006/

★4――Hiramatsu, C., et al. "Importance of achromatic contrast in short-range fruit foraging of primates", *PLOS ONE*, 2008. 平松千尋による2008年の論文。色覚がすべてを決定しているのではなく、明暗の情報が大切な局面があると示した。

★5――Melin, A.D., et al. "Effects of colour vision phenotype on insect capture by a free-ranging population of white-faced capuchins, Cebus capucinus" *Animal Behaviour* vol.73(1), 2007.とMelin, A.D., Fedigan, L.M., Young, H.C. & Kawamura, S. "Can color vision variation explain sex differences in invertebrate foraging by capuchin monkeys?" の2論文は「2色型の方が有利?」というような分析結果を示している。

★6——齋藤慈子らによる論文は、チンパンジー、オマキザル、カニクイザルをトレーニングして色覚検査をする稀有な研究で、まさに日本の霊長類学の伝統の中にある。Saito, A., et al. "Advantage of dichromats over trichromats in discrimination of color - camouflaged stimuli in nonhuman primates" *American Journal of Primatology*, vol.67(4), 2005.

★7——ヒトの2色覚者が3色覚者よりもカモフラージュを見破ることについては、1992年のモロンらの研究が知られている。M. J. Morgan, A. Adam and J. D. Mollon "Dichromats Detect Colour-Camouflaged Objects that are not Detected by Trichromats" *Proc. R. Soc. B* 1992. また、齋藤らも2006年に確認している。Saito, A. et al. "Advantage of Dichromats over Trichromats in Discrimination of Color-Camouflaged Stimuli in Humans" *Perceptual and Motor Skills* 2006. 北海道大学の川端康弘教授（文学部心理学教室）は、さらに踏み込んで、2色覚者の色の処理が軽くて済む分、3色覚者より「色覚の時空間解像度」が有利になる（例えば、視力に相当する空間解像力が高い）ことがあるのではないかという問いを立てている。Kawabata, Y. "Spatial integration with chromatic stimuli in dichromatic vision", *Color Research and Application*, 1994. などの一連の論文では、通常の視力検査のように「明るいところで白地に黒」を見せるのではなく、様々な色彩がかかわる局面で精緻な心理物理学的実験を行い、2色覚者の方が「正常」な3色覚者と比べ、おおむね空間解像力が優れているか、同等であると示した。2色覚の被験者が少ないなどの課題があり、今後、さらなる研究が望まれる。

★8——Melin, A.D., et al. "Trichromacy increases fruit intake rates of wild capuchins (Cebus capucinus imitator)" *PNAS*, vol.114(39), 2017.

★9——河村が監修者の一人として名を連ねる『はじめて色覚にであう本　色って　いろいろ』（尾家宏昭ほか、しきかく学習カラーメイト、２０１７年）では、漫画仕立ての物語の中で「大昔の人間もそんな少数色覚の仲間がいるとその集団はとても都合が良かったと考えることもできるんだ」と先生役の大学教授が語っている。

★10——滋賀医科大学のウェブサイトに詳述。http://www.shiga-med.ac.jp/~hqophth/farbe/newmt.html 論文としては、Ueyama,H., et al. "An A-71C substitution in a green gene at the second position in the red/green visual-pigment gene array is associated with deutan color-vision deficiency" *PNAS*, vol.100(6), 2003.

★11——日本における優生思想の導入時、勃興時において、医学、科学、ジャーナリズムがいかに作用したかについて、『日本が優生社会になるまで——科学啓蒙、メディア、生殖の政治』（横山尊、勁草書房、２０１５年）に詳しい。「優生学」という専門的な科学分野があったというよりは、むしろ、科学者や医師もかかわる運動と一体になったポピュラーサイエンスとして捉えうるという。

# 第4章　目に入った光が色になるまで

## 21世紀のサイエンスへ

本章では、ヒトの色覚メカニズムについて、目に光が入ったところから脳が「色を塗る」ところまで、順序立てて見ていく。「準備の章」では「最低限」の知識をまとめたけれど、現在の色覚の基礎研究は、様々な方面で深く探究され、以前よりもやはり多様性を明らかにする方向に進んでいる。東北大学電気通信研究所・高次視覚情報システム研究室の栗木一郎准教授のガイドで、そういった21世紀的な展開について知りたい。

栗木と出会ったのは、2017年、ドイツ・エアランゲン大学で開かれた国際色覚学会でのことだ。生理学者、心理学者、物理学者、遺伝学者、視能訓練士（あるいは検眼士）、眼科医、視覚科学者（visual scientists）などを構成員とする学際的な学会で、2年に1回の大会には世界中の「色覚マニア」的な研究者が集う。★1

栗木が所属する「電気通信研究所」と色覚研究のつながりに違和感を抱く人もいるかもしれな

いが、栗木自身はこんなふうに説明する。

「私の関心は、ヒトの視覚的体験が、脳内でいったいどういう信号になって形作られているのか、そして、どんな情報処理をしているのかということなんです。つまり、私の研究は信号処理なんですよ。対象として見ているのが脳の中だというだけです」

脳が行っているのは、まぎれもなく信号処理だし、色という「体験」はその信号処理の結果だ。国際色覚学会でも脳内での信号処理は一大テーマで、栗木の問題意識はむしろ「王道」だった。

栗木とは国際学会から帰国した後も連絡をとりあい、のちに東北大学片平キャンパスの研究室を訪ねた。午後の時間帯をフルに使った対話から再構成する。

## 「色の弁別」と「色の見え」は違う

栗木が属する東北大学電気通信研究所は、「電気を利用した通信法の研究」を行うために1935（昭和10）年に設立されたもので、その際、「八木アンテナ（八木・宇田アンテナ）」の発明者の一人、八木秀次（1886−1976）も設立のための運動を担った。学部とは独立した専門的な研究所であり、1964年には、世界に先駆けて光通信の実験を成功させている。

訪ねた日はどんよりした曇り空で、こんな日に「色覚のサイエンス」の話を詳しく聞くのは、ひょっとすると自分の知識にひとつひとつ色を塗っていくような作業になるかもしれない。そんな予感をいだきつつ、栗木の居室にてテーブルをはさんで相対した。

「最初に理解していただきたいのは、色というのは、個々人の脳内で形作られる内的な感覚だということです。つまり、主観、です」と栗木は切り出した。

これは本書の「準備の章」でも出てきた観点だ。アイザック・ニュートンが『光学』の中で主張したように、「光そのものに色はついていない」ということは、色覚の科学を語る際に、まずは押さえておくべきこととして何度も確認する必要がある。

「主観を他の人と共有するのは難しいので、私たちは、色の情報を交換する時に、一般に色名を使うわけです。ただし、色の知覚というのは、あくまで相対的なものなので、個人差がありますし、環境によっても変わります。例えば、色の知覚のいわば基準点になるものとして、無彩色光（その人に色味を感じさせない光）というものがあります。でも、その基準点すら個々人で微妙に違うし、また、環境に適応して変化するんです」

これは、医学的な意味での「正常」と「異常」という問題以前の話だ。

我々が色名を使ってコミュニケーションするやり方はかなり大雑把で、日常生活の中では食い違いに気づくことも少ない。しかし、食い違いが許されない色を扱う専門職の現場では、定量化され規格化された客観的な方法でやり取りをするものだ。例えば、アニメの制作現場ではカラーチャートを参照して「ここはY95（明るい黄）、ここはFG90（深い緑）」といったふうに指定するし、カラー印刷の色校正ではたえず色見本を参照しながら発注側と印刷所との共通理解を深める。

「もうひとつ強調したいのは、色弁別と、色の見え、というのが実は別のことだということです。違いの少ない2つの色光を見分けることを「色弁別」と言います。これは、単に違いが分かるかどうかです。色弁別ができても、色の見え方の違いを、見ている本人自身、説明できない場合もあります。私たちが「色覚」と言う時に、「色弁別」と「色の見え」が混同されがちで、色覚異常についての議論でもその混同をよく見かけます。しかし、「色弁別」と「色の見え」の感覚を形成する神経系は違うことが分かってきているので、別の事象だと考えた方がいいんです」

この話を聞いた時、ぼくはたしかにそうだと膝を打った。先天色覚異常の当事者に対して「色が分からないの？」という問いかけがよくある。でも、この時、「区別できるのか」と「どんなふうに見えるのか」の違い自体を「区別」できていない場合がほとんどだと思う。

ここでは、「色」があくまで主観であるということ、また「色弁別」と「色の見え」は別の話だということを意識しておこう。そして、ここからの各論では、色覚の多様性にかかわる要素に気配りしつつ進む。

## 水晶体は年齢とともに着色する

まずは、光が目に入ってくるところから。

「色覚にかかわる話題は、光が目に入ったその瞬間からあるんですよ。入射光は水晶体、目のレンズを通るわけですけど、水晶体は加齢とともに徐々に着色していって、青みを生じさせる短波長の光を通しにくくなります。本人としては慣れてしまって若い頃と違うというふうには思っていなくても、白内障などの手術で水晶体を人工レンズに入れ替えると、空はこんなに青かったのかと驚く人が多いようです」

人は加齢とともに水晶体が着色して、青みを感じにくくなる。すべての人が歳を取ればそうなる。これも、色覚の多様性を形作る一つの要素だと理解しておこう。★2

## 3錐体の刺激値の比が色を作る

目に入射した光は、網膜の視細胞に吸収されて、その際の応答をもとにヒトの視覚が形作られる。色覚に主に関係するのは、3種類の錐体細胞だ。それらは網膜の中心部である「黄斑部」に多く、さらにその中でわずか直径1・0ミリ程度の「中心窩《ちゅうしんか》」と呼ばれる部分に集中している。

ここで起きていることは「準備の章」でも描いたけれど、おさらいしておく。

図**4-1**　目の構造

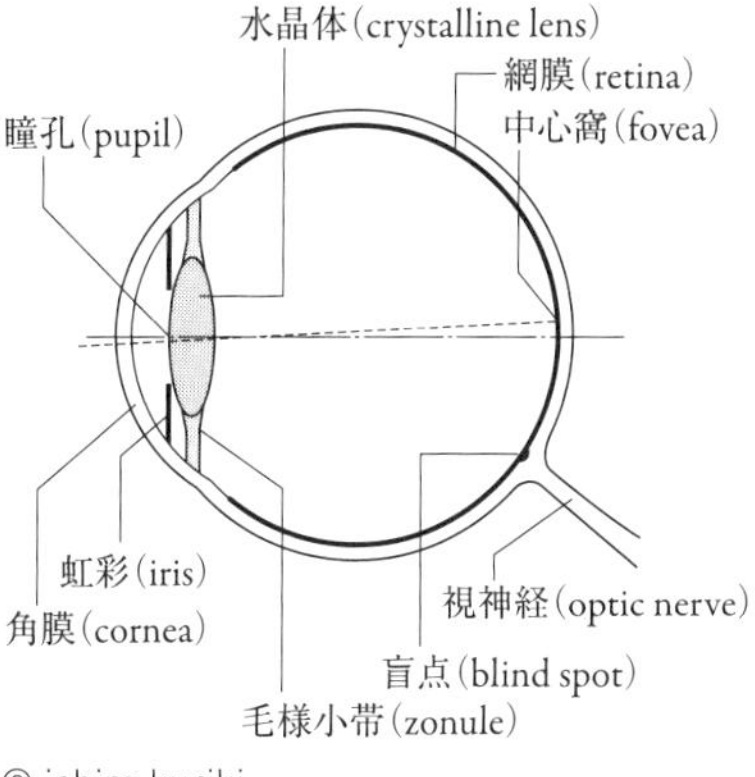


© ichiro kuriki

「L、M、S、3種類の錐体があるというのは皆さんよくご存じだと思うんですが、ここで知っておいていただきたいのは、光が入ってきて、それで3錐体が応答したら、そこから先、その3刺激値以外の情報はすべて失われるんです。これはどういうことかといいますと、例えばこんなふうに、パソコンの画面に色票でもなんでも貼ってみましてーー」

栗木は、パソコンの画面に色票（マンセル色票の7・5Y8／12）を貼ったままの状態で、画像編集ソフトを立ち上げた。そして、その色票の色にあわせて、近い色を表示させた（口絵1参照）。

「こんなふうに調整していけば、色票と似た色だと感じるように調整することができますよね。「同じ色」に似せたところで、この両者のスペクトル（分光分布）を測ると、色票と液晶画面では、似ているどころか、まったく違うものだと分かります」

スペクトルを測るというのは、この場合、その光の成分を波長ごとに分けて強度を見るということだ。標準的には横軸に波長（あるいは周波数）をとって、縦軸にはその成分の強度を取った「分光分布図」であらわす。その形が違うということは、物理的には違う光だということを意味する。

しかし、どちらの光も、L、M、Sの3錐体を同じように興奮させるので同じ色に見える。違う分光分布を持った光でも、この「3刺激値」が同じならその後は区別がつかない。

「こんなふうに、異なる分光分布を持つのに同じ3刺激値を与える光のことをメタマー（metamer）と呼び、それらは同じに見えます。そして、もとの光がなんであれ、メタマーであれば同じに見えるんです。だからこそ、テレビやパソコンやスマホの画面も、RGBの3原色からたくさんの色を作り出すことができるんです」

## ヒトにも4色覚の人がいる?

網膜上のセンサーである錐体のレベルでの多様性を考えると、先天色覚異常、つまり2色覚や、異常3色覚の当事者たちはまさにその一部だ。

さらに、女性の中に、事実上の「4色覚」といえる人たちが稀にいることを、ケンブリッジ大学のモロンとニューカッスル大学のガブリエル・ジョーダンの研究グループが示している。

先天異常3色覚の男性の母親、つまり「保因者」と呼ばれる女性たちは、標準的なLとMだけでなく、さらにL′(あるいはM′)とでもいうべき視物質の遺伝子を持っている。それらの遺伝子が実際に網膜上で発現すると、色弁別能力に影響してくるかもしれないという発想で研究したところ、通常の3色覚よりももっと細かく色弁別する人たちがいたというものだ。[★3]

4色覚というと神秘的な響きがある。実際、ネット検索すると、4色覚とされる画家が描いた不思議な色彩の絵画が見つかったりもする。ある意味、芸術的な価値につながりやすい色覚なのかもしれない。

その一方で、4色覚の当事者は、3色覚者には同じ色に見えるものが違って見えてしまうわけだから、そういう人もまた色のコミュニケーションにおけるマイノリティになりうる。最近ではジョーダンが「4色覚プロジェクト」(Tetrachromacy Project)を立ち上げて、4色覚の女性の研究を深めようとしているので、遠からず研究の成果が発表され始めるはずだ。

なお、色を弁別しすぎる人もまたマイノリティであることを考察した小説作品として、オーストラリアのSF作家グレッグ・イーガンの短編「七色覚」(『ビット・プレイヤー』ハヤカワ文庫SF、山岸真編・訳に収録)があるので、関心のある方は一読をおすすめする。

## その場で差を取って、遠くに飛ばす

さて、網膜上の3錐体の話に戻る。光が網膜に届いて、3錐体が反応した後、どんなことが起きるのだろうか。

「実は、個々の錐体の反応だけを見ていても色は分からないんですよね。昔、L、M、Sの3錐体のことを、専門用語でも赤錐体、緑錐体、青錐体と呼んでいましたから、「赤錐体が光を吸収すれば赤を感じる」というふうに理解している人がいるかもしれません。でも、実際には、錐体の応答が色を作っているのではなく、錐体の応答の「差」によって色ができるんです。錐体細胞が興奮すると、同じ網膜上にある神経節細胞ですぐにそれらの差を取ります」

そう言いながら、栗木は机の上の紙にさらさらと走り書きをした。

赤―緑チャネル　L－M
青―黄チャネル　S－（L＋M）

さて、これは何を意味するのだろう。

式をぐっとにらんでみる。

それほど複雑な話ではない。L－Mというのは、「L錐体とM錐体の応答の差」だし、S－（L＋M）というのは「S錐体の応答と〝L錐体とM錐体の応答を足したもの〟の差」だ。

後者については、なぜLとMを足し合わせてから引くのか謎に思う人もいるかもしれないけれど、我々のL錐体とM錐体はもともと同じものだったことを思い出そう。S－（L＋M）という差のとり方は、哺乳類が古くからもっている回路をそのまま使っていて、もともとはS－L、つまり、SとLの差を取るための回路だった（Mは霊長類よりも前の哺乳類にはなかった）。それを言うなら、L－Mも、昔は〝（とあるL）－（隣のL）〟だったわけで、つまりは明暗の違いを検出するためのものが、今は色覚にも用いられているわけだ。

こういった信号の変換は、3錐体で光を受けた直後にその場（網膜の神経節細胞）で行われ、そのまま後頭部の初期視覚野に送られる。途中で、外側膝状体《がいそくしつじょうたい》（LGN）という場所を経由するが、それは中継ポイントのようなもので、信号の加工はしていないようだという。

「これはまさに通信の発想そのものなんですよ。差をとって拡大して遠くに飛ばす、ということなので。特に、LとMの錐体は由来からしてとても似ていて吸光感度が近いので、その反応の差は非常に小さいんです。遠くに運んでから差を取ろうとすると、通信の途上で混入するノイズのせいで本来あった差が消えてしまいます。だから、やっぱり信号を受けた直後で引き算をしてやらないと正しく伝わらないってことなんだと思います」

L、M、Sの3錐体の情報は、網膜神経節ですぐに加工される。図4-2を見てほしい。大づかみに説明すると——1のチャネルからは、LとMの和が出力。これが輝度、明暗の情報のもとになる。2のチャネルではLとMの差が取られ、その出力が正の時には赤みを感じ、負の時には緑を感じることになる。そして、3のチャネルでは、Sと(L+M)の差が取られて、出力が正の時には青、負の時には黄を感じる。これは「準備の章」でも解説した、3色説から反対色応答への変換そのものだ。

**図4-2　反対色チャネルの模式図**

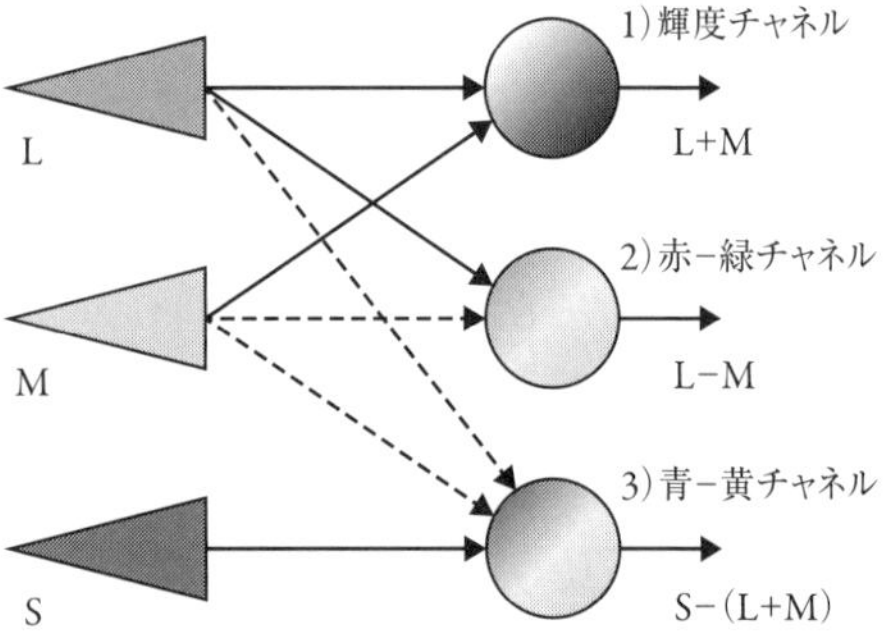


実線の矢印は興奮性の結合（つまり足し算)、破線の矢印は抑制性の結合（つまり引き算）を示す。© Ichiro Kuriki を改変

## めでたしめでたし、ではなかった

さあ、とうとう脳に信号が送られるところまで来たのだから、ここから今の色覚研究で最大の焦点となっている脳内の処理の話に入ることができる。

「3色説と4色説（反対色説）の論争は、20世紀のなかごろまでにいったん収まりました。生理学的な対応としては3つの錐体の3色説で、その後、反対色説に対応するシステムがある、と。1段目は3色説、2段目は反対色説ということで終わり。めでたしめでたし、です。ところが、実は1960年代くらいから、さらにその後があることが分かり始めて、1990年代になってからそれをクリアに示す研究が出てきました。そこで、みんな脳内で起きていることに注目するようになったんです」

錐体細胞の反応の「差」を取った信号が、脳に送り出されて、そのまま色の体験につながるのなら、話は単純だった。

しかし、今、それが現実の見え方とはズレていることが分かっている。つまり、脳に信号が入ってからさらに別の処理があるはずで、専門家たちは今、「段階説」ではなく「多段階説」という言葉を使っている。それはつまり、1段目と2段目の後にさらに何かある、ということを示している。

「ユニーク色という概念があります。それ以上は分解できない純粋な色、という意味です。これは、〝排他的に定義〟されるもので、例えば、赤みもなく、緑みもない黄が、ユニーク黄です。同じようにユニーク青、ユニーク赤、ユニーク緑も定義できます。素直に考えると、それらは、反対色応答に対応するのではないかと思いますよね。ところが、それがずれているんです」

ユニーク色というのは、個々人の主観的な色の見えにかかわるものだ。

たいていの色は「混ざっている」ように感じられるものだが、「混じりけがない」と感じられる色がある。それが、ユニーク青、ユニーク黄、ユニーク赤、ユニーク緑だ。実際にカラーチャートなどを見て確認すると、例えば黄に近い並びの中で、赤みを感じるもの（オレンジ色に近い）、緑みを感じるもの（黄緑に近い）の間に、ずばり黄以外の何ものでもないと感じられるものがある。それがその人にとってのユニーク黄だ。

これが、反対色応答に相当するものなら非常に美しい。ところがそんなふうにうまくはいかないというのが、今わかっていることだ。

栗木に見せてもらった図表の中で、特に衝撃を覚えたのは、ちょうど2000年に出版された「色覚の多様性」についての論文で報告されたものだ。★4

その図表（図4-3）では、縦軸に青―黄、横軸に赤―緑を取ってある。それぞれ、網膜神経節細胞で差を取って脳に送られた段階での理論上の青―黄、赤―緑に相当するものだから、それぞれの軸に「理論上の青（赤、黄、緑）」などと補った。さらに、頭の中で、美術の授業で習う色相環を重ね合わせてみてもいいだろう。

その上で、実際に51人の被験者にとってのそれぞれのユニーク色を実験的に求めて、この上にプロットすると、本来、縦軸、横軸の上に乗ると期待されるものが大々的にずれてしまった。まずまずよい感じに一致するのは赤だけで、青も黄も緑も、45度以上ぐるっと回したところにユニーク色を感じる人がいる。

そして、もう一点、本書の文脈では、個人差が大きいことにも着目しておきたい。混じりけなく感じられるユニーク色は、人によってかなり違う。自分にとって「混じりけのない緑」は、他人にとって黄緑だったり青緑だったりするわけだ。「この食い違いはただ大きいだけじゃなくて、線形和ですらないんですよ」と栗木はぽろりと言った。

図**4-3**　**ユニーク色は反対色応答と食い違う**

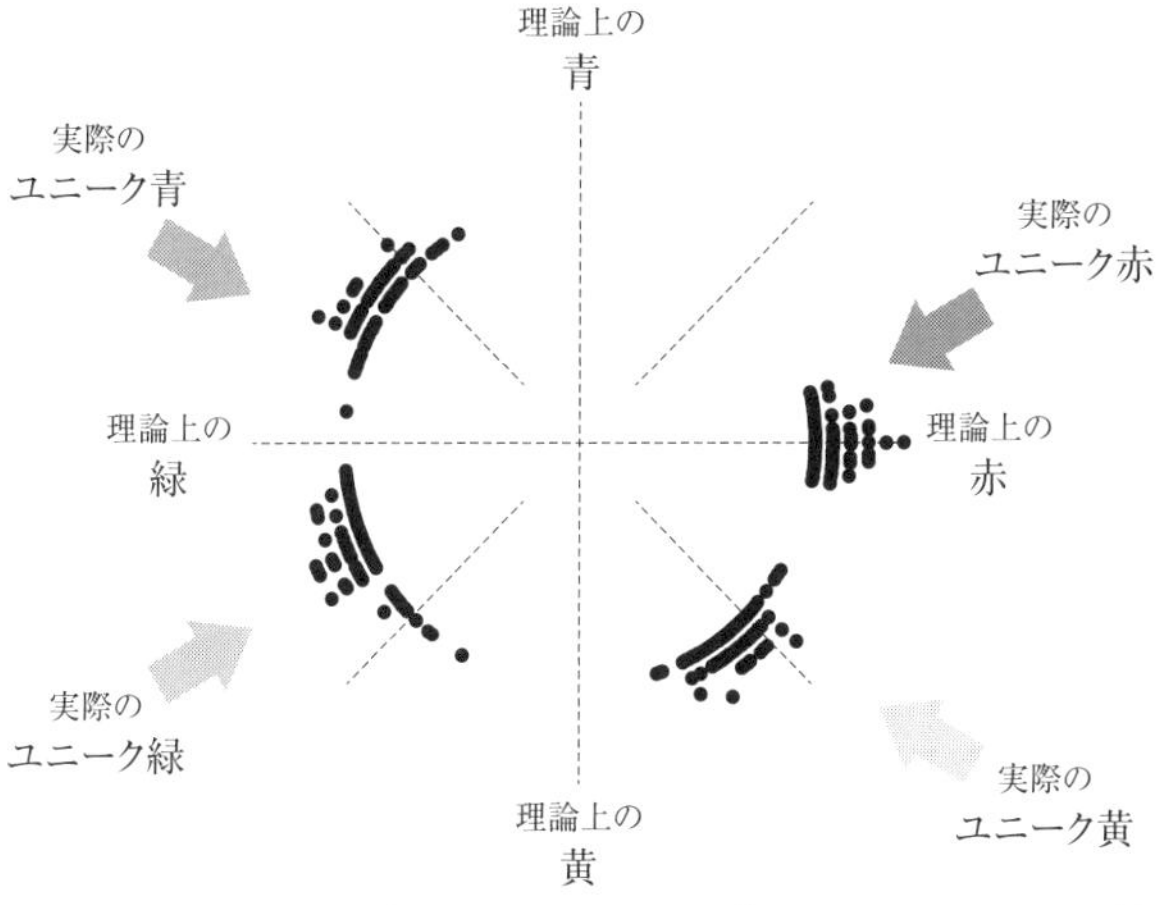


被験者51人のユニーク色を同じ図表の上にプロットしたもの。反対色チャンネルから示唆される軸（図中では、「理論上の」青、赤、黄、緑と表現）から大きくずれているだけでなく、大変なバリエーションがある。Webster et al. 2000を改変。

19世紀から20世紀にかけての3色説と反対色説の論争は、「準備の章」でも触れたシュレーディンガーなどによる「これらは一次変換すれば同じ」ことが現実的に網膜上で起きていることで決着した。でも、その後、脳に信号が届くと、そこでは、もはや線形ではない（足し算引き算ではない）込み入った信号処理がなされていることになる。

## 中間色まで平等に扱われている

網膜からの信号が入力されるのは、後頭部にある初期視覚野と呼ばれる領域だ。入口の部分はV1と呼ばれ、その後、V2、V3に受け渡される。さらに高次の処理は、「腹側部」および「側頭葉」と呼ばれる部位のV4、ITで行われていく。

「目からの信号が初期視覚野に入り、最初のV1と呼ばれる領域に入ると、そこで検出できるものは反対色応答のものではなくなっています。かといってユニーク色にそのまま対応するものでもないんです。私自身もMRIを使った研究の中で、反対色応答に対応するものでも、ユニーク色でもない中間色に選択的に反応する神経細胞を見つけて、2015年に発表しました[★5]」

MRI（磁気共鳴画像）というのは、医療でも普通に使われているので経験したことがある人も多いだろう。なにも侵襲的なことをせずに体の中、この場合は脳の中の活動を観察することができるので、研究にも診断にもおおいに活用されている。

その方法で研究した結果、栗木は、V1の時点でも中間色（紫、橙、シアン、黄緑など）に直接反応するニューロンがあるのを発見した。この時点では、目から来た信号、つまり、反対色チャネルに基づいた色に強い反応が出ても不思議ではないのに、いきなり中間色だというのだから驚かされる。しかし、それが、見つかってしまった。

「もっと高次のV4あたりになると、私たちが「色のカテゴリー」と認識するような、個別の色相に反応する神経細胞がたくさん出てくることが既に分かっていて、多くの報告がありました。でも、V1レベルですでに中間色に反応するというのは最初なかなか信じてもらえず、今、やっと信じてもらえるようになってきたところです」

その一方で、反対色チャネルに基づいた「理論上の赤、青、緑、黄」や実際に実験的に確かめられたリアルなユニーク色を「特別扱い」するようなニューロンは今のところ見つかっていない。これが大いなるパラドックスだ。

「もしもそれが大切なら、その色の情報が来たときに「来た！　バンザイ！」ばかりに反応がばーっと上がるような声の大きな神経応答がなきゃおかしいんですけど、それがないんです。中間色も含めて、かなり平等に扱われています。でも、私たちの主観では、ユニーク色は特別に見えるわけです。ここでどんな処理がされているのかというのは、多くの研究者がチャレンジしつつも撃沈しているところです。未だに〝影を踏んでいない〟気がします」

では、今後どんな方向性の研究をすればよいのだろう。栗木はちょっと考えていることがあると述べた。

「最近、この分野の大家と学会で話していて、ひょっとすると私たちが探してきたものって、実は幻なんじゃないかって、お互いに考え始めていることが分かりました。ユニーク色に対応する神経細胞がある前提で探しても、それは反対色説のヘリングの亡霊を追っているようなものかもしれないと」

赤でも緑でもない混じりけがない黄、というふうに定義できるユニーク色の概念は、19世紀の反対色説のヘリングにまでさかのぼる。「混じりけがない」色が特別な存在であることは間違いないけれど、それに選択的に反応する「声の大きな神経細胞」を探す研究は、そもそも問いの立て方を間違っている可能性があるというのだ。

「ユニーク色は、ユニーク黄だったら「赤でも緑でもない黄」と排他的に定義できるわけですよね。そういうふうにして混じりけのない黄を見つけ出すことができるということ自体、実はユニーク黄に反応する神経細胞がなくてもいいということなのかもしれません。地道に、脳の色の選択性のシステムの広がりを調べていくと、やがて、複数の神経細胞の反応が拮抗するところが見つかって、それがユニーク色に相当するのかもしれません。ピークじゃなくて、谷間みたいなところにユニーク色があるんじゃないかというわけです。それが分かれば、神経的な表現が理解できたと言えると思います」

## 例えば鮮やかな森の緑の体験

こうした謎だらけの初期視覚野での色の処理に、栗木が深い関心を抱いているのには、ある種のこだわりがかかわっている。

「森を歩いた時に感じる圧倒的な緑の感覚とか、新緑の緑がすばらしいとか、この色が好みに関わることですとか、そういういきいきした色の見え方の感覚はどこからくるのかというのか、それを知りたいというのがあります。究極的には、網膜上の錐体の応答から始まって、その後のすべての段階で信号がどう変換されていくのか知りたいんですが、網膜のレベルではまだ生の物理信号に近いものですし、かといってもっと高次のレベルになると色のカテゴリーが関係するような記号的な表現になって情報を整理する段階になってしまっています。だから、その間のどこかに、今言ったようないきいきとした見えにかかわる部分があるはずなんです。そこを私も含めて多くの研究者が関心を持って研究しているんですよ」

栗木の言葉に触発されて、ちょっと想像してみよう。

森の中を歩いているとする。

世界遺産の古い森でも、カブトムシが樹液を吸う雑木林でも、足を水に浸しながら進むマングローブの水没林でもいい。

森の樹冠からは太陽の光が差し込み、風に揺れる木々の葉が光のパターンを乱す。様々な濃淡の緑が溢れかえり、ぼくたちを包み込む――。

そこには圧倒的な視覚的な体験があり、いくら言葉で表現しても表現しつくせないほどのリアリティがある。

もちろん、「言葉で伝わる」ことはある。ぼくは文章で人に伝える仕事をする中で、視覚的な表現で（もちろんほかの感覚についての表現でも）鮮やかに伝わったと言ってもらえることがある。ただ、その時に成功したのは、せいぜい数行の短い文字列で、読者の中にあった体験の記憶を呼び起こしたり、想像力のスイッチを押したりすることだけだ。そういったことは、頭の中に色にまつわるいきいきした体験がしまわれているからこそできることだ。

そして、こういった「いきいきした部分」が、大きな謎であり、栗木たちの探究の対象になっているわけである。

## 日本語話者の色カテゴリー

色に関する信号は、謎の多い初期視覚野の後で、整理され、カテゴライズされていく。

栗木は「色のカテゴリー」の研究にも関心を寄せており、２０１７年に発表した論文は大いに話題になった。プレスリリースには「最近30年で、水色が「青」から分離した」「日本語で長く混用されてきた「青」と「緑」について、平安時代からの混用の経緯を説明した」とある。この

数年の間にテレビやネットで何度も紹介されたからご存知の方もいるかもしれない。★6

あらためて語ってもらおう。

「ヒトの目が見分けることができる色の違いは、数十万色と言われています。これはあくまで弁別できるという意味です。でも、日常的な言葉で表わされる色の名前は、せいぜい数十くらいまでですよね。色名でまとめられるような似た色のグループのことを「色カテゴリー」と言いまして、私たちは、それに対して「言葉」をあてはめて色の見え方を表現しています。さきほどは初期視覚野の側から色覚を理解しようとする研究でしたが、こちらはもっと情報が整理された高次の側の話です。両側から攻めることで、ヒトが色を感じるメカニズムの解明に近づこうとしているわけです」

色カテゴリーというのは、その言葉の通り、無数に区別できる様々な色を大ざっぱにまとめたものだ。「赤系と青系」のようなとてもざっくりした言い方も色カテゴリーだし、青系をさらに細かく「紫色」「青色」「水色」というふうに分けるのもまた色カテゴリーだ。

こういったカテゴライズは、色が弁別できて、さらに色の見えが確立したからこそ可能になるわけだから、色をめぐる脳内の信号処理でも最終段階に近いと考えられる。網膜から来た信号が脳の中で最初にどう処理されるのかというのが「入口」の議論だとしたら、こちらは「出口」に近い議論だ。両方を調べることで「間」に迫るというのが栗木の戦略だ。

さて、栗木が調べたのは、まず、ぼくたち（日本語を母語とする人々）がどんな色カテゴリーを持っているのかということだった。

「実験に参加してもらったのは大学生を中心とした57名です。国際的に色名や色カテゴリーの研究で使われている色表330枚を1枚ずつ参加者に見てもらい、その色名を言ってもらいました。その際に、約束として、「薄い」「明るい」などの修飾語、「赤紫」「黄緑」のような複合語を使わないで、単一の色名を回答してもらうことにしました。その結果、参加者が用いた色名数は平均17・7でした。最小は11、最大で52です」

国際的な基本色の研究では、ほとんどの言語の話者が識別しているものとして11の色のカテゴリー（赤、緑、青、黄、紫、橙、ピンク、茶、白、黒、灰）が同定されている。では、日本語話者の色カテゴリーには、どんなものがあったのだろうか。

「国際的な基本色の11のカテゴリーに加えて、8つの色カテゴリー（水、肌、クリーム、抹茶、黄土、エンジ、紺、山吹）が導かれました。つまり、あわせて19のカテゴリーですね。この時、ひとつ気をつけていただきたいのは、実験では参加者に色名を答えてもらって調べざるをえないんですが、解析の時点では色名はいったん外してどんな色のグループがひとかたまりのものとして認識されているかを見ています。これは、色名そのものを解析に使うと、例えば、明るい青の色票のセットを「水色」「空色」というふうに違う色名で呼ぶ人がいて、それらが別のものと見なされてしまうからです。8つの色カテゴリーも、今、色名で示しましたが、それはそのカテゴリーで一番よく使われたものです」

たしかに、ピンクのかわりに桃と言った人もいるだろうし、紺のかわりに藍と言った人もいるかもしれない。しかし、栗木の研究は「基本的な色名」を知ろうとするのではなく、あくまでぼくたちの頭の中にある色カテゴリーそのものをあぶり出そうとするものだ。それでも人に伝える時には結局「色名」を使うことになるわけで、研究上もまずは色名を聞き、そこから色カテゴリーに迫っている。本当に色の体験は主観的なものだから、こういう複雑なことがたえず起きる。

## 「水色」は新しい基本色だった

さて、世界標準である11のカテゴリーに加えて、8つのカテゴリーが示されたわけだが、そのうち特記すべきものが「水色」だ。

「8つのカテゴリーのうち「水色」は、参加者のうち98％、つまりほとんどが使用していました。ほかの7つは、「肌色」が84％、「黄土色」が63％、「紺色」が37％といったふうに、ほぼ全員が使った「水色」に比べて低い割合です。実は、30年前に、私の大学院時代の先生である内川惠二教授（現在、東京工業大学名誉教授）らが同じような研究を行っていて、それによると、ある参加者が「水色」と呼んだ色票のうち平均77％が、他の参加者により「青」と呼ばれていました。つまり、青／水色カテゴリーの分離が不完全だったんです。でも、今回の私たちの研究では、参加者間での水色カテゴリーの一致度と、青／水色カテゴリーの分離度が、いずれも以前の研究より高いことを統計的に示すことができました。そこで「水色」は日本語の12番目の基本色であると言っていいのではないか、というふうに考えています」

ここ30年のうちに、「水色」が日本語の基本色に加わった！　これは、なかなかキャッチーだし、実はその30年よりもずっと長く日本語を話して生きてきた自分自身の生活体験に照らし合わせても、たしかに水色というのは、昔は今よりもっと曖昧だった気がする。

と同時に、言語と色、という問題がくっきりと浮かび上がって感じられる。

まず、こういった研究では、使う言語によって、基本色名どころか、色名以前の色カテゴリーの数や境界が違うのかもしれないということが含意されており、実際にその通りだということ自体驚くべきことだ。

また、同じ言語でも、時代によって、つまり、社会的・文化的な背景が変わることによって、基本色が新たに加わることがあるというのには、さらにびっくりさせられる。本書で常に気にしている、色覚の多様性の観点からは、「ここにも多様性を示唆する要素があった」ということだ。

それを言うなら、論文で示されている57人の中での色の境界の揺れ具合もやはり興味深い。誰もが「基本色」を共有しているとしても、その境界はまちまちなのである。

人によって色の見えが違うこと（例えば、ユニーク色が違うこと）と関係があるのかもしれないし、もっと高次の部分でカテゴリー分けする時点で起きる違いなのかもしれない。あるいは、そういったすべてがかかわることなのかもしれない。

口絵2を見てほしい。色カテゴリーについて、2人の被験者の回答結果を示している。それぞれ、自由な色名（上段）、11の基本色名に限った場合（下段）の2通りで回答してもらっており、どちらで比較しても、色の領域に大きな差があることが分かる。例えば、被験者1にとっての橙や紫や青が、被験者2にとっての茶やピンクや緑だった、ということも普通に起こりそうだ。色を扱う専門職の人たちが色名をあてにせず、客観的で規格化されたやりかたでコミュニケーションをするのも当然といえよう。色覚異常について語る場合、常に「色間違い」が問題になるけれど、ぼくたちは普段から、ごく普通にお互いに間違い合っている（もちろん、どちらが正しいというわけではない）のである。

## 緑の野菜が「青物」である理由

この30年の間に、日本語では「水色」が新たな「基本色」としてあらわれた。昔の人にとっては「明るい青」に過ぎなかったものが、今の人にとっては「水色」と独立して感じられる。こういった「基本色の分離」という現象をどう捉えればいいだろうか。

「それ、私も興味深く思って、「先行事例」を調べてみました。例えば、日本語では緑のものを青と言うことがありますよね。緑の信号灯を青信号と言ったり、緑の野菜を青物と呼んだり。でも、青と緑の区別がついていないわけではなくて、今回の研究でも「水色と青」より「青と緑」

の色カテゴリーの分離度の方が高いことが示されています。それでも「青」を「緑をも包含しうるもの」としてラフに使うことがあるわけです」

栗木が挙げたもののほかにも、「青々とした緑」(緑の葉を茂らせた森)、「アオムシ」(緑色の幼虫)、「アオガエル」(だいたいにおいて緑)といったものが思い浮かんだ。一方で、「青信号」は英語で green light なので、その点でも日本語の不思議さが際立つところだ。

「時代をさかのぼって検討したところ、こういった青と緑の問題は、古い日本語で、色名の言葉が「赤、青、白、黒」の4つしかなかったことに由来するのではないかと考えられています。つまり「古語の青」は現在の緑と青を含む色カテゴリーで、その後、歴史上いつかの時点、おそらくは平安末期から鎌倉時代(11-12世紀)に、「緑」が「青」から分離したんです。しかし、今も古語の青(緑を含む青)に由来する表現が残っているわけです」

ぼくたちが、青と緑を区別していることについて、栗木はさらに突っ込んで、言語獲得前の赤ちゃんたち(5―7カ月の乳児!)に青と緑の境界付近の色を見せる実験を行っている。赤ちゃんたちに脳の血流を透視する近赤外線センサーつきの帽子をかぶってもらって観察したところ(光トポグラフィという技術)、赤ちゃんに提示する図形の色を「青から緑」に変化させた時に色カテゴリーにかかわる側頭葉の活動が高まることが見出された。これは、言葉を獲得する前から「青と緑」を別カテゴリーとして認識している証拠となる。[★7]

しかし、言語の上で「緑」が分離して独立するのは、その言語が安定して存在し成熟し、話者の間でコンセンサスが醸成された後のことだ。「赤、青、白、黒」はすべての言語でかならず対応する色名がある、いわば「超基本色名」だとして、「緑」は脳では識別していても言葉は後からついてくるものだったらしい。

こういった「青と緑」の分離は、実は世界中の言語で確認されている。興味のある人はこの分野の巨人、文化人類学者ブレント・バーリン（1936－）と言語学者ポール・ケイ（1934－）の著作“Basic color terms : their universality and evolution”（1969年、邦訳は、『基本の色彩語――普遍性と進化について』日髙杏子訳　法政大学出版局、2016年）にあたるとよい。最初は少ない色名から始まって、言語が成熟するとともに色の名前が増えていく「進化」の法則についても深く考察している。多様性と普遍性が交錯するスリリングな議論は、今もまったく色あせていない。

**言語が色覚に影響する？**

ここで、素朴な疑問がある。

ぼくたちの頭の中にある、たぶんかなり生得的な色カテゴリーが、言語の進化と成熟とともに、実際に色名として確立していくということが世界のあちこちで起きてきたのだとして、では、逆にそうやって確立した言語が、頭の中にある色カテゴリーや色の認知に影響を及ぼすことはないのだろうか。

「それは、言語相対主義、いわゆるサピア＝ウォーフ仮説の一部ですよね。実は「言語が色カテゴリーを決めるのだ」という議論はあります。実際、色カテゴリーには言語や文化による差があるわけですし、そういう面は否定できないわけです。だから、言語相対主義の議論をする時に、言語と色カテゴリーのことはよく具体例として挙げられていると思います」

サピア＝ウォーフの仮説というのは、文化人類学者で言語学者のエドワード・サピア（1884－1939）と言語学者のベンジャミン・リー・ウォーフ（1897－1941）が20世紀前半にそれぞれ独自に行った研究を根っこにして発展したもので、「言語の違いが、話者のものの見方を方向づけるのではないか」という疑問に基づいている。極端な例では「言語が思考を決定づける」とする「強い仮説」の論者もおり、一方で、よりソフトに「言語が認識に影響を与えることがある」という程度の「弱い仮説」の論者もいる。「強い仮説」はかなり強硬なところがあってなかなか支持できない局面が多いようだが、「弱い仮説」の方は実際に言語が認識に影響を与える事例が見つかっているので、おおむね「そういうことは現実にある」と受け入れられているようだ。

そして、色カテゴリーの議論はその具体例としてよく引き合いに出される。例えば最近の事例として、2007年のロシア語話者についての研究がある。★8

「日本語と同じように、実はロシア語も「明るい青／暗い青」を別の色カテゴリーとしているそうです。それで、アメリカのMITのグループが面白い実験をしました。青い正方形の図形を

3つ見せるんですが、そのうち2つは同じ色で、残りの1つだけは別の色です。そこで、同じ色の2つと仲間はずれの1つを、ロシア語の色カテゴリーである「明るい青（goluboy）」と「暗い青（siniy）」をまたぐように設定すると、ロシア語の話者は、「仲間外れ」の色をよりすばやく見分けました。これが、英語話者だと変わらないんですよ。ほかにも確認する実験をしていて、言語の色カテゴリーの違いが色の識別に影響を与えることがあると結論づけました」

というわけで、色カテゴリーはヒトの中で普遍的な部分もありつつも、言語や文化からフィードバックを受けて、違いを形作っていく。色をめぐる多様性は、個々人の違いの背景に、さらに言語や文化からも影響が加わるような形になっている。

## 色覚異常の当事者は？

なお、これら色カテゴリーの議論すべてが「正常色覚」の範囲内でのことなので、本書の関心としては、先天色覚異常について考えておきたい。

先天色覚異常の当事者、とりわけ2色覚者は、正常3色覚が多数派を占める社会で確立した色カテゴリーや色名に適応しなければならないという意味で、かなりマイノリティだ。しかし、実際には色以外の情報を用いて色カテゴリーをかなりのところ判断できて、「正常」に近い色名応答をしうるという報告がある。★9

一方、異常3色覚については、「弱度」の当事者は「色カテゴリーの分布は正常色覚に似ており」、「強度」は「色カテゴリーの分布が異なっていた」ものの、色の手がかり（参照する色見本や、使われる色名の制限など）によって色名応答が安定して「正常」に近くなることを報告した研究もある。★10

なんやかんやで様々な手がかりを駆使して現実に対応しうるということで、ぼくはこれらの報告を読んだとき、野生の2色型色覚のサルが、本来見えにくいはずの果実を、3色型色覚の個体と遜色なく食べていたという河村正二らの研究を思い起こした。2色型のサルたちも、色以外の手がかり、おそらく明度の情報、形や匂い、また他の仲間たちの行動などを参考にしていたのだろう。色はぼくたちが外界を把握するのに便利な視覚的指標だが、なにもそれだけではない。「みんな自分の持っている感覚を総動員して生きているわけで、1つの感覚の性能のみで全体を語るのには慎重でなければならない」という河村の言葉通りだと思う。

## 色覚は「普遍性とともにある多様性」だ

目に入った光がどうやって「色」として、まずは弁別され、「色の見え」の体験を形作り、色のカテゴリーや色の言葉につながっているのか、分かっていること、分かっていないことを区分けしながら見てきた。ブラックボックスの部分はありながら、なんとか最後までたどり着いた。

そして、あらためて思うのは、色覚というものが「入口」から「出口」に至るまで、「普遍性」とともにある多様性」というキーワードに貫かれているということだ。

みんなが共有している普遍的な部分があるからこそ、色にまつわるコミュニケーションが成立するわけだが、その一方で、本当に多様である。すべての人が、それぞれの主観の世界で生きている以上、多様性には普段気づきようもないので、ここではあえてその部分を強調したい。

その点について読者に伝わったとすればこの章は成功だし、本当にうれしい。こういった「多様な色覚観」はこれからの時代を切り拓くために必須のものだと信じてやまないからだ。

と、ここで、栗木との対話を終えて、章を閉じてもよかった。

ぼくが東北大学の栗木研究室を訪れた時点では、色の信号が水晶体から網膜に至り、脳でどう処理されて、最終的に色として認識され、色カテゴリーができたり、色名を口に出してコミュニケーションできたりするところまでを追いかけたいと考えていたので、これにて目的は達したはずだ。

しかし、栗木と対話を続けるうちに、さらに「続き」があることに気づいてしまった。

それは、細かな色弁別や色カテゴリーの話をすべて吹き飛ばし、色の見えそのものを根本的に変えてしまうような「個人差」につながるものだった。

## ザ・ドレスの衝撃

栗木が2018年、"i-PERCEPTION"という認知科学系の論文誌に発表した論文★11は、「脳内の色情報計算に関する新しいモデル」について提案したものだ。非常に数理的な内容で、アマチュアを寄せ付けないような印象だが、実際に読むととても興味深い面があった。

論文で扱われているのは、2015年2月にネット上で話題になった、「青黒にも白金にも見える不思議なドレス」だ。これは#thedressというタグで、SNSで大いに拡散されたので、覚えている人も多いと思う(口絵3参照)。

#thedressの由来について、ネット検索してまとめるこんな背景がある。

スコットランドで結婚式を間近に控えたカップルが、新婦の母から当日着ていく母自身のドレスについて相談を受けた。送られてきた写真を見て議論をしていたところ、二人はそのドレスの色について意見が食い違っていることに気づいた。

「青と黒のストライプでしょう」

「いや白と金だよ」

というふうに根本的に違っている。

お互いに信じられず、SNSにその写真をアップして友人たちに意見を求めたところ、友人たちの間でも、同じように意見が分かれた。

そして、友人たちがその写真をシェアしたりリツイートしたりするうちに、どんどん話は大きくなり、いわゆるセレブでミュージシャンのジャスティン・ビーバーが「黒と青」派で、女優で司会者のキム・カーダシアンは「白と金」派だなどとコメントするうちにさらに拡散されて、ぼくたちの知るところになった、というわけだ。

驚くべき内容だったので様々なメディアも取り上げ、米ワシントン大学の著名な色覚研究者ジェイ・ナイツは、「私は、30年間、個々人の色覚の違いについて研究してきた。このケースは私が今まで見た中で一番大きな個人間の違いの一つだ」と驚きとともに述べた。★12

本当にこれは驚くべきことだ。

同じ写真を同じモニタで見ても、ある人は「青と黒の縞模様」と言い、ある人は「白と金の縞模様」だと言う。ある人には青に見えるものが別の人には白で、ある人には黒に見えるものが別の人には金に見える。これまでの話で出てきた「この緑に青みを感じるかどうか」といった個人差など軽く吹き飛ばしてしまう話で、にわかには信じがたい。最初に気づいたカップルはさぞかし驚いただろう。きっと相手が冗談を言っているのだと思い、しかし、その割にはなかなか意見を覆さない。お互いに意固地になって言い張ったり、はてには「ええい、このわからず屋！」とばかりに喧嘩になってしまったかもしれないなどと想像してしまった。

いずれにしても、こういったことは、意見が食い違う2人で議論しても結論が出るはずがない。今のようにSNSがなければ、「わからず屋！」のまま終わってしまったケースも多かったのではないだろうか。もしもそれがきっかけで不和になったカップルがいたとしたらお気の毒だが、今回のスコットランドのカップルは相互不信に陥ることなく無事に挙式したようだ。ただ、結婚パーティでバンドのメンバーが「ザ・ドレス」の話題に夢中になり、演奏が滞るというマイナーな「被害」にあったという。

翻ってぼくたちにしてみると、同じものを見てもまったく見え方が違うことがあるのだと認めざるをえなくなった。

「これは、ある種、色覚研究者にとって「汚点」のようなものなんです」と栗木は言った。

「要するに答えられないわけですよ。それがどうして人によって違いうるのか、私も含めてまだきちんとした説明ができたものはないです」

栗木の2018年の論文は、「ザ・ドレス」の見え方をシミュレーションする方法を考案することで、「きちんとした説明」の方向性を示唆するものなのだった。

実にスリリングなこの話題に、一歩、踏み込んでみよう。

## 色覚は健全な錯視である

まず最初に、栗木はこんな格言めいた一言を紹介してくれた。

〈色覚は健全な錯視である。Color vision is a healthy illusion.〉

カリフォルニア工科大学の認知心理学者・視覚研究者、下條信輔教授の言葉だという。下條は視覚分野のテーマを幅広く扱ってきた碩学で、日本語でも一般向けの著書をあらわしている（『〈意識〉とは何だろうか――脳の来歴、知覚の錯誤』講談社現代新書、1999年、など多数）。

ぼくは栗木からこの「名言」を教えられ、「なるほど」と膝を打った。

一般に、錯視は「視覚の仕組みが破綻して、現実とは違う見え方になること」だと思われているだろう。でも、こと「色」については、「現実」を想定しにくい。「色」は、光そのものの属性ではなく、受けた光がもともと持っている情報の一部を、ぼくたちが持っている感覚器の特性に応じて拾い上げて、その限られた情報をもとに脳内で塗られるものだからだ。これが三角形や四角形といった「形」なら、目隠ししていても手で触って確かめられるだろうし、遠近（距離）なら歩いて確かめられるかもしれない。しかし、「色」の物理的な実体は心もとない。あくまで主観なので、「現実とは違う見え方」ということ自体、「色」については成り立ちにくい。

すなわち、色覚はぼくたちの外に広がるリアルワールドを把握するためにとても役立っている素晴らしい仕組みであるものの、それ自体、健全で役に立つ錯視なのでは？　という一流の研究者らしいものの捉え方だ。

そして「ザ・ドレス」は、その錯視たるゆえんがたまたま自覚できるように提示されたものとも言えるのである。

## 2015年仙台の国際色覚学会にて

栗木は、2015年7月に仙台で行われた国際色覚学会の事務局を切り盛りする立場だった。その開催の直前に「ザ・ドレス」がSNSで世界的な話題になったため、急遽、このテーマを扱うセッションをもうけた。このタイミングの妙で、色覚研究の世界的な碩学たちが一堂に会し、意見交換することになった。

「だいたい、みなさん、無意識に行われる照明光の推定に多様性があってこういう結果になるのだろう、という点では一致していました。でも、その多様性がどこから来ているのかというのは分からないんです。ある研究者は朝型の人と夜型の人で違うんじゃないかと言い、また別の研究者はスマホなどで写真をよく見ている人とそうじゃない人とで違うのかもしれないと言っていました。さらに、赤道直下の日差しが強い地域の人と北の方に住んでいる人とでは違うのではないか、という人もいました。でも、じゃあそれがどうやって照明光の推定にかかわるのかという点は説明できなかったんです」

いきなり、ここで「朝型と夜型」「スマホの写真」「熱帯と北方」などが関係すると言われると面食らう。いずれにしても、「無意識に行われる照明光の推定」が関わるという見立ては多くの研究者が合意するということなので、まずはそこだ。

「私たちが、何か物を見て色を感じるとき、照明光が表面で反射した光を見ているわけです。だから、照明光が変化すると、同じ物体が反射する光も変化して、色が変わってしまうはずですよね。でも、ヒトの視覚はこれを補正し、安定した色を感じることができます。それを、色恒常性と呼びます」

白昼の日差しでも、夕方の赤みを帯びた日差しでも、室内で白色ＬＥＤの下にいても、白熱電球の下でも、極端な場合、ロウソクの火の下でも、だいたいぼくたちは、白は白、黄は黄、青は青というようにざっくりした色のカテゴリーを失わない。実はこれは、ヒトの脳が、自動的かつ無意識に照明光を推定して補正しているからだという。ただし、その色恒常性は完璧なものではなく、白熱電球やロウソクの下では、白昼の太陽光の下にくらべて、白い紙が黄みや赤みを帯びて感じられたりもする。

そして、多くの色覚研究者が合意するのは「ザ・ドレス」の見え方の違いは、人によって「照明光の推定」が違うからだというものだ。

「照明光の推定が、薄くてブルーっぽい照明光[★13]なら白金に見えるし、ものすごく強い太陽光があたっていると思えば青黒になる、と。だいたいそこまでは説明できます。仙台での国際色覚学会では実物を入手して、着用して発表した先生もいて、その青はかなり濃い青と黒なんです。それが、照明光の推定の不思議で、白と金まで変わって見えちゃうんですよね。やはり、この件は、みなさん驚いていたと思います」

そして、栗木が２０１８年に発表した研究は、照明光の違いによる色の見え方を効率的にシミュレーションする計算モデルだ。

そのデモンストレーションとして、「ザ・ドレス」が照明光（の推定）によってどれだけ見え方が変わるかを示し、現実にフィットした結果が得られた。

「よく白金と青黒というように、二分的な表現をされますが、実際にはくっきり2つに分かれるわけではなくて、その中間の見え方が連続的にあるようです。シミュレーションの結果を見てみましょう。7×7の49の画像（口絵3）があって、左ほど照明光が薄くてブルーっぽいと仮定した場合、右ほど照明光が白いと仮定した場合を模擬しています。また、上ほどドレスに当たっている照明が弱いと仮定した場合、下ほど照明が強いと仮定した場合に対応しています。それで分かったのは、例のドレスの写真の照明光の推定は、強さについても、色についても、個人差があることです」

栗木が大学院の授業の受講者に49の画像を見せて実際に近いものを選んでもらったところ、図

**図4-4 ザ・ドレスの見え方の分布**

| 照明光の推定 | ← | 薄ブルー | | | | 白い → | |
|---|---|---|---|---|---|---|---|
| ↑ | 1 | | | | | | |
| 弱い | 2 | 1 | | | | | |
| | 1 | 1 | | | 1 | 1 | |
| | 1 | | | | 1 | | |
| | 1 | | 2 | 2 | 5 | 2 | |
| 強い | 2 | | 1 | 2 | 3 | 6 | 2 |
| ↓ | 1 | | | | 2 | 5 | 5 |

口絵3の7×7の見え方のどれに近いか、大学院生らに選んでもらった（マスの中の数字は人数）。照明光の強さの軸にも、色みの軸にもまんべんなく分布があるが、全体としては「白い」「明るい」照明を推定してザ・ドレスを「青黒」に見る人たちの方が多数派だと分かる。データ提供：栗木一郎

4－4のように散らばった。照明光の強さの軸にも、色の軸にもそれぞれまんべんなく分布があり、全体としては「青黒派」が多数派で、「白金派」が少数派だったというのも見て取れる。

つまり、「ザ・ドレス」の問題は、ただ照明光の推定というよりも、「照明光の色の推定」と「強さの推定」の両方に個人差があり、それによって見え方が違ったのではないかということなのだった。

## 色の恒常性の実験

なお、「色恒常性」と「照明光の推定」というテーマは、栗木にとって昔なじみで印象深いものだという。というのも、研究者になる第一歩を踏み出した時点で、まさにこのテーマにかかわっていたからだ。

「東工大の修士課程の時に最初に取り組んだ実験が、我々が照明光をどう推定しているかというものでした。具体的に言いますと、5×5センチくらいの色票を棒の先にくっつけて真っ暗な部屋の中に置き、被験者には見えないところから強い光を当ててあげるんです。すると、その色票自体が光っているように見えます。つまり、暗がりでステージライトが当たって光っているみたいな感じです。例えば、緑の色票に赤い光を当てて見てもらうと、黄に見えます。暗い部屋でぽつんと色票が光っているという状況なので、照明光についての手がかりがほとんどなく、色恒常性による補正ができないんです」

照明光の推定というのは、何かの物体を見た時にその物体が自ら光っておらず、別の光源に照らされてその反射を見ているという前提で行われるものだろう。もしもそれ自体が光源なら、色恒常性のための補正を行わずそのまま見ればよい。ぼくたちはどうやら頭の中で「照明光の推定」をする前に（あるいは同時に）、「光源を見ているのか」「照らされた物の表面を見ているのか」といったことを自動的に判断して切り替えているらしい。あるいは、照明光の手がかりがない場合には光源とみなす、というようなことかもしれない。

「では、実験の中でなにか手がかりを与えるとどうなるか、というのもやってみました。例えば、色票の脇から実験者がぴゅっと手を出してみると。そうすると、とたんに色票の色が変わるんです。照明光が手にかかって、まさに手がかりができるんですね。私自身も、被験者と同じ体験をしようと、人に頼んで何度もやってみたんですが、たしかに黄のものが緑に変わります。おもしろいのは、3、2、1、はいというふうにお願いしても、いつ変わったのか分からないんですよ。気づいた時にはもう変わっていて、変わる瞬間を自覚できないんです」

変わる瞬間を自覚できないというのは、なにかものすごく面白いメカニズムがそこにあるのだろう。「色覚は健全な錯視である」ということとも関係あるかもしれないと思うし、そもそも、視覚の仕組みそのものが、ぼくらが当たり前に思っているこの「リアルタイム感」を維持するために、実は「現実」とは乖離することをやっているのかもしれない。

「とにかく、視覚系の気分からすると、「手がかりくれ！」と思っているところに何かがきて、ぱっと計算しているという感じなんだと思っています。我々の視覚系は、これは照明光だと判定したらそれで終わりというわけではなくて、常にアップデートの計算をしていて、新しい手がかりが来たらすぐ対応しようとしている。そういう状態で見ているので、これは光源じゃないということになったら、ぱーっと見え方が変わるんでしょう。あくまで予測ですけど」

　ところで、こういった、非常に複雑な「光源か表面かの判定」や「照明光の推定」は、脳のどのあたりで処理されているのだろうか。

「どこなのか一言ではいえないですね。それこそ初期視覚野からもっと高次の領域までみんながかかわって、一斉にやっているのではないでしょうか。手がぴゅっと出てきた時には、「手というよく知ってるもの」という認識や記憶も総動員されて処理されているはずですから。こういうことを考えていると、視覚系の研究って、すごく複雑でミステリアスな生き物を相手にしているような気がしてくるんですよ」

　というわけで、色覚研究者ですら驚いた大いなる多様性の源泉は今もよく分かっていない。分かっていないながらもぼくたちが、やはり驚くほど大きな「色の見え」の違いを時々経験していることは間違いなさそうだ。個々人の「照明光の推定」の差は、「青と黒の縞模様」を「白と金の縞模様」にしてしまうほどの違いを生み出すことがあるのだから。★14

★1——国際色覚学会（ＩＣＶＳ：International Colour Vision Society）は、１９６９年に国際色彩学会の分科会として誕生し、１９７１年以降、独立して開催されるようになった。学会のニュースレターはジョン・ドルトンにちなんだ"Daltoniana"。日本では、２０１５年に仙台で開催。

★2——栗木自身も加齢による水晶体の着色の問題を研究している。加齢水晶体のシミュレーションメガネを若者が長時間装着しつづけても、高齢者の色の見え方の模擬にはならないことを示し、高齢者の色覚特性は水晶体の黄変だけでは説明できない別の神経機構がかかわることを示唆している。ここでは、ヒトの色の見え方の多様性の一部を示すものと言える。「加齢による水晶体黄変が色覚におよぼす効果」（栗木一郎ら、照明学会誌84巻2号、２０００年）

★3——Gabriele Jordanは、２０１０年の論文で、４色覚と言える女性の存在を示した。Jordan, G., Deeb, S.S., Bosten, J.M. & Mollon, J.D. "The dimensionality of color vision in carriers of anomalous trichromacy" *Journal of vision*, vol.10(8), 2010. 共著者のJ.D. Mollonは、3章で霊長類の色覚研究の先駆者としてすでに登場している。また、同じく共著者のS.S. Deebは、色覚検査では見つからない「軽微な異常3色型」にかかわる「エクソン3の１８０番アミノ酸」の研究の共著者（本書の補遺に登場する）。「4色覚プロジェクト」のＵＲＬはこちら。https://research.ncl.ac.uk/tetrachromacy/

★4——Webster, M.A., et al., "Variations in normal color vision. II. Unique hues", *Journal of the Optical Society of America*, vol.17(9), 2000.

★5——Kuriki, I., et al., "Hue selectivity in human visual cortex revealed by functional magnetic resonance imaging" *Cerebral Cortex*, vol.25(12), 2015.

★6——Kuriki, I., et al.,"The modern Japanese color lexicon", *Journal of vision*, vol.17(3), 2017. 共著者のDelwin LindseyとAngela Brown（ともにオハイオ州立大学）は色カテゴリー研究の大家。

★7——Yang J., Kanazawa S., Yamaguchi M.K., and Kuriki I., "Investigation of color constancy in 4.5-month-old infants under a strict control of luminance contrast for individual subjects", Journal of Experimental Child Psychology, 2012.

★8—Winawer, J., et al., "Russian blues reveal effects of language on color discrimination" *PNAS*, vol.104 (19), 2007.

★9—例えば、「2色覚における色弁別・色分類とカラーネーミングとの関係」(小峰央志・篠森敬三・中内茂樹『VISION』19巻4号、2007年)

★10—「2型3色覚者のカテゴリカル色知覚における色の手がかりの役割」(香川由佳里・矢口博久・溝上陽子『日本色彩学会誌』37巻2号、2013年)

★11—Kuriki, I. "A novel method of color appearance simulation using achromatic point locus with lightness dependence", *i-Perception*, 2018.

★12—"The science of why no one agrees on the color of this dress", *WIRED*. https://www.wired.com/2015/02/science-one-agrees-color-dress/(2020年9月30日最終閲覧)

★13—「薄くてブルーっぽい照明光」というのは、「薄暗い」という意味ではない。栗木の表現によると、「日中の快晴の下にある建物の影に入るあたりのイメージ」ということだ。

★14—本章では検討できなかったが、「経験」や「習熟」が色の弁別などに影響することを示唆する研究もあり、興味深い。例えば「100 hue test の制限時間を短縮した評価法を用いて示された大学生の芸術サークル経験による色識別力の向上」(川端美穂ら『日本色彩学会誌』44巻4号、2020年)

# 第3部

# 色覚の医学と科学をめぐって

# 第5章　多様な、そして、連続したもの

## 多様な色覚の世界から

20世紀末から21世紀にかけて、様々な分野のサイエンスが進展したために、色覚という感覚についての描像がかなり変わってきたことを第2部で見た。ここまで読んだ読者は、色の感覚が、色弁別の問題、色の見えの問題、色カテゴリーや色名の問題、照明光の推定の問題等々、様々な層で様々に多様であることを理解し、脊椎動物の進化の中での色覚という視点からもヒトの色覚の多様性を語ることができるだろう。

大きな風呂敷を広げることになったけれど、それを終えた今、やっと、多様性の中の一つの要素である「先天色覚異常」に、ふたたび焦点を当てる準備ができたと思う。第2部で培った色覚多様性センスのようなものをちゃんと心にとどめたまま、先天色覚異常の諸問題を再考したらどうなるだろう。第一部でももやもやしたまま放置した「大きな問題」（20世紀からつながる色覚をめぐる「問題系」がどんな形をしているのか）を捉えるヒントが得られ、「小さな問題」（21世紀の色覚問題は、

どんなふうに解決されるのがよいだろうか）に対する指針も得られるかもしれない。

では、どこから話を始めようか。

大風呂敷の後だから、今度は思い切り小さく、一個人の話から始めようと思う。

つまり、自分自身の話である。

ぼくは、小学生の時に先天色覚異常（赤緑色弱）と診断されたものの、その後の人生において、自分の色覚の違いを自覚できずにきた。日常生活の中での色の弁別や色名でのコミュニケーションで違和感を抱いたことはなく、テレビ局で記者・ディレクターとして番組制作をしていた時代にも問題を見出すことができなかった。

このような微妙な当事者が、色覚多様性のどのあたりにいるのかを問うと、そこから大きな構図が見えてくるのではないか、という目論見だ。

というわけで、まずはぼく自身が三十数年ぶりに色覚検査を再体験するところから説き起こす。

## 石原表を読む

学校での健診にせよ、町の医院にせよ、色覚検査を受ける際にほぼ必ず使われるのは、今も昔も「石原表」だ。大日本帝国陸軍の軍医だった石原忍が、1916（大正5）年に出版した「色神検査表」を出発点にしており、つまり1世紀以上の歴史を持つ。まずは徴兵検査に使われ、後に学校健診にも取り入れられて、様々なバージョンが流通した。2013年には「石原色覚検査表Ⅱ国際版38表」が発売されたものの、検査の基本的な発想はまったく変わっていない。石原表は世界的にもっとも普及し、もっとも信頼される色覚検査表だといえる。

1世紀以上にわたって世界中で使われてきたので、近代史・現代史の様々な局面に顔を出す。2017年、ドイツの国際色覚学会で出会ったアメリカ空軍関係者は、「第二次世界大戦で日本が敵国だったときにも、パイロット候補生の色覚検査には石原表を使っていた」という事実を歴史的なジョークとして語っていた。

日本においても、石原表は「色覚検査」と聞いて一般に想起されるアイコンのようになっている。色のついたドットで数字が書かれており、ところどころ先天色覚異常の当事者には区別しにくい「混同色」の組み合わせを使うことで、読めない数字や違って読めてしまう数字を作り出す。「石原表」という呼称を知らない人でも、検査表を1枚でも見ると「ああ、あれか」と思うだろう。

石原表に添付された説明書によれば、判定基準はこんなふうだ。

〈「誤読」表数が4表以下であれば正常色覚と判定する。「誤読」表数が8表またはそれ以上であれば先天色覚異常と判定する。「誤読」表数が5表から7表の場合は、色覚の判定にはアノマロスコープ検査（「準備の章」でも簡単に説明した検査：引用者注）が必要である[★1]〉

ここでは、まず、

・「誤読」が4表以下なら「正常」
・「誤読」が5~7表は「疑い」
・「誤読」が8表以上なら「異常」

とされることを理解しておこう。

その上で、2017年5月、ぼくは色覚外来を開設している医院を訪ね、三十数年ぶりに色覚検査を受けた。

## 5表の「誤読」

入念な検査とそれに基づく診断を行ってくれたのは、名古屋市名東区の本郷眼科・神経内科だ。第2章ですでに著作を紹介した高柳泰世医師(『つくられた障害「色盲」』などの著者)が院長を務める医院で、先天色覚異常の問題に関心を持つ者の間では、おそらく日本一有名な眼科クリニックだろう。高柳が、1980年代後半、色覚異常と進学・就労をめぐって、積極的な活動を展開した際にもこの医院を拠点にしていた。いわば歴史が作られた現場である。

ぼくは、今回の執筆を始めるための「キックオフ」の取材として高柳を訪ね、その際に検査と診断も依頼した。高柳の医院では、大学病院にもないことが多いアノマロスコープなどの検査機器を運用しており、少年時代のぼくが結局たどり着かなかった「確定診断」まで行うことができるというのがひとつの理由だった。

検査は、高柳の指示の下、ベテランの視能訓練士が担当した。非常に手慣れた様子で、所定の検査項目をひとつひとつこなしていった。

最初は、もっとも標準的な検査といえる石原表だ。

石原表が置かれたテーブルの上には、検査票が光らないような良い角度に昼光色のライトが設置してあり、その光の強さも規定の通りだと説明を受けた。

目と検査表の距離は75センチということで、ちょうど背筋を伸ばした状態でその距離に近くなるように椅子を調節した。この時点で、ぼくがかつて学校で受けた検査とはかなり雰囲気が違った。担任の教師が行う検査は、照明についても、距離についても、もっといい加減なものだった。

実際に検査が始まり、検査表が提示されると、かつて検査のたびに感じていた重圧感を少し思い出した。目の前にある数字を読むだけなのだが、なんともいえず胸に痛みを伴う。検査自体の納得感の薄さや、その後、級友に囃し立てられたこと、進路指導で「進めない進路がある」と告げられた時の釈然としない感覚、あるがままの自分が不十分な存在だと繰り返し言われる不全感のようなものが、そのまま自分に刻印されていると実感する。

そんな思いにとらわれながらも、提示される表を読んだ。

第1表目は、色覚に関係なく誰もが読めるもので、問題は2表目からだ。

ぼくの目には自明ではない表がいくつもある。数字の読み方が複数ありえるように思えて、ひとっに決めろと言われても戸惑う。「正常」の人と「異常」の人では読み方が違うとされる種類の表でも、その両方が見えることがあった。今回もそうだったので、ぼくは深く考えずにとにかく反射的に数字を口にした。視能訓練士はそれを淡々と記録用紙に書き込んでいった。

なごやかな雰囲気の中でも、どこか緊張感を抱きながらの検査は、ほんの数分で終わった。

結果は——

5表の「誤読」だった。

「5〜7表」の間にあったので、「アノマロスコープを用いた検査が必要」ということになる。まさに微妙なところにぼくは落ち込んでいるのである。

ここで、謎が浮かび上がる。

ぼくは小学生の時、「赤緑色弱」という診断を受けた。

その時も「5表」の誤読だったとすれば、それだけでは確定診断とはならず、「アノマロスコープ検査を」ということになったはずだ。しかし、それを勧められたことはないし、そもそも10代のぼくはアノマロスコープ検査というものがあることも知らなかった。

図5-1

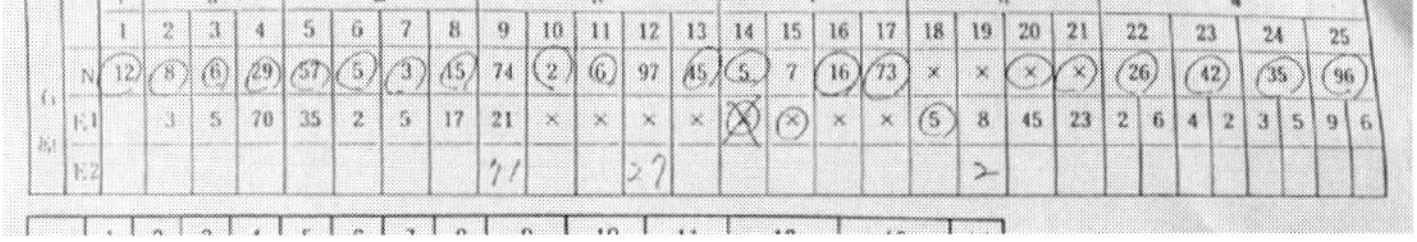

| | I | II | | | III | | | | IV | | | | | V | | | | VI | | | | VII | | | |
|---|---|---|---|---|---|---|---|---|---|---|---|---|---|---|---|---|---|---|---|---|---|---|---|---|---|
| | 1 | 2 | 3 | 4 | 5 | 6 | 7 | 8 | 9 | 10 | 11 | 12 | 13 | 14 | 15 | 16 | 17 | 18 | 19 | 20 | 21 | 22 | 23 | 24 | 25 |
| N | 12 | 8 | 6 | 29 | 57 | 5 | 3 | 45 | 74 | 2 | 6 | 97 | 45 | 5 | 7 | 16 | 73 | × | × | × | × | 26 | 42 | 35 | 96 |
| E1 | | 3 | 5 | 70 | 35 | 2 | 5 | 17 | 21 | × | × | × | × | × | × | × | × | 5 | 8 | 45 | 23 | 2 6 | 4 2 | 3 5 | 9 6 |
| E2 | | | | | | | | | [illegible] | | | [illegible] | | | | | | | [illegible] | | | | | | |

著者自身の30年ぶりの検査結果は、5表「誤読」。迷って言い直し、バツだったものがマルになったところもある。

その時の自分が石原表の検査でどんな結果を出し、どのような理由で、必要な確定診断もないまま、「赤緑色弱」と断定されたのか、今となっては確認しようもないことだ。

## パネルD15は「正解」する

高柳の検査では、標準的な色覚検査表以外にも、「新色覚異常検査表（新大熊表）」や「標準色覚検査表第1部（SPP-1）」といったものが使われていた。さらに、古いタイプの「学校用石原表」も見せてもらった上で、別系統の検査へと進んだ。

ひとつは「パネルD15テスト」といって、いわば「色並べ」のような検査法だ。21世紀の現在、色覚検査を行う眼科医院は、たいていこの検査もできるように整えられている。

具体的に言うと、丸い形をした15個（15色）のチップを、ケースを兼ねた細長い木枠の中に、色が近いものどうし隣り合うように並べていく。左右両端にはあらかじめ固定されたチップがあって、つまり、左端から右端まで、色相が連続するように並べられれば「正解」だ。これも1分もかからずに終わる簡便な検査である。

ぼくはこのパネルD15テストも小中高の時代に受けた記憶がない。おそらく、ぼくが色覚の問題で眼科を受診した1970年代には、今ほど普及していなかったのではないだろうか。

というわけで、はじめての体験にドキドキしながらも、結果は「正解」だった。つまり、右端から左端まで連続するように、微妙な色の変化を連ねることができた。

なにごとも「正解」「正しくできた」と言われるとほっとするもので、実際にほっとした。

なお、この検査は、軽度と中程度の先天色覚異常では「正解」するので、「色覚異常の有無」の判定には使えないとされている。

パネルD15テストで「正解」する人は、色覚が正常か、「軽度から中程度」の色覚異常かのどちらかだ。一方、パネルD15テストで「間違い」をする人は、「強度」の色覚異常になる。また、「間違い」をする場合（強度の場合）は、その間違い方のパターンによって、色覚異常の「種類」を判別できるとされる。

ぼくは石原表でどっちつかずの結果を出し、パネルD15テストは「正解」だったので、診断としては相変わらずぽかんと宙に浮いたままだ。もしも先天色覚異常だったとしても、「軽度か中程度だろう」くらいのことしか言えない。

図5-2　パネルD15テスト

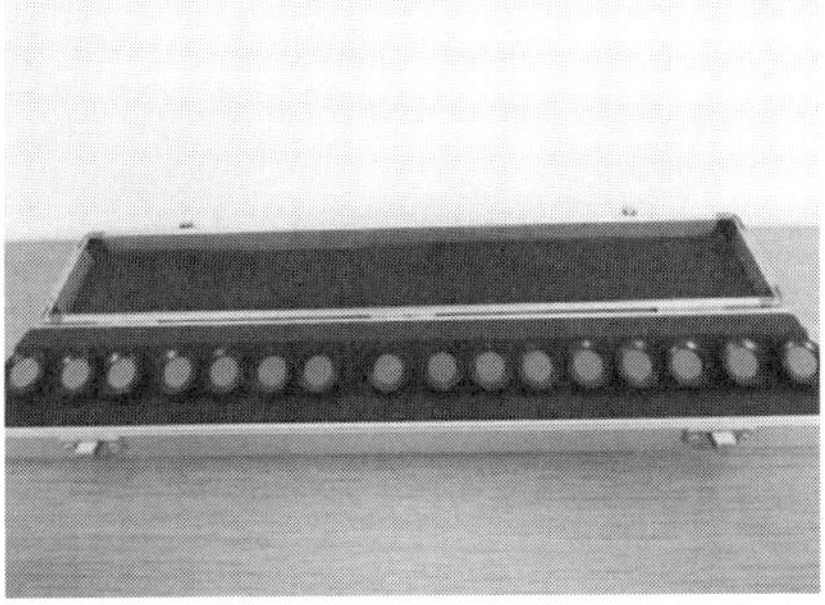

白黒写真では分かりにくいが、微妙に色相が違う円形のチップを色の変化の順番に並べ替える。

## アノマロスコープ登場

さて、ようやくアノマロスコープの登場である。

この検査は、先天色覚異常の診断において、いわば「真打ち」と位置づけられてきた。石原表の説明書でも「疑わしきはアノマロスコープ検査を」というような書き方がされていたし、目下、日本眼科医会が推奨する検査手順でも、アノマロスコープ検査が「確定診断」の手段とされている。★2

にもかかわらず、アノマロスコープを備える医院は少なく、大学病院のような大きな医療機関でも色覚外来がない場合は所持していないことがほとんどだ。非常に由々しいことだと思うのだが、これは20世紀から放置されている問題らしい。

だから、ぼくも取材という名目でなければ、そこまでたどり着くことはなかっただろう。

では、アノマロスコープ検査というのはどういうものなのか。

序章でも述べた通り、「緑と赤をまぜて、黄を作る」わけだが、実際に試したところ、こんな流れだった（口絵4参照）。

まず、単眼の顕微鏡のような接眼部から片方の目で覗き込む。そこに提示されているのは「上下に分割された色光の円」だ。

下半分には基準となる黄色の光が提示されている。これは波長589ナノメートルの単波長光だという。一方、上半分には、緑の光と赤の光が重ねて示されている。それぞれ、545ナノメートル（緑）と670ナノメートル（赤）の単波長光だ。

これらの上半分の緑と赤の混合比は、ツマミを回すことで任意に変えることができて、それを動かして基準となる下半分の黄と同じ色になるところを探す。つまり、下半分と上半分が、同じ3刺激値を与える「メタマー」になるような混合比を探し出す。実際には、明るさの調節も必要なので、「赤と緑の混合比」と「明るさ」をマッチさせて自分にとって上下が同じに見えるところを探すことができればよい。これを条件等色、メタメリック・マッチ（metameric match）ともいう。まさに「メタマーとなるところを探す」という意味だ。

当然、こういった「条件等色」が成立するポイントは人によって違う。

まず、異常3色覚ではM錐体かL錐体の感度のピークがずれているのだから、混合比もどちらかにずれると考えられる。ちょっと赤みを多く足さないと基準の黄と同じに見えるメタマーを作れないタイプと、緑みを多く足さないと基準の黄と同じに見えないタイプがあるわけだ。

一方で、2色覚の場合はMかLの錐体細胞のどちらかを欠いているわけだから、上半分の緑と赤がまざった色光は、つまみを動かしても色相としてはほとんど変化せず、下半分の黄とだいたい一致したままだ。むしろ明るさに違いが出るので、明るさのつまみを動かしてどこで上下が同じに見えるかが重要な情報になる。

あくまで、M錐体とL錐体がかかわる色覚異常のみに特化した検査だが、その用途においてはとても信頼されてきた。石原表などの仮性同色表はいったい何を測定しているのかよく分からないことがあるが、こちらの方は先天色覚異常の特性を直接的に使い、何を測っているのか比較的、明確だ。

**正常？　だった？**

さて、以上のような手順の作業を、検査を受ける側がすべて自分で行うわけではない。つまみの操作は視能訓練士が行った。被験者がどんなタイプの色覚なのか、最初ざっくりとした判断ができるようなセッティングで試して、後はその人にとって調整が必要な部分に落とし込んでいく。これも手慣れたものだった。

とはいえ、はじめてアノマロスコープを使ったぼくは、「どの程度、同じ色」を目指せばいいのか分からず、やや困惑した。慎重に見ているとすぐに目が順応してしまい違いが判別しにくくなるから、時間をかけることもできず、なかなか難しい。できるだけ考え込まずにぱっと見た時の感じを重視するという方針で、なんとかぼくなりに納得のいく色を混色できた。

担当してくれた視能訓練士は、検査シートにこのように書き込んだ。

混40／単15

これは、「緑と赤の混色のつまみの目盛り40」で、「輝度を調節する単波長光の目盛りが15」という意味だ。

これが何を意味するのか——

診断は医師が下す。

ここまでに行った検査の結果は、一覧形式のシートに記入され、医師である高柳に届けられた。石原表、他の仮性同色表、パネルD15テスト、そして、アノマロスコープの「混40／単15」、さらには、地図の等高線やまぎらわしい電気抵抗のカラーコード（電子工作をする人にはおなじみの、小さな抵抗器にプリントされた色の組み合わせを使った識別コード）を判読するテストなども行った結果が書き込まれていた……。

高柳は検査シートに目を通し、おごそかに述べた。

「私の診断では、正常色覚です」

耳を疑い、聞き返した。

「正常……ですか」と。

「はい、正常な3色覚です」

ぼくはしばし言葉を失った。

たしかに、石原表を5表「誤読」するのは「疑い」のレベルだった。

そして、確定診断として行ったアノマロスコープの診断は「混40／単15」で、これはまさに「正常均等」なのだという。

他の仮性同色表の結果も、パネルD15テストも、「正常」であることと矛盾しない。

さらに他の細々としたテストと考え合わせた上で、正常色覚である、と。

文字にすればわずか4つだが、受け止めるのに戸惑いを禁じ得ない言葉だった。

幼少よりずっと「あなたは色覚異常」と言われてきて、自分が色覚異常の当事者であると思ってきたのに、急に「あなたは違います」と言われたのである。

正常なのだから、単純に喜んでおけばいいと言われるかもしれない。しかし、実に半世紀近く先天色覚異常の当事者であることを受け入れてきたのに、その自己イメージを急に引き剝がされるというのは、ちょっと別の体験である。

ぼくは、自分の色覚について実感することができず、時には忘れていたというようなことを書いた。でも、そうはいっ

図**5-3**

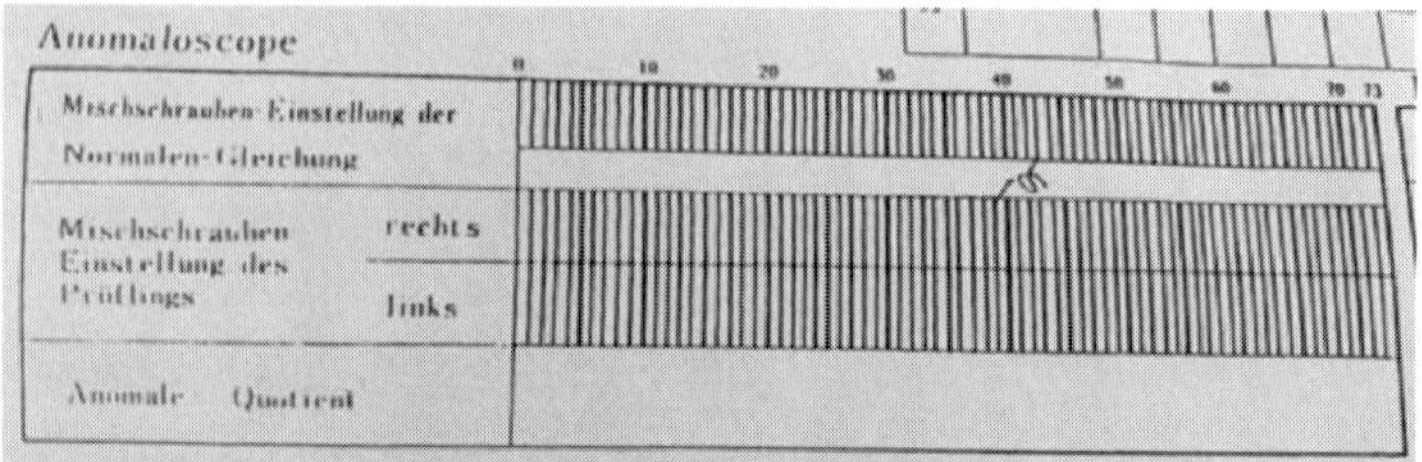


「正常」を意味するアノマロスコープ検査の結果。「混色のつまみの目盛り」が40の部分に、「輝度を調節する単波長光の目盛り」にあたる15が書き込まれている。「混40/単15」は、まさにど真ん中の「正常」だ。

ても、実感できないまま貼られた「色覚異常」のラベルを受け入れて、進路指導などでもそれを前提にした助言を得、さらには自分で調べ、その時その時、できる範囲でベストな選択ができるように努力してきたのも事実だ。そういった個人史は、自分の存在の深いところに触れるものだったと、今、認めざるを得ない。自分自身の人格形成において決定的だったとは思わないが、しかし、欠かすことができないピースであったことも間違いない。

「本当ですか？」と問いかけながらも、ぼくは決して幸せな気分ではなく、むしろ、自分の自分らしさの一部を引き剝がされる胸の痛みをますます強く覚えた。

## 石原表が読めない病？

ここであらためて思う。

結局、先天色覚異常とは何なのだろう。

ぼくは、高柳から「正常」と診断されたものの、やはり自分でも信じられない思いだった。アノマロスコープでは「正常均等」を出すものの、石原表は一貫して「誤読」するわけで、本当に「正常」ということでいいのだろうかと。

そのように考える眼科医は実際にいるようで、石原表などの仮性同色表で「異常」でも、アノマロスコープで正常均等を出す人たちについて、「色素色覚異常」という「病名」を与えている。★3 色素色の色覚異常というのは、つまり、アノマロスコープのように光源から出た色光を直接使う検査ではなく、紙の表面に印刷したインク（つまり色素）を使った検査で見出される色覚異常ということだろうか。

日本での色覚検査の実施状況を考えると、「石原表が読めない病」だともいえる。これはこれで、同義反復的なおかしさを感じさせられる。しかし「だって本当に読めないじゃないか」と言われれば、そのとおりであるような気もする。

結局、「正常」と「異常」の間が、定義としても診断としても曖昧ではないだろうか。

例えば、糖尿病の検査では、空腹時血糖検査だとか、ブドウ糖負荷試験だとか、いろいろな検査とその結果についての指標があって、これらの数値がこれ以上なら治療を開始した方がのちのち経過がよいというエビデンスをもとに検査自体が設計されている。

「糖尿病」が病として認識されるのは、まさに「治療をした方がよい状態」にある時だ。検査によってそのような人を見つけ出して適切な診断と治療を提供できれば、現在の症状を改善したり、様々な合併症を防ぎ、長期にわたって生活の質を上げられるからこそ、検査をし、診断を行い、治療に至る。

先天色覚異常の場合は、これが不明瞭すぎる。

そもそも、人の色覚において、正常と異常とはなんだろう。どんな状態が正常で、どんな状態が異常なのか。色覚検査は、一体何を見て、何をしたいのか。第2部で、多様性を是とする科学的な立場を概観した後だからこそ、こういった疑問が重要なことと感じられる。

## 東京女子医科大学眼科学教室・加藤金吉教授が物申す

色覚検査はいったい何を見ているのか。正常と異常というのはどういうものなのか。

実は日本の専門家、それも石原忍の直系の弟子筋が、1965年、つまり、半世紀以上前に問題提起のために論説を公表している。東京帝国大学医学部卒で、東京女子医科大学の眼科学教室教授を務めた加藤金吉《かねきち》（1911‐1987）による「綜説　正常色覚者はすべて正常か」（『東京女子医大誌』第35巻第2号、1965年）がそれだ。

加藤が東京帝国大学で学んだ1930年代は、石原忍が眼科学教室の教授を務めた（1922‐40年、37‐40年は医学部長）最後期だ。加藤は1937年、卒業後ただちに眼科学教室の副手に就き、1943年の学位取得テーマとして「色神異常に関する研究」を選んだ。1956年に出版された日本眼科学会の『日本眼科全書』（金原出版）で、「色覚異常」の項目を執筆していることからも、1950年代には色覚研究の第一人者と目されていたと言ってよいだろう。

同世代の石原門下には、「色盲色弱度検査表」（大熊表）「新色覚異常検査表」（新大熊表）などの開発者として知られる大熊篤二（1908‐1981。本書では第2章にて「色覚異常者の就職並びに進学の現状」の調査を1966年に行った研究者としてすでに登場している）がいる。加藤と大熊は、ともに、

石原が退官後に継続した「色盲研究会」のメンバーだった。[★4]
1963年に没した石原忍亡き後、実質的に日本の色覚異常研究の頂点にいたはずの加藤はどんな疑問を「色覚検査」に対して持ったのであろうか。

## 色覚異常の頻度は本当に5%なのか

加藤は論文「綜説　正常色覚者は全て正常か」で、まず「先天色覚異常の頻度」を問題にする。

〈Dalton 氏自身の異常色覚に関する発表（1798）等によって、異常色覚も漸次注目を浴びるようになり……異常者の頻度が相当高率なることが始めて一般に認識されるに至ったのであるが、その頻度はたかだか約3%にすぎなかった。……わが国における最古の報告は山崎、大沢、黒沢氏ら（1900）によるもののようで、同氏らも Daae 氏法によって、東京大学々生1609人中に14人（0・87%）の異常者を発見したにすぎない〉

18世紀末の欧州での調査では色覚異常の頻度は3%で、日本では東大生（当時は男性のみ）の0・87%だったと聞くと、現在の標準的な知識とかなり食い違うことに戸惑う。現時点では、欧州では8%や9%という数字を聞くことがあるし、日本では男性5%くらいだ。つまり、まさに「桁」が違うのである。

19世紀までは先天色覚異常は少なかったと考えるのには無理があり、加藤は新しい検査法の導入を主因として挙げている。1876年にはじめての「仮性同色表」が実用化され、その後、改良されていったからだという。

〈今世紀に入ってから同様趣旨の検査表が、小口（1911）、伊賀（1913）、石原（1916）、Schaaff（1926）、Wolffin（1926）、Bostrom（1935）氏らによって続々と作製され、篩い分け検査にはほとんど専ら同種の表が用いられるようになった。そして現在では、先天異常ことにその大多数をしめるいわゆる赤緑異常の頻度は、コーカサス人種男子で約8％と見なされるに至った〉

そんな経緯で、とにかく1965年の時点では、現在とほぼ同じ頻度が明らかになっていた。さらに言えば、21世紀になっても同じだ。同じ検査表を使って篩《ふる》い分けているのだから当然である。

しかし、加藤はここで警鐘を鳴らす。

〈……これらの数値は、完全に確定されたもののごとく、著名な成書にも引用され、それらを根拠に先天異常色覚の遺伝問題のみならず、社会問題までが論議されているのが現状である。果してこれでよいのだろうか。……白人種男子にさえたかだか3％しか異常者がいないと思われていたのは、今から思えば、検査法の不備がその主因をなしていることは言うまでもないが、現在の8％に対しても、将来同様の批判をわれわれが受けない、と誰が保証しえようか。言われてみれば確かにそのとおりではないだろうか。

その時点で手持ちの中で最良とされる方法で検出された「先天色覚異常」とはいえ、将来、別の検査法が出てきたときには、この頻度は変わりうるものだ。

加藤は大いに危機感を吐露する。短い論考の各所で、「正常者に近い色弱者の大多数が……正常者として取扱われている可能性」「軽度異常者中には相当数のものが正常者として取扱われている可能性」「現在正常色覚者として取扱っているものの中には……相当数の異常者が包含されている危険性」といった表現を繰り返し、「正常者」の中に「異常者」が紛れ込んでいることを懸念するのである。

## 境界線はなしとするのが妥当

加藤は議論をさらに進めて、「正常と異常の間に境界はあるのか」という問いに至る。「正常者」の中に「異常者」が紛れ込む頻度が高いなら、そもそもそれは明確に分けることができるものなのかという疑問も生じるからだ。

〈異常色覚には漸進的な程度の相違があり、その最も軽度なものは明瞭な境界なしに正常色覚につながるのか、あるいは異常色覚内にはたとえ漸進的な程度段階があるとしても、正常色覚との間には劃然たる境界が存在する、換言すれば、両者は全く異った Category に属するものなのであろうか〉

この問いについて、加藤は1915年から59年までに出版された20文献を吟味した。そして、「既知の異常三色覚と正常三色覚との間には境界線なしとする方が妥当」と結論している。

その上で、あらためて「現在の概念を、既定不動の事実として、そのまま押し進めていってよいのだろうか」と警鐘を鳴らしているのである。

これが1965年時点の問いかけだったことを、まずは覚えておこう。そして、その後、1990年代には第3章（および巻末の補遺）で見た「軽微な変異3色型」の存在が明らかになったことを考え合わせると、加藤の問いかけはますますリアリティを増す。

もっとも、そういった問題提起をしても、眼科医側の応答は「でも、検査しても分からないし」というふうになるのは以前にも書いた。たしかに、検査できなかったのは事実だ。しかし、2010年代になって事情が変わってきたかもしれない。

2017年の国際色覚学会にて、ぼくは、勃興しつつある検査の新トレンドを知った。コンピュータのスクリーンを使ったもので、例えば、アメリカ空軍が開発したCCT（"Cone Contrast Test" 直訳すれば「錐体コントラストテスト」）、イギリス民間航空局が標準的なテストとして採用したCAD（"Colour Assesment and Diagnosis" 直訳すれば「色の評価と診断」）では、色の弁別能力の違いを定量的なスコアとして示すことができるため、「異常と正常の間」、あるいは「正常の中」でもスコアの分布を示しうるというのである。

半世紀前、新しい検査法が登場すると色覚異常の頻度すら変わるのではないかと予想した加藤金吉の問いかけが、今まさに確認されようとしているのかもしれない。

そんなわけで、アメリカ空軍のＣＣＴと、イギリス民間航空局のＣＡＤを、それぞれ検討していく。

## アメリカ空軍のＣＣＴの実際

アメリカ空軍は、日本が敵国だった第二次世界大戦中もその後も、日本で開発された石原表をパイロット候補の選別に使ってきた。しかし、２０１１年をもってその状態を脱して、ＣＣＴと呼ばれるコンピュータ画面での検査に切り替えて良好な結果を得ている。石原表は何を測っているのか直感的に分かりにくいが、新しい検査では色の弁別能力を測定し、各錐体の「コントラスト感度」をスコア化して出すことができる。３錐体の働きを分離して、それぞれの能力を評価できる、というような触れ込みだ。

２０１７年の国際色覚学会にて、そんな内容の発表を行ったのは、アメリカ空軍航空医学学校のマーク・ウィンターボトム博士だった。学会終了後もウィンターボトムとメールでやりとりをし、このシステムを共同開発した日本の会社がすでに国内向けにも製品化していると紹介してもらえた。

日本の会社というのは、兵庫県西宮市を本拠とする株式会社コーナン・メディカルである。戦後、「コーナン16」という伝説的なクラシックカメラの開発から出発した光学メーカーで、現在は眼科を中心に医療分野でシェアを得ている。CCTの色覚検査用ソフトウェア"ColorDx CCT-HD"は、アメリカの現地法人Konan Medical USAがアメリカ空軍航空宇宙医学校と共同開発し、日本ではアメリカから輸入する形で販売している。★5

まずは自分が被験者になって、どんな検査なのかリポートする。

検査に使われるハードウェアは、ごくごく標準的な能力のパソコンと、較正《こうせい》された液晶モニタ（1920×1080、フルHDの解像度）、そして、上下左右4つのボタンが付いたゲームコントローラーのようなキーパッドだ。

コンピュータを起動して検査ソフトを立ち上げると、まずはグレイの背景が画面に浮かび上がった。そして、その上に薄い色のランドルト環、つまり、輪っかの一方向を切り欠いたものが表示されるので、キーパッドで切り欠きの方向を回答する。つまり、薄い色付きのランドルト環で視力検査をしているような印象だ（口絵5）。

画面に出てくるランドルト環は常に同じ大きさだが、切り欠きの方向と色が変わる。色は、背景のグレイと区別がつきにくい淡い色で、おおむね、青っぽいもの、緑っぽいもの、赤っぽいものの3種類だ。

これが通常の視力検査なら、空間分解能を見るので、どんどん輪を小さくしていって、どれくらいまで見えるかぎりぎりのところを確認して視力はいくつと測定する。一方、CCTの場合は、同じ大きさのランドルト環のまま色をどんどん薄くしていったときに（グレイに近づけていったときに）、どこまで色味を認識できるかを見る。

理屈としてはそのようなものだが、検査を受ける側としては、提示されるものを見ては、見えたと思う切り欠きの方向をキーパッドで回答するというのをひたすら繰り返すだけだ。この時点で感じたのは、人を相手に数字を答えるよりも、はるかに心理的に楽だ、ということだ。

結果は、各錐体ごとにスコア化される[★6]（口絵6）。

そして、ぼくの検査の結果は、空軍パイロット候補生になる基準として——

S錐体は「基準以上」

M錐体は「基準以下」

L錐体は「基準以上」

ということになった。

M錐体の結果がやや低く「基準以下」というのは、マイルドな2型の異常3色覚（2型3色覚、DA）を示唆する。

なにはともあれ、ぼくにとっては納得度が高い結果だった。

## アノマロスコープは信頼できない?

新しい検査法を開発したのなら、既存の検査法とすり合わせて信頼性の確認をする必要があるが、その評価を行ったウィンターボトムらは、石原表などの仮性同色表やアノマロスコープと比較しても一貫性のあるしっかりした結果を出すと主張している。

開発者であるアメリカ空軍の関心は、その人が色覚異常かどうかというよりも、むしろ、空軍の航空業務に適しているかどうかを知ることだ。だから、ウィンターボトムらは、空軍の航空宇宙医学校の報告書にこのように書いている。

〈アノマロスコープ検査とコンピュータベースの検査（CCTのこと：引用者注）は、そもそも別のことを見ているのであり、特に色覚異常の程度が小さい時にはたがいに食い違うことがある。アメリカ空軍の関心は、航空搭乗員の候補者をスクリーニングし、航空業務の環境において最良のパフォーマンスを発揮しうる者を特定することだ。……アノマロスコープは引き続き、先天色覚異常を決定する「ゴールドスタンダード」とみなされつづけるとしても、航空医学上のスクリーニングとしてはCCTの方が適している[★7]〉

医学的な定義や確定診断の方法は医師たちが決めるものだが、パイロット候補の選抜には自分たちの方法を使いますよ、という宣言でもある。

CCTの強みは、色の弁別能力を直接測定して、各錐体ごとの「コントラスト感度」をスコア化できることだ。空軍パイロット候補が必要とするのはスコア75以上だということは、実際の業務と照らし合わせて評価して決定した。ちなみに、ぼくのスコアだとアメリカ空軍のパイロット候補にはなれないが、海軍の船舶業務は問題ないらしい。

なお、この仕組みを説明する時に、ウィンターボトムが口頭で強調していたのは、カンニング対策だ。検査で提示されるランドルト環はその場でランダムに生成されるので、検査表のように暗記してパスすることはできない。これは空軍だけでなく様々な職業テストで問題とされてきたことだが（また「抜け道」にもなってきたことだが）、ＣＣＴを採用してからは穴が塞《ふさ》がれたという。

## スーパーノーマル登場

さらに、もう一点、とても興味深い報告がある。

ＣＣＴにはすでに新旧のバージョンが存在するのだが、それらを比較する中で分かってきたことだ。

第一世代と第二世代の違いは、測定の細かさだ。第一世代では「１００点満点」を取る人が多かったため、もっと細かく色を変化させせられるようにアップデートしたところ、「１００点以上」が続出した。

「スーパーノーマルとでも言うべき色覚の持ち主をたくさん発見しました」とウィンターボトムは国際会議で興奮気味に述べた。つまり、これまで考えられていたよりもはるかに細かな色の識別能力を持つ人たちがいると確認できたというのである。

その時に、ウィンターボトムが指し示したグラフは本当に印象的だった。古い検査では100点で頭打ちになっていたのに、新しい検査では100点以上の部分にさらなる分布が現れた。

「100点以上のところに、正規分布しているような新たな山ができました。そこで、こういう人たちを「スーパーノーマル」と呼ぶことにしました」

スーパーノーマル、正常を超える者！

検査法の天井効果を取り払ったら、100点満点のさらにその先に分布があり、ピークもさらに向こう側だったのである（図5－4）。

と同時に、加藤金吉の問いかけを念頭に置くと、眼科的にも「異常」となる人が多いだろう左寄りの部分と、「正常」になる人が多いだろう右寄りの部分に、特段のギャップがなくなだ

**図5-4　CCTで測定された「M錐体のコントラスト感度」の分布**

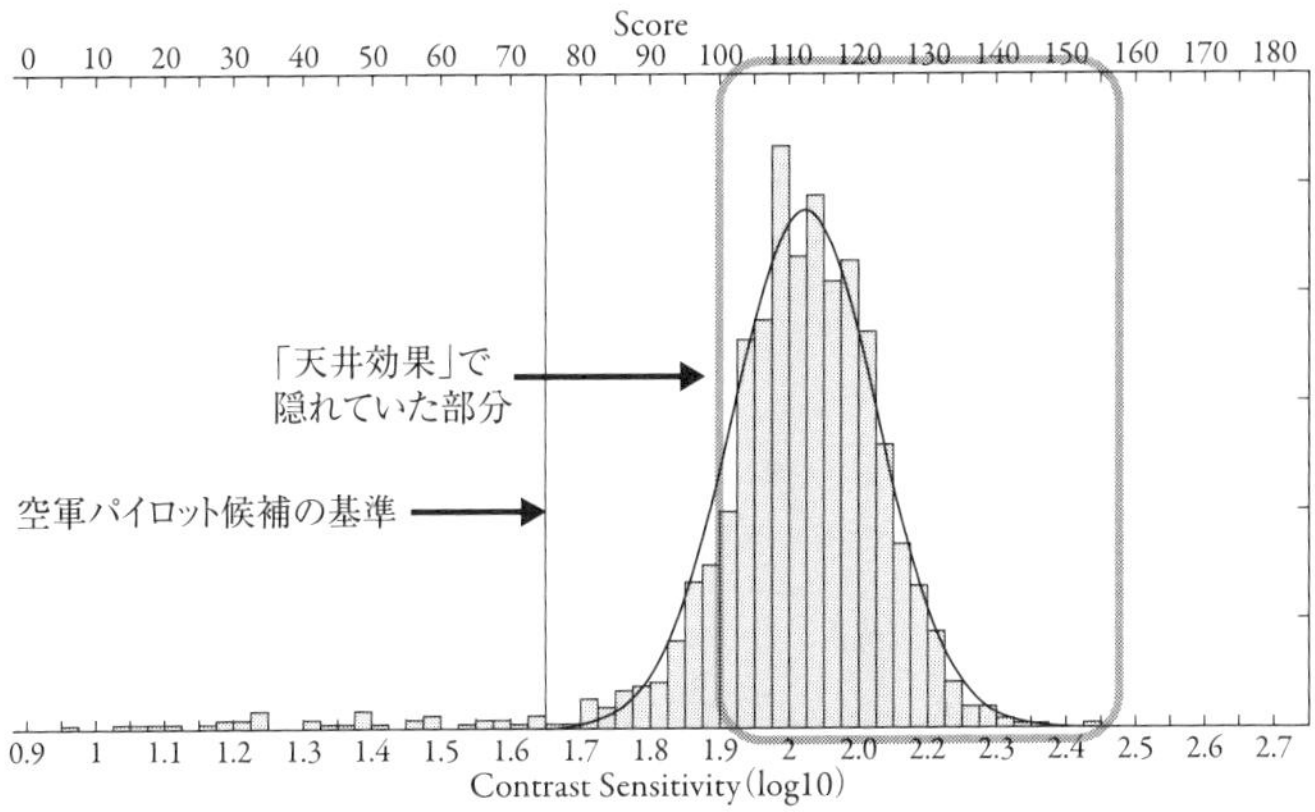


「正常」の中にも大きな分布があり、天井効果で隠れていたスーパーノーマルが見いだされた。「異常と正常の間」にギャップがないことも印象的である。AFRL document, 65th ICASM 2017 Rome, Italy を改変。

らかにつながっていることも印象的だ。なお、この検査の対象は空軍のパイロット候補生なので、もともと「正常」が多い集団であろうことは申し添えておく。

## イギリス民間航空局が開発したCAD

もうひとつの新型色覚検査装置CADは、イギリス民間航空局の委託を受けてロンドン大学シティ校が開発したものだ。CCTよりもやや先行して完成し、イギリスの民間航空やロンドンの地下鉄運転士の検査ですでに広く使われている。[★8]

開発グループを率いたジョン・バーバー教授（ロンドン大学シティ校応用視覚研究センター所長）の研究室を訪ねて、直接、話を聞くことができた。

「私たちが開発したCADを、石原表に取って代わるものだとは考えていません。石原表はスクリーニングテストとしては優れていて、今でも使っています。ただ、石原表だけで判断することはありません。石原表の「誤読」の表数と、色覚異常の強弱の程度には、あまりよい相関がないので、あくまでスクリーニングとして使っています」

バーバーは、まずそのように説明してくれた。

簡単に実行できて、感度が高い（色覚異常を見逃さない）ことは、スクリーニングテストの必須の条件だ。民間航空局の検査基準によると、ここで想定されているのは「石原表」の24表版で、

「最初の15表をすべて正読した人は合格」（16表以降は使わない）とされていた。

思わず目を疑った。

ひとつも間違わないという要求水準はとても高い。「38表」版の場合は、4表の「誤読」まで正常色覚とされていることは前にも書いた。一方、24表版では2表までが「正常」だ。さすがに「誤読ゼロ」は厳しすぎるのではないか。

これについてバーバーはこう言った。

「石原表の問題点は、「誤読」の数と色覚異常の程度について一貫性がないことです。私たちの研究からも、それらは相関しないか、あっても弱いものに留まります。例えば、石原表の38表版では4表以下の「誤読」は「正常」とされていますが、実際には3表しか「誤読」しないのにそこにかなり色覚異常、それも航空業務に支障がある重度の人がまぎれていることがあるんです」

だからスクリーニング検査の基準は石原表で「誤読ゼロ」！　これだけを聞くと、イギリス民間航空局のガイドラインはとてつもなく厳しいものに思える。

「あくまでスクリーニングですから。クリアしなかった人は、その後に受けるＣＡＤ検査で必要な能力を満たしているか検査します。民間航空パイロットに必要な色覚がどのようなものかについては、２０００年代前半の研究で確かめて、ＣＡＤ検査で判定できることが分かっています。この基準を作る時に要求されたのは、安全であることとフェアであることでした。人の命にかかわる仕事で要求される色覚について考えるわけですから、安全であることはとても重要です。と同時に、フェアであることも大事です。新しい検査では、これまで不適格とされた人の35％くらいが安全に飛行できる水準だと分かって、適格になります」

このとき、この検査が、学校健診で網羅的に行うものではなく、パイロット志望の人のみが受けるものだということに思い当たった。「誤読ゼロ」のスクリーニングは、とてもたくさんの人が確定診断にまわるはずなので、学校健診でこれをやってしまうと、眼科医院が色覚の確定診断でパンクしてしまう。しかし、パイロット候補の場合は、そんな数にはならず、問題はなさそうだ。

ということで、バーバーらが開発したCADは、石原表のスクリーニングの後で使われて、個々人の色の弁別能力を確認していく。イギリス航空局の基準では、アノマロスコープかCADを使うことになっているが、イギリス内での検査は、今ではもう事実上CADで統一されている。アノマロスコープ検査が残っているのは、他国との整合性を考えてのことだ。[★9]

## CADを使う

では、CADとはどんな検査なのか。

コンピュータのスクリーン上で、灰色の背景の上に提示される色を弁別するテストという点ではCCTと同じだ。ただ、実際の見た目はかなり違う（口絵7）。

まず画面に映るのは背景になる灰色の正方形で、それが15×15の格子になっており、つまり225個の小さな正方形に分けられている。

225個の小さな正方形はすべて灰色であるものの、ひとつひとつ明るさが違う。つまり明るく白に近いものから濃い色までがランダムに並んでいる。さらに、それらが素早くちらつくように切り替わり、全体として様々な明るさの灰色が次々と入り乱れるような状態で提示されていく。

その対角線上をうっすらと色のついた小さな正方形（5×5の格子）がすーっと移動する。対角線は2つあり、それぞれ順方向・逆方向があるわけだから、つごう4つの移動パターンがある。

どんな色にせよ、動くものを確認できたら、その方向を入力デバイスで示す。動く格子の色は、基本的には赤、緑、青、黄に相当するものだ。アメリカ空軍のCCTが3錐体の「コントラスト感度」を確認しようとしていたのに対して、イギリス民間航空局が採用したCADは、赤―緑、青―黄の反対色チャネルに応じた考え方をしている。

テストに要する時間は10分ほどで、いったん始まると被験者はひたすらコンピュータと相対して見えたものを回答していく。オペレーターの解釈が入り込む余地がないデータが取れるのはCCTと同じだ。また、テストの内容はその都度生成されて提示されるため、丸覚え方式で突破することができないのも同様。

テストの結果は、パソコン上の表計算ソフトのデータとして出力される。

「赤―緑の閾値が3・2ユニット。　青―黄の閾値が1・23ユニット」

バーバーは、ぼくのデータ(口絵8)を見ながら、こう読み上げた。

ここに出てくる数値は、1が正常色覚の平均値を意味する。

だから、ぼくは赤—緑方面の色について、正常色覚の人の平均よりも3・2倍ほど色度を変えたところで、色の違いをはじめて認識できたわけだ。

「赤—緑方面には異常3色覚の特徴が出ていますが、程度としては最小(ミニマム)です。そして、青—黄方面は、年齢を考えると、むしろスーパービジョンと言ってよいほどよく弁別していますね。色覚異常とはいっても、イギリス民間航空局の基準では民間航空パイロットに採用して問題ない水準です」

つまり、ぼくの色覚は、アメリカ空軍のパイロット候補生にはなれないが、イギリスの民間航空パイロットとしては問題がないらしい。

また、青—黄方面の弁別が良いというのも、思い当たる節があった。実は、少し前に国際色覚学会の会長ジョン・モロンをケンブリッジ大学に訪ねたことがあり、その際、自分の「微妙な色覚」について伝えたところ、一緒に石原表の見え方を確認した上で、「青みを強く感じているのではないか」という所見をもらったことがあるからだ。

## 安全とフェアネス

バーバーらが、イギリス民間航空局の依頼を受けて研究を推し進め、ここまでこぎつけるには本当に多くのハードルを越える必要があった。

信頼できる尺度を提供する色覚検査（この場合はＣＡＤ）の開発は最も重要な部分ではあるけれど、と同時に、その尺度が職業適性、この場合は民間航空パイロットなどの仕事とどう対応するか確認することも大切だ。

安全でフェアな基準、という目標を達成するために、バーバーらが行ったのは、民間各航空の二大メーカーであるエアバス社とボーイング社の航空機（エアバス社はＡ３２１、ボーイング社はＢ７５７）を実際に飛ばしての確認だ。ロンドン—ダブリン間を２日間にわたって往復しつつ、出発前の点検、滑走路への移動、離陸、飛行中、着陸、滑走路からの移動、といった諸段階で必要なタスクを検討していった。特に、着陸の時に空港側から示される進入角指示灯（ＰＡＰＩ）は重視しており、屋内で多くの被験者によって確認できるシミューレーターまで作って調べている。[★10]

そういった努力の結果、定められた新しい基準では、従来、不適格とされた人のうち35％にあらたに門戸が開かれたという。

「適格と不適格の間にある線を、別のところに引き直したとも言えます。しかし、これまではその理由をはっきり示せなかったのに対して、今の基準は理由を明示できます。あくまで現行の航空機と空港設備を基準としているということで、今後変わりうるものでもあります」

なお、この件を日本の眼科医にフィードバックしたところ、「先天色覚異常でも航空機を操縦できる人はいるだろうが、予備能力に余裕がなく、条件が悪い時などに不安がある」という反応を得た。しかし、イギリス民間航空局の基準は、別に「予備能力」がなくなる限界を攻めているわけではない。充分、安全に飛行させられる範囲を根拠をもって示しているわけで、議論のベースが違うと感じられた。

### 他の職業にはどう適用する？

バーバーらが、民間航空パイロットの適性を考える時、これまでのような「正常か異常か」の2分法ではなく、6段階に分けて色覚を評価したという。これはほかの職業にも活用可能だろうということで、バーバーは2017年の論文で詳述している。[★11]

バーバーが提案する、6カテゴリーは以下の通り。

・「正常」3色覚　（"Normal" trichromatic CV）CV1

ＣＡＤで測定された閾値が、それぞれの年齢に応じた健康な範囲内に収まっている者。ＣＶ

は、色覚、Colour Vision の略。

・「機能的に正常な3色覚（"Functionally normal" trichromatic CV）」ＣＶ2

ＣＡＤの赤―緑の閾値が２・35ユニット以下。

正常色覚とともに、軽微な2型色覚者を含む。この場合、実質的に正常色覚とほとんど変わらない色覚を持つ。２型色覚者の７％程度がこのカテゴリーに入る。

・「安全」な3色覚（"Safe" trichromatic CV）ＣＶ3

ＣＡＤの閾値が4ユニット以下。

このカテゴリーでは、一般にアノマロスコープで「正常均等」にはならない。しかし、画面上に表示された色のついたものを識別するに際して、通常レベルのパフォーマンスを示し、航空パイロット業務に支障はない。１型色覚者の１％以下、２型色覚者の15％がこのカテゴリーに入る。

・「弱い」赤―緑色覚（"Poor" RG CV）ＣＶ4

ＣＡＤの閾値が12ユニット以下。

識別できる色の違いの閾値が大きくなるが、彩度の高いはっきりした色の違いには対応できる。ただ、その場合も識別に要する時間が長くなりがち。

1型色覚者の29％、2型色覚者の32％がこのカテゴリーに入る。

このカテゴリーの1型色覚者は、イギリス民間航空局の基準では民間航空パイロットの条件を満たす。2型色覚者は6ユニット以下が要求される。


ここまで来て、戸惑った。「弱い（Poor）」色覚とまで言われるわけだから、航空パイロットは不適格とされるのだろうと身構えていたのだが、意外にも1型色覚については問題なしで、2型色覚もやや条件は厳しいがオーケイだという。

バーバーの説明はこんなふうだ。

「例えば、着陸の時に空港から示されるPAPIのライトは赤と白ですが、その識別は正常色覚でも時々間違う人がいます。私たちが調べた63人の正常色覚者の中にも間違えた人が7人おり、少なくとも3人は有意に間違いが多い結果になりました。ところが、CADの閾値が12ユニット以下の1型の異常3色覚者はむしろ成績がよいくらいでした。2型については、6ユニット以下で同じことが言えました」

このような、一見、不思議に思えるけれど、繰り返しテストされて確かめられた事実は、旧来の色覚検査では発見できないことだ。たとえば、バーバーが石原表とPAPIのシミュレーターでのテストを突き合わせて確認したところ、石原表「正読」の割合とPAPIのスコアにはよい相関が得られず、どこで線を引けば安全を担保できるのか手がかりにはならなかったという。[★12]

さらにカテゴリーは続く。

・「重度の」赤―緑色覚異常（“Severe” RG colour deficiency）　CV5
CADの閾値が12ユニット以上。
70％の1型色覚異常と、46％の2型色覚異常がこのカテゴリーに入る。このカテゴリーでは多くの人が、青―黄軸の色情報に頼っている。それゆえ赤―緑軸の色情報を多く使った画面はうまく識別することができない。

イギリス民間航空局の基準では、航空パイロットに必要な色覚を備えていない。

そして、論文中の最後のカテゴリーとして、バーバーは、「CV6」ではなく「CV0」を提唱する。

・「スーパーノーマル」な3色覚（“Supernormal” trichromatic CV）　CV0
ここにも、これまで認識されていなかった「正常を超えた正常」、スーパーノーマルの存在が確認された。定義としては、年齢に応じた正常色覚のCADの平均的な閾値よりもさらに閾値が小さい者だ。このカテゴリーは、極端に色の弁別が必要な仕事には適しているかもしれない。

以上の内容を図5－5にまとめた。このように色弁別の閾値で6段階にカテゴリー分けして、航空パイロットの適性の議論を参考にしつつ、他の職業でもCADを使ってみるとよいというのがバーバーの立場だ。

その際、当然のことながら、命にかかわるような仕事の場合は、安全とともにフェアであることの両立が必要だし、それ以外なら、フェアであることの重要性はさらに高まる。いずれにしても、「専門家の長年の経験」や「権威とされる人物の勘や独断」といった「主観」ではなく、合理的な根拠がなければならない。

それと同時に、個々人の色覚について適格かどうかと線引きする作業ではなく、もっと色覚がバリアにならない仕組みを作り上げて、

図**5-5**

| カテゴリー | 説明 | 閾値 | 民間航空 | 従来の診断 |
|---|---|---|---|---|
| CV0 | 超正常（Super Normal）な3色覚 | 1以下 | ○ | 正常 |
| CV1 | 正常（Nornal）3色覚 | 年齢に応じた正常範囲 | ○ | 正常（時に異常） |
| CV2 | 機能的に正常（Functionally normal）な3色覚 | 2.35以下 | ○ | 混在 |
| CV3 | 安全（Safe）な3色覚 | 4以下 | ○ | 異常（時に正常） |
| CV4 | 弱い（Poor）赤ー緑色覚異常 | 12以下 | △ | 異常 |
| CV5 | 重度の（Severe）赤ー緑色覚異常 | 12以上 | × | 異常 |

イギリス民間航空局が推奨するCADテストのカテゴリー分け。「従来の診断」の項目は、論文中にある石原表との比較実験のデータから川端が判断して記入した

安全やフェアネスを底上げしていくことも必要だろうとも思う。

## では分布は？

ここで、本章で登場した、東京女子医大の加藤金吉の疑問に立ち返ろう。「異常色覚には漸進的な程度の相違があり、その最も軽度なものは明瞭な境界なしに正常色覚につながるのか」と加藤は問うた。そして、1965年の時点で手に入った文献からは、どうやら連続しているのではないかという感触を得ていた。

21世紀になってから開発され、すでに実用化されているアメリカ空軍のCCTや、イギリス民間航空局のCADのような定量的なスコアを出す検査法が台頭することで、加藤の問いにやっと答えられるところまで来たように思える。

結局、正常色覚と異常色覚は、連続していると考えてよいのではないだろうか。

もちろん、CADやCCTで、細かく色弁別の閾値を調べていけば、「異常」と「正常」の間に小さなギャップを見出せるかもしれない。バーバーもこの点が気になったようで、正常色覚と色覚異常の当事者を含む赤—緑方向の色の弁別能力（閾値）をプロットした図を作っていた。

口絵9を見てほしい。黒丸で描かれているのが「正常」で、赤は1型色覚（PとPA）、緑は2型色覚（DとDA）だ。横軸に赤—緑軸の色弁別の閾値を取って並べると、閾値が小さい人から大きい人までがほぼ連続的に分布する。黒丸が集まる閾値1〜2のあたりを拡大すると、かろうじて小さなギャップが見つかるものの、実質的にはひとつながりだ。

それでも、「異常と正常の間には小さいとはいえ断絶がある」という部分を強調したい人はいるかもしれない。その場合にも、このギャップは既存の色覚検査では見つけられないものだということは意識しておきたい。石原表で「異常」の人が黒の側に入っていたり、逆に「正常」の人が緑や赤になる場合もある。あくまで「赤―緑軸の色弁別」を測定したらこの分布が見えた、ということだ（念の為に補足すると、ここでいう「正常」は、アノマロスコープ検査の結果がCADでの所見と一致したものを「操作的定義」として採用している）。

なお、なぜこんなにも連続した分布になるのだろうと不思議に思う人は、第3章で紹介した、「軽微な変異3色型」「明確な変異3色型」の議論を思い出した上で、巻末の「補遺」を確認してほしい。つまり、これまで分子生物学的な議論にとどまっていた「軽微な変異3色型」を、いよいよCADでは検出できたのかもしれないのである。しかし、バーバーらは今のところ個々人の遺伝子型と関連付ける研究はしていないので、あくまでも仮説に留まる。

それよりも、ぼくの目には、ひとことで「色覚異常」といっても、非常に大きな分布があることの方が印象的だ。「1」が「正常」の平均で、「2や3」のあたりはすでに色覚異常とされる。そして、「15や20」も色覚異常だ。「2や3」のあたりと、「15や20」のあたりの当事者たちは、同じ言葉で語られつつも、その色覚世界はかなり違うだろう。一方で、「1・5で正常」の人と

「2で異常」の人は、「正常者と異常者」という強烈な線引きで分かたれるものの、実際の見え方はとても似ているだろう。

ただし、あくまでこれも、ひとつの尺度にすぎないと肝に銘じる必要がある。

バーバーの研究でも、民間航空パイロットにかかわるタスク、例えば進入角指示灯（PAPI）を「間違う正常色覚」と「正答する色覚異常」というような皮肉な現象がしばしば観察された。結局、その仕事なり業務なりについて、必要とされる適性に応じて、その都度、線引きせざるを得ないような、多様性と連続性と広い分布があるものをぼくたちは、ずっと「異常」「正常」の2つのカテゴリーに押し込めてしまっていたのではないだろうか。

もう言い切ってよいのではないかと思う。

色覚は、連続しており、多様であり、広い分布がある。

それこそが、加藤の問いに対する21世紀の回答だ。

## スクリーニングで何を知りたいのか

たまたま「狭間」に落ち込むような色覚を持っていたがゆえに気になったことを追究していくことで、ここまでのことが見えてきた。

とすると、新しい疑問が生じる。

これまでの「異常」「正常」の線引きを、今後どのように考えればいいのだろうか。「正常者の中に異常者が紛れ込んでいるかもしれない」という加藤の危機感は、かくも色覚（ここでは赤—緑方向の色の弁別能力）が多様で連続的である以上、「そもそも正常と異常をどう定義するのか」という、より大きな問いの中に吸収されてしまう。

そんな中、現在でも日本眼科医会の医師たちは、学校での色覚検査をスクリーニングと位置づけて、「取りこぼし」がないように検出したいとするのだが、はたして妥当なのだろうか。

そもそもスクリーニングとはいったい何かということから、考える必要がありそうだ。

---

★1——公益財団法人一新会『石原色覚検査表Ⅱ国際版38表』「検査の実際と判定」（半田屋商店）

★2——「先天色覚異常への対応（改訂版）平成27年3月・5月改訂」日本眼科医会色覚検査表等に関する調査研究班

★3——例えば、田邉詔子「アノマロスコープ、ランタンテスト」『色覚異常の診療ガイド　Monthly Book OCULISTA』43号、全日本病院出版会、２０１６年。色素色覚異常の概念は１９５９年にドイツの研究者が提唱した"Pigmentfarbenanomalie"に由来するという。田邉らは、英文の論文でも１１２名の色素色覚異常の症例を報告している。Tanabe, S. & Hukami, K. "Results of clinical colour vision tests of 'Pigmentfarbenanomale" *Colour Vision Deficiencies XIII*, 1997.

★4——『石原忍の生涯　色盲表とともに五十年』（須田經宇、講談社学術文庫、１９８４年）。

★5——コーナン・メディカルのウェブサイトでは、「輸入製品」として掲載されている。https://konan.

com/ja/w/product_med/import/colordx

★6——各錐体の「コントラスト感度」がスコアとして評価されるわけだが、やや「もやっとする」部分が残ることも指摘する。異常3色覚の場合、問題なのは、錐体の吸光分布のズレであり、錐体のコントラスト感度自体はそれほど変わらないはずだ。しかし、「正常」を前提とした設定では、「低い」と評価される。もし特定のタイプの異常3色覚を基準にしてセッティングしなおせば、正常色覚の方が「低い」となりうることは理解しておきたい。

★7——"Operational Assessment of Color Vision" https://pdfs.semanticscholar.org/918a/9e7f7d23bc0f319b06d4dba8762173bc0de0.pdf

★8——CADのソフトウェア自体は、725ポンド、つまり10万円前後（2020年9月の為替レート）で購入できるが、必要条件を満たすパソコンやモニタなどの環境が必要。http://www.city-occupational.co.uk/cad/

★9——イギリス民間航空局の基準はウェブサイトに明示されている。https://www.caa.co.uk/Aeromedical-Examiners/Medical-standards/Pilots-（EASA）/Conditions/Visual/Colour-vision-guidance-material-GM/

★10——"Minimum colour vision requirements for professional flight crew: Task analysis", *CAA Paper 2006/04 Part 2*. http://publicapps.caa.co.uk/docs/33/2006_04%20Pt%20B.pdf

★11——Barbur, J.L. & Rodriguez-Carmona, M. "Colour vision requirements in visually demanding occupations", *British Medical Bulletin* 122(1), 2017.

★12——"Minimum colour vision requirements for professional flight crew", *CAA Paper 2009/04*. https://publicapps.caa.co.uk/docs/33/200904.pdf

第6章　誰が誰をあぶり出すのか——色覚スクリーニングをめぐって

### 軽いほど危険

先天色覚異常について、「軽いほど危険」という言説がある。
たとえばこんなふう——

先天色覚異常は、確かに軽度であれば、日常で困るようなことは少ないでしょう。しかしそれゆえに、他人とちがうという違和感をなんとなく抱えていても、自らが色覚異常であると気づかないケースがあります。しかし、色覚異常であることを認識していないというのは、実はきわめてリスクの高い状態といえるのです……どんなに軽度であっても、自らが色覚異常であると認識すること。これが何より大切です。そのためには、やはり検査を受けなければいけません。（『知られざる色覚異常の真実』市川一夫、幻冬舎、２０１５年）

【弱度ほど要注意！　間違う可能性の自覚が大事】

弱度の異常者ほど、「自分には色間違いなどない」、「赤と緑もわかる」と、色を間違わないという自信を持っています。なかには、自分の色覚異常に納得できない人もいます。患者さんが言う「自分は赤緑もわかるし、今まで色を間違ったことがない」という言葉に惑わされないでください。（『先天赤緑色覚異常の診療ガイダンス』村木早苗、三輪書店、2017年）

いずれも2010年代、最近の書籍からの引用である。総じていうと、こんなふうにまとめられるだろうか。

〈強度の色覚異常は自分や周囲の人が気づくことがあるものの、軽度では自覚できないため、知らないうちに色間違いをして危険。だからこそ、みんな色覚検査を受けて自らの色覚異常を自覚すべきだし、医師は「自分は色を間違ったことがない」というような発言をする者の言葉を信じてはならない〉

客観的な検査によって、すべての「色覚異常者」をあぶり出して指導すれば、まずは本人がトラブルの当事者にならずに済み、ひいては社会の安全のためにもなるというのが標準的な論法だ。こういった立場からは、本書の最初のところで問いかけた21世紀型の先天色覚異常の問題に対して、「徹底的に検査して、わずかな色覚異常も見逃さない」ことで解決できるということになるだろう。その場合、軽い人ほど自覚が難しく、また数も多いのだから、「学校健診で網羅的なスクリーニングを行う」ことが導かれるだろう。

しかし、前章までで明らかになったことに鑑みると、こういった言説はもはや維持できない。今や「正常」と「異常」の間にはだらだらと連続した分布があり、さらには「正常」の中にも、「異常」の中にも、とぎれなく分布があることが分かっている。また、従来の「正常・異常」と安全の問題が必ずしも相関しないことも分かった（第5章）。さらに「正常」の中でも、互いに「色間違いし合う」のはむしろ普通のことなのである（第4章）。

そんな中で、「検出すべき色覚異常」とはなんだろう。加藤金吉が指摘したように、色覚異常とはひょっとするとその時その時の検査法の特性とその検出限界をもって定義されていた可能性すらあるわけで、「先天色覚異常」という〝実態〟が、検査やそれに基づいた社会通念と独立して存在すると考えるのは、今や素朴すぎる立場だ。

## 異常は際限なく広がる

少しだけ、思考実験してみる。

「軽いほど危険」をそのまま検出能力の限界まで適用するなら、コンピュータベースのCCTやCADで明らかになってきた「スーパーノーマル」に達しない人たち、つまり、これまで正常とされてきたけれど、「平均以下」の人たちもこぞって検出して「異常」だと自覚させるべきだろうか。無自覚であるのが危険なら、そのような人たちほど無自覚だ。かりに指摘されても「今まで色を間違ったことがない」と主張するだろう。「正常」のうちのかなりの人たちが、典型的な正常3色覚とは少し違う融合型の遺伝子を持っている（第3章と補遺参照）ことも考え合わせれば、「正常」の中でも色弁別が悪い層にはひょっとすると遺伝子レベルの説明がつく可能性がある。とするなら、遺伝子検査に、融合型オプシンの遺伝子を見つける項目を付け加えて、早期発見すべきだろうか。結婚相手の遺伝情報を事前に確認しあったり、妊娠したら出生前の遺伝子診断で確認すべきだろうか。

さらに、色の「見え」まで気にするならば、第4章で東北大学の栗木に概説してもらったような個々人のユニーク色の違いや、色カテゴリーの違い、「照明光の推定」の違いに基づく「見え方」の多様性まで考慮すべきだろう。それぞれ、多数派と少数派がいるわけで、少数派は「色間違え」をする危険な存在だ。ならば、「ユニーク色障害者」「色カテゴリー逸脱者」「照明光の推定異常者」などを見つけだして、様々な職業から締め出すべきだろうか。今の技術なら充分それも可能だろう、等々……。

もちろん、ぼくは本気でそんなことを思っているわけではない。それどころか「軽いほうが危険」という言説の方が古い強迫観念にかられており、倒錯したロジックに支えられているのではないかと考えている。1％以上の頻度のものは「異常とは呼ばない」（集団に定着した多型である）とされるなかで、これはとうてい「もたない」議論だ。正常だろうが異常だろうが、「互いに間違い合っている」ことを基本に考えていく方がずっと健全だろう。

その一方で、前章で紹介したイギリス民間航空局による新ガイドラインは、根拠を明示した上で、これまで色覚異常だとして自動的に排除されてきた人たちのうち3分の1は、実は民間航空路線の航空機を安全に飛行させることができる色の弁別能力を持っているとした。以前の基準は「思い込み」に過ぎなかったと明示されただけでなく、その職業なり業務なりに必要とされる適性をきちんと調べて、「思い込み」ではない根拠を示すことができた実例としても重要だ。これが21世紀水準の議論であり、ただ「軽いほど危険」という主張にはこういったフェアな根拠が欠けている（さらにいえば、どんな色覚の持ち主でも見やすい色環境を整えておくことの大切さ、という議論が織り込まれればさらにフェアだと思われるが、それは今後の課題だ）。

なぜ、こんなふうになってしまうのか。

それを考えることは、実は本書の中での「大きな問題」（20世紀からつながる色覚をめぐる「問題系」がどんな形をしていたのか）を理解するヒントにもなるのではないかと期待できる。今、明確に「時代遅れ」と感じられるこういった議論は、つまり20世紀の残滓であるとも考えられるからだ。

その点に留意しながら、議論を続けていく。

## 科学的な根拠が足りない？

なぜ、「軽いほど危険」のようなおかしなレトリックが、一定の場で説得力を持つのか。最近のサイエンスの進展から見ると明らかに維持できない議論が、今も繰り返し語られるのはなぜか。指摘できるのは、こんなことだ。

20世紀の後半に、医療が持つべきだと考えられるようになった科学性の大切な部分が、先天色覚異常をめぐる臨床現場にまだ届いていないのではないか。つまり、「科学的な根拠（エビデンス）に基づいた医療」（EBM: Evidence Based Medicine）と呼ばれる、現代医学の基盤的な考え方がまだ浸透していないのではないだろうか。

診断にせよ、治療にせよ、生活指導にせよ、その時点での「最良の科学的根拠（エビデンス）を、良心的に、明示的に、思慮深く活用する」というのがEBMの核心的な部分だ。[★1] 専門家の意見や主観的経験や独断ではなく、客観的な最良の証拠を集めて、個々の診断や治療に活用していく。その際、疫学、医療統計学、公衆衛生学などの知見と方法をフル活用することになる。これは、1990年代から世界の医学の主流的な考え方になっている。

なぜ、EBMで「客観的な証拠」（エビデンス）が重視されるかというと、どんな専門家であれ主観的な意見には、しばしばバイアスがかかるからだ。ある検査や治療法が、現場で功を奏しているように見えても、それが統計的な検証に耐えるものかどうかは分からない。だから、臨床の場で、検査の方法や治療の方針を立てる時には、「前からこうやっているから」「偉い人が言っているから」「うまく行っているように見えるから」というような理由ではなく、きちんとした手順で検証された証拠を探す。それがない場合には、適切に設計された臨床研究をみずから行い、「エビデンスを作る」ことも推奨される。その結果、新しい診断法や治療法がよいものだと分かる場合もあれば、従来のものとそれほど変わらなかったり、逆に劣ると示されることもある。

しかし、日本ではEBMを受け入れる足腰の部分が伝統的に弱かった。医療統計家は少ないし、疫学を本格的に学ぶことができる大学も少ない。公衆衛生学の専門家を育てる公衆衛生大学院も、21世紀になってやっと設置されはじめたばかりだ。それでも、診断や治療のガイドラインが作られるような主要分野では、すでに「エビデンスに基づく」ことは徹底されるようになってきている。というのも、ガイドラインとは、そもそも、エビデンスを集積して、診断法、治療法などの推奨の度合いを決めるものだからだ。

一方で、日本の先天色覚異常をめぐる臨床現場では、そのエビデンスがとぼしいままだ。エビデンスを確立するための疫学、医療統計学、公衆衛生学の発想がしばしば欠けていて、それゆえ、たとえば、学校健診での色覚のスクリーニングテストの設計がひどい状態で放置されてきた。それは、エビデンスを語る以前の問題、というレベルだ。ぼくは、取材を始めて比較的早い時期にそのことに気づき、あまりのことに悶々としてきたのだけれど、今やっとその件について説明することができる。

## スクリーニングとはなんだろう

日本眼科医会の宮浦は、「学校健診での色覚検査はあくまでスクリーニング」と位置づけた。「取りこぼしがあってはならない」とし、「がんのスクリーニングもそうでしょう」とがん検診を例に挙げた（第1章）。しかし、これから語らなければならないのは、「先天色覚異常のスクリーニングは、それを正当化できるエビデンスに乏しい」という事実だ。

では、スクリーニングとはなんだろう。まずはそこから始める。

神戸大学教授（国際保健学分野）の中澤港がヒントをくれた。中澤は「疫学」や「公衆衛生学」という学術領域をぼくに紹介してくれた人物の一人である。

中澤がまず手がかりとして与えてくれたのは、スクリーニング検査の要件を述べた「病気のスクリーニング検査についての原則と実施」だ。ＷＨＯの「公衆衛生論文集」（Public Health Papers）のひとつとして１９６８年に出版され、今も標準的な考え方として参照されているという。[★2]

それによれば、スクリーニング検査はこのように定義されている。

〈集団を対象に、「迅速に実施可能な検査、手技を用いて、無自覚の疾病または障害を暫定的に識別すること」〉

これはまさに、先天色覚異常のスクリーニング検査にそのまま通用しそうな文言だ。

先天色覚異常は「無自覚の疾病または障害」だと捉えうるだろうし（疾病でも障害でもないという

立場は当然あるが）、「迅速に実施可能な検査、手技」も普及している。まさに石原表は、迅速に実施できる検査にほかならない。

だから、学校の児童・生徒という集団を対象に行う色覚検査は、この定義にはかなっている。

## クリアすべき諸条件

ただし、スクリーニング検査にはクリアすべき諸条件がある。「原則と実施」に挙げられているものを、中澤が講義に使っているテキストから引用する。カッコ内は中澤による注釈だ。★3

1 目的とする疾患が重要な健康問題である。

2 早期に発見を行なった場合に、適切な治療法がある（治療法がないと「負のラベリング効果」になることがあるため、スクリーニングはしない）。

3 陽性者の確定診断の手段、施設がある。

4 目的とする疾病に潜伏期あるいは無症状期がある。

5 目的とする疾病に対する適切なスクリーニング検査法がある（「適切な」は費用や判定に要する時間も含む）。

6 検査方法が集団に対して適用可能で受け入れやすい。

7　目的とする疾病の自然史がわかっている。
8　患者として扱われるべき人についての政策的合意が存在する。
9　スクリーニング事業全体としての費用―便益が成立する。
10　患者検出は継続して行われる定期検査にするべきで、「全員を一度だけ」対象とする計画ではいけない。

さて、どうだろうか。

この中で、「学校健診での色覚検査」が満たしていると思われるのは、ぼくの目には「5　目的とする疾病に対する適切なスクリーニング検査法がある」「10　継続して行われる定期検査」の2項目だけのように見える。

石原表は検出表としてとても優秀で（簡便で感度が高い）、なおかつ、1冊1万円ほど（コンサイス版14表）で購入すれば、そのあとしばらくは学校で使い回せる（版元によれば5年ごとに買い換えるのが目安とされる）。判定に要する時間もわずか数分だ。また、学校健診で行うなら、一回きりではなく継続的なものになるだろう。

でも、他はかなり疑わしい……。

ひとつひとつ見ていこう。

## 重要な健康問題?

「1　重要な健康問題である」かどうか。

先天色覚異常は、がんのような死に至る病ではない。そもそも病気ですらない。だから、単純な健康問題としては、あまり重要ではないというのが回答だろう。

また、これに関連して、「4　目的とする疾病に潜伏期あるいは無症状期がある」にも疑問がある。先天色覚異常は自分では気づきにくいのだから、「無症状期」があると言えなくもない。でも、そもそも「無症状期」というのは、のちに重大な問題を発生させる場合に言うのであって、ほうっておいてもそのまま「無症状」で一生をつつがなく終える人は対象外だ。それをあえて発見することに意味はあるのだろうかと、「1」の疑問につながってしまう。

「無症状」(自分では気づかない人)でも、実は生活上困難があるとか、第1章でみたように「就職の時に困るのだから検出すべき」というのが、よく語られるロジックだが、それほど自明な話ではない。検出された人すべてが本当に困っているわけでもなかろうし、全員が航空パイロットや鉄道員になりたいわけでもない。どのような人を対象にすべきなのか、大いに議論の余地がある。

## 負のラベリング効果をめぐって

「2　早期に発見を行なった場合に、適切な治療法がある」「3　陽性者の確定診断の手段、施設がある」は、両方とも疑わしい。

まず3の方から言うと、確定診断を行うための検査機器を持ち、運用している医療機関は驚くほど少ない。2010、11（平成22、23）年に日本眼科医会が実施した「先天色覚異常の受診者に関する実態調査」の報告では、全国都道府県眼科医会が推薦した眼科医療機関（原則、診療所）のうち、確定診断に使えるアノマロスコープを所有していたのはわずか11％だった。推薦された医療機関は、色覚外来やそれに準ずる対応ができているところと思われ、その中から積極的に回答をする熱心なところでも9割方はアノマロスコープを持っていなかった。それでも、報告では「所有率が高かった」と評しており、これは一般的にはさらに少数の医院でしか運用されていないことの裏返しだろう。

つまり、確定診断を得ること自体、かなり難易度が高いといえる。

そして、かりにそこまでクリアしたとしても、治療法はない。

治療はできずとも「適切な指導を行える」のならよいではないかという考えもありうるが、その場合はどのように適切な指導ができるのか、またそういった適切な指導ができる場がどれだけあるのか問わなければならない。色覚に通暁した医師はきわめて少ないし、かといって現在の視能訓練士や保健師が指導できるかというと、さらに心もとない。診断されても治療法がなく、役に立つ指導も得られないなら、それがもたらすのは「負のラベリング効果」だけだろう。

## 自然史は織り込めているか

「6　検査方法が集団に対して適用可能で受け入れやすい」についても、若干留保をつけたい。学校健診での色覚検査の実施は、20世紀において、プライバシーに乏しい環境で行われていた。石原表を「誤読」する児童・生徒は文字通り晒し者になり、トラウマティックな経験をすることも多かった。今は保健室などでプライバシーを適切に保って行われていると言われるし、その問題は解消したと信じたいが、とてもデリケートな問題であることは、かつての「実績」であきらかだ。「受け入れやすい」ものだとは簡単には言えない。

そして、「7　目的とする疾病の自然史がわかっている」については、日本の今の眼科学が色覚をめぐる21世紀のサイエンスを織り込めずにいるのではないかとすでに指摘した。つまり、「自然史を活用できていない」と判断する。

さらに、「8　患者として扱われるべき人についての政策的合意が存在する」というのは、中澤によれば、「境界例をどう扱うかが予め決まっていて適切な処遇が受けられること」とのことで、先天色覚異常をめぐってはそのような政策的合意はないといえる。「境界例」、例えば、特段指導の必要もなく、自覚も難しい人には、「あなたは異常なので気をつけるように」と告げる以外のことはせずに「自己責任だよ」とばかりに放置してきたというのが実情だ。

最後に、「9　スクリーニング事業全体としての費用-便益」については、検討されているのを見たことがない。学校健診の枠内で行う限りは「費用」が直接的に問題になることがないから、それを問いにくい構造が出来上がってしまっているのかもしれない。それでも、学校現場におけるリソースを大いに消費していることは間違いない。

## 遺伝的なスクリーニング検査なのか

中澤によれば、20世紀の終盤より、遺伝的スクリーニング検査の問題が取り沙汰されることが多いという。ここまで見てきた「原則と実施」は、策定後かなりの時間が経っているため、そういった面も考慮した新たな基準も21世紀になってから提案された。

その新たな基準は、旧「原則と実施」の精神を引き続きつつも、「有効性について、科学的な証拠が存在すべき」「潜在的なリスクを最小化するメカニズムを含む質の保証が存在すべき」「実施後の結果から、評価が計画されるべき」「スクリーニングの総体としての利益は、有害事象(による損失)を上回っているべき」といったふうに、より明示的なエビデンスを求めている。★4 遺伝にかかわる色覚のスクリーニングについても、当然、この水準で検討を行うべきだろう。

もっとも、これに対しては、色覚検査はあくまで表現型(石原表を「誤読」したり、アノマロスコープを正常均等しないこと)を見ているだけなので、遺伝子検査ではないという反論がありえる。

しかし、その言い分には、かなり無理がある。伴性遺伝するメカニズムも含めて遺伝的な背景があることは20世紀のはじめの時点ではっきりしていたわけだし、そのことが優生思想のターゲットになった歴史もすでに見た。つまり、かつて表現型についての検査だけで、今の遺伝子検査で懸念されていることを体現してしまったのが色覚検査なのである。

「あくまで表現型を見ているのだから」と今、日本の眼科医が言う時、それは確かに言葉としては正しいものの、本質的な部分から目をそむけていることになる。また、第2章で見たように、色覚検査が遺伝的な差別の一翼を担った歴史的な経緯にあまりに無頓着でもある。

目下、様々な遺伝情報について、社会的な差別が心配されており、例えば、遺伝的な情報を扱う医師やカウンセラーの態度として、次のような注意喚起がされることにも留意したい。

〈遺伝学的情報を理由とした差別的処遇が社会の中で実際に行われうることに対して、「そういうこともありますので注意が必要です」というのは、「本来そのようなことはあってはならないが、現実は厳しい」と言っていることに等しく、差別の追認にもなりかねない。そのような状況に警鐘を鳴らすのも、遺伝医療に従事する専門職の社会的責任と見なすことができる。〉(「遺伝医療と倫理」[★5]霜田求、2007年)

「そういうこともありますので注意が必要」、「本来そのようなことはあってはならないが、現実は厳しい」ということは、先天色覚異常と職業選択をめぐって眼科領域からも語られることがある。もしも学校での網羅的なスクリーニングの必要性を訴える動機がそこにあるなら、ここにおいてもスクリーニングの要件を満たしていないと言えるだろう。

以上、学校健診の色覚検査が、本来求められるスクリーニング検査としての要件を満たしているか、ひとつひとつ検討した。

結論は、きわめて疑わしい、だ。

20世紀の色覚検査はこれらの要件をまったく満たしていないレベルだし、21世紀において多少洗練した形で行われるようになったとしても、改善されたのはプライバシーへの配慮くらいだ。多くの問題が未解決のまま、学校健診での色覚検査が「復活」し、かつてのように100パーセント実施を目指されている現状にはやはり、違和感を禁じえない。[★6]

## 慎重に行うべき理由――乳がんスクリーニングを例に

ところで、スクリーニング検査になぜこれほど細かい条件が設けられているのか、不思議に思う人もいるかもしれない。

「目的とする疾病に対する適切なスクリーニング検査法」があるなら、どんどんやればいい。そして、対策すればいい。なのに、なぜそこまで厳しく考えるのか、と。

実は、スクリーニング検査はどんなによくできたものでも万能ではなく、受けた人に不利益をもたらすことがある。単純に、できるならやればいい、ということでは全くない。これは公衆衛生学・疫学の分野では、いかにエビデンスに基づいて検査を行うべきかという、まさに教科書的な議論なのだが、日本ではあまり知られていない。

例えば、「偽陽性」「過剰診断」の問題。色覚の問題を離れて、一般論としても知っておくべきことなので、ちょっと紙幅を割く。

『週刊医学界新聞』（医学書院）で長期連載された「続　アメリカ医療の光と影」の中の「乳癌検診をめぐる大論争（1）〜（3）」（李啓充、医師・作家）では、がんスクリーニング検査のガイドラインをめぐる議論が紹介されている。★7

2009年、「合衆国予防医療タスクフォース（以下タスクフォース）」が、乳がん検診についての新ガイドラインを策定した。かいつまんで説明すると、新旧の違いはこんなふうだ。

旧ガイドラインでは、40歳以上の女性に、毎年のルーティン・マンモグラフィ検査（症状があるかどうかにかかわらず定期的に行うという意味）を勧めていたのだが、新ガイドラインでは、「ルーティン・マンモグラフィが推奨されるのは、50-74歳で、それも、2年に1回でよい」となった。40代は定期検査なしで、50代以上も頻度を減らすというのである。

なぜ、こんなガイドラインになったのか。乳がんを正しく検出できるなら、そもそも40歳未満も含めて検査した方がよいはずだ。しかし、実際には、スクリーニング検査を行うことで得られる利益がある半面、はっきりとした「害」も起こりうる。それらを天秤にかけて有用性を判断しなければならないのである。

## 偽陽性の問題

李はこのように解説する。

〈例えば、40代の女性は50代に比べて乳癌罹患率が低いだけでなく、乳房組織が密であることなどから「フォールス・ポジティブ（偽陽性）」の率が高くならざるを得ない。偽陽性故の生検等の追加検査、さらには、「過剰診断」故の不必要な治療の実施などの「害」を考えた場合、40代での「ルーティン」の実施は不適切であると結論づけたのである〉（「乳癌検診をめぐる大論争（1）」）

「偽陽性」という概念が出てくる。検査をして「陽性」とされたけれども、実際には「病気」ではなかった場合のことを指す。偽陽性が多いと、その分多くの人を確定診断に回さなければならず、医療リソースを消費してしまう。一方、患者側にしてみると、がんの検査で「陽性」だと告げられること自体、まずは精神的なストレスだし、生検などで組織を取るような侵襲的な検査を受けるならもっと大きな負担だ。生検には感染症リスクなどもある。

だから、できるだけ「よい検査」で、本当に治療が必要な人は漏らさず見つけつつ、偽陽性は減らしたいものだ。しかし、完璧な検査などなく、米国の場合、２０００人の女性をスクリーニングすれば、２２０人に陽性が出るものの、実際にがんであると確定診断されるのは7人で、残りの２１３人は偽陽性だという（「乳癌検診をめぐる大論争（２）」）。

### 過剰診断について

確定診断で「偽陽性でした」と分かる場合は、それでもまだましかもしれない。しかし、確定診断にどんな手段を使うにせよ、それが完璧であることもまずない。本当にがんだと確定診断を受けた人の中にも、本来なら治療を受けなくてもよかった人が紛れ込んでいる。しかも、確定診断されたのだから、手術、放射線療法、化学療法などの治療を受けることになる。過剰診断による過剰治療だ。本当は治療の必要がないにもかかわらず、手術などを受けるわけで、実に恐ろしい話だが、そういう人がいること自体は間違いないとされている。

こういったことは、後になってから統計的に確認される。例えば、スクリーニング検査によってその病気が多く発見されるようになり、手術件数も増えて、平均余命も伸びているのに、死亡率が変わらないことがある。もしもスクリーニング検査で早期発見したために、のちに重症化して死亡する人を救っているなら、しばらくするとその集団におけるその病気の死亡率は下がってくるはずだ。しかし、そうならないなら、これは何を意味するのか。

ひとつ考えられるのは、手術を受けた患者の一部は、本当は手術を受ける必要がなかったということだ。その人の受けた診断は間違った（過剰な）もので、受けた治療は不要だった（過剰だった）。その「被害者」が誰なのか特定できないものの、そういう人はもともと治療が必要なかったのだから（つまり、健康だったのだから）予後もよく、何年かたつと無事に「寛解」ということになって、むしろスクリーニング検査での早期発見と早期の手術に感謝することになる。そして、統計上、生存率などを改善することにも大いに貢献する。それなのに、トータルで見た死亡率は減らないというのはミステリーであり、よくよく考えるとホラーだ。

2009年の「米タスクフォース」の新ガイドラインの後、2013年にイギリスのコクランレビュー（その時点で利用可能な最良のエビデンスを精査して、信頼性の高い情報提供をする国際団体）が、複数の研究を統合して検討したところ、やはり過剰診断について警鐘を鳴らす結論になった。要約すると、「10年間、2000人の女性をマンモグラフィ検査でスクリーニングすれば、乳がんによる死亡を1人減らすことができるものの、10人の健康な女性ががんと過剰診断される。過剰診断された10人のうち、6人が腫瘍を摘出する手術を受け、4人が乳房切除する手術を受けることになる（いずれも過剰診断による過剰治療）」[★8]。

結局、スクリーニング検査を設計する者は、それによってどれだけの人が利益を得るのか、そのためにはどれくらいまで他の人の負担を許容できるのかという、非常に困難な問いに答えなければならない。ちなみに、この時、受益者（早期発見で助かる人）と、ひどい目に遭う人（必要がなかったのに手術を受ける人など）は当然ながら別の人だ。ますます悩ましい。

なお、「タスクフォース」が新ガイドラインを提案した際、例えば40代でマンモグラフィによってがんが発見され治療を受けた女性たちから反発をくらった。「検査がなければ私たちは死んでいた」と。また、効果を実感している臨床医からも同様に反発が多かったそうだ。

実際、この検査と治療の円環の中にいる限り、治療を受けた女性も、治療を施した医師も、「検査のおかげで助かった」「検査のおかげで命を救えた」という実感は得ても、「検査のおかげで不利益を被った」「検査のおかげで不利益を与えた」と感じる局面はない。こういった難しい構造があることも考慮した上で、スクリーニング検査は慎重に設計しなければならない。

なお、よりよい（とおぼしき）検査や治療法が登場した時には、その都度、ガイドラインは再検討される。現在の日本の乳がん検診や治療などのガイドラインは、その策定の過程も含めて公開されており、興味深い。★9

## 色覚の偽陽性は？

色覚検査の話に戻ろう。

今、再び、学校健診での色覚検査の徹底が呼びかけられるのは、21世紀になってからの「空白の10年間」で不都合が出てきたからだ。

特に話題になったのは、就職の問題である。進学については20世紀のうちにほとんど大学などで制限が撤廃されたので、むしろ、今も一部に残っている色覚で制限のある職業（鉄道運転士、消防職員、警察官、航空パイロットなど）に、就職活動で「いきなり出会う」事例が、第1章で紹介した日本眼科医会の「実態調査」に報告されている。

こういう人たちが出るのは避けたい。

そのためには、学校健診での色覚検査を徹底したい。というのがそのロジックだ。

では、それが実際に機能するのかということを考えなければならない。

すでに「原則と実施」「遺伝スクリーニング」の観点からは正当化しにくいことを見たわけだが、特に、偽陽性、過剰診断、過剰治療の点から見るとどうなるだろうか。

がんの場合なら、本来、必要のなかった手術で身体にメスを入れられ、臓器を失うのは、どんな人にとっても大きな痛手だろう。一方で、色覚検査で偽陽性になったからといっても、あるいは過剰診断を受けたとしても、侵襲的な治療を受けるわけではない。そもそも治療はできないので、身体的なレベルでいえば大した被害はない。

ただ、先天色覚異常には別の大きな問題がある。まず、20世紀には、とんでもない偏見と差別が渦巻くさなかに放り込まれたわけだし、それは、中高の保健の教科書で、優生思想のターゲットにされるほどのものだった。これについては現在も警戒をしておいた方がいい。少なくとも、この件を忘れて制度設計をするべきではない。

そして、21世紀の今も、きちんと設計されていないスクリーニング検査では、過剰治療に相当する「過剰な指導」を多発させる可能性がある。例えば、本来そのことを考える必要もない人に「きみは、色覚異常なのだから、文系を目指した方がトラブルは少ないはず」「写真家や美容師のように色に関わる仕事も避けた方がいい」「鉄道員や航空パイロットは無理」というように、進路を早い段階で限定してしまうかもしれない。

はたして、学校健診での色覚検査の徹底を訴える論者は、それによって得られる利益と不利益を定量的に検討しようとしたことはあるのだろうか。検査によってどれだけの陽性が出て、そのうちどれだけが「真に先天色覚異常」で、どれだけが偽陽性か。「回避したい悲劇」を1件、減らすためにはどれだけの「過剰指導」をすることになるだろうか。そのように問うことは、現在のEBM、根拠に基づいた医療の発想としてとても自然なものだ。

## 石原表は魔法の検査?

というわけで、まずは色覚検査の偽陽性の問題をできるだけ定量的に考えてみる。

この件は、これまであまり顧みられずにきており、取材中に質問できた眼科医は誰も自ら検討したことがなく、誰かが検討したことがあるかも知らなかった。眼科系の邦文論文誌にも見出せず、しいていえば石原表に付属する小冊子の序文にかろうじて関連する言及があるくらいだ。

1933年、第14回国際眼科学会(マドリード、スペイン)において石原色覚検査表、スチリング(Stilling)色覚検査表およびナーゲル(Nagel)アノマロスコープが色覚異常の標準検査法として推奨された。特に、石原色覚検査表は臨床その他の場所で容易に使用でき、かつ他

> の同様な仮性同色表と比較して、検査としての**特異度**（**正常色覚を異常色覚と判定する偽陽性度が低い**）**と感度**（**色覚異常を正常色覚として判定する偽陰性度が低い**）**とがともに高い**ことが標準的検査表として推奨された最大の根拠である。（『石原色覚検査表国際版38表』序文：強調は引用者）

ここで特に注目してほしいのが、「他の同様な仮性同色表と比較して、検査としての特異度（正常色覚を異常色覚と判定する偽陽性度が低い）と感度（色覚異常を正常色覚として判定する偽陰性度が低い）とがともに高い」という部分だ。

石原表は、偽陽性が少なく、偽陰性（取りこぼし）も少ない検査だと言っている。

ただ、この記述は、ちょっとでも疫学に関心があり、初学者用の教科書でも読んだことがあれば、首をひねらざるをえない。

実を言うと、「偽陽性」と「取りこぼし」は、どちらかを減らそうとするとどちらかが増えるというように、両立し難いものだ。

より本質的には、文の中にも出てくる、特異度（偽陽性と関係する）と感度（「取りこぼし」に関係する）は、一般にトレードオフだということだ。それらがともに高いとするなら、いったいどんな特別な検査なのだろうか。魔法の検査としかいいようがない。[★10]

ところが、ここには具体的な数値がない。

「高い」とは書いてあるけれど、実際のところ、感度はどれだけで、特異度はどれだけか、ということが分からない。困惑せざるをえない。

## そもそも、感度と特異度ってなに？

それでは、感度と特異度とは、それぞれどんなものなのか。

色覚の問題にかぎらず、広い範囲で有用な概念なので、基本的なところから解説する。

まず、感度（sensitivity）とは、その検査が「病気の人を病気と判定する割合」のことだ。

100人の病気の人がいて、そのうち99人を検出できる（1人は「取りこぼし」てしまう）とすると、その検査の感度は99％だ。

色覚検査の場合は、「先天色覚異常の人を先天色覚異常と判定する割合」であり、これが低いと、本来見つけだすべき色覚異常の人たちをたくさん取りこぼしてしまい、スクリーニングとして機能しなくなる。

一方、特異度（specificity）は、「病気ではない人（健康な人）を病気ではない（健康である）と判定する割合」だ。

100人の健康な人がいて、そのうち99人を健康と判断する（1人は病気であると誤判定する）検査は、特異度99％だ。

色覚検査の場合は、「異常ではない人を異常ではないと判定する割合」で、これが低いと偽陽性がたくさん出てしまう。
簡単な表（2×2表と呼ばれる）を作って理解しておこう。
この表を見ながら、式を立てると——

感度は、「病気の人」（a＋c）のうち、検査で陽性（a）になる人の割合なので　a／（a＋c）
特異度は、「健康な人」（b＋d）のうち、検査で陰性（d）になる人の割合なので、　d／（b＋d）

となる。
また、検査で陽性が出た人（a＋b）の中で、実際に病気である人（a）の割合も計算できて（陽性反応的中度）、それはこんなふうになる。

陽性反応的中度　a／（a＋b）

これらの指標はスクリーニング検査の性能を検討する時に

図6-1　感度・特異度の表

| | 病気 | 健康 | 計 |
|---|---|---|---|
| 検査陽性 | a 人 | b 人 | a＋b 人 |
| 検査陰性 | c 人 | d 人 | c＋d 人 |
| 計 | a＋c 人 | b＋d 人 | a＋b＋c＋d 人 |

この表をもとに偽陽性の割合や、陽性反応的中度などを考える。

よく使われる。

そして、本章の文脈では、石原表の感度と特異度を具体的に知りたい。ともに「高い」というが、実際にはどれほどのものか。この値が分かれば、石原表を使ったスクリーニング検査で、どれだけきちんと先天色覚異常が発見され、また、偽陽性がどれくらいなのか、といったことをシミュレーションできるからだ。

## 著作権者も性能を知らない

石原表の著作権者は、公益財団法人一新会だ。

昭和36（1961）年、石原表を開発し普及させた石原忍自身から、東京帝国大学医学部眼科教室出身者への依頼により設立された。ウェブで公開されている設立趣意書には、色覚にかかわるものとして、このような項目が列挙されている。

1　石原式色盲検査表を出版し常にその進歩改良を図ること。

2　一般色覚およびその異常の研究を行うこと。

3　色盲研究班（創立1955年）を引継ぎ、前記イ、ロ（原典のママ：引用者注）の業務ならびに研究を行わせる。★11

「色盲研究班」とは、石原忍が退官後、直弟子の大熊篤二、加藤金吉らと組織した私的な研究グループである。戦後の石原表の品質管理にも尽力しており、その事業と研究活動を引き継ぐ形でできたのが一新会だ。つまり、存立理由そのものに、石原表の出版が含まれている。

石原表の品質管理や出版事業に責任を持つ会なので、まずは一新会に、石原表の感度と特異度について問い合わせた。

結果、2013年に出版された現行バージョンについては、これまでにきちんと調査をしたことはなく、感度も特異度も分からない、とのことだった。あまりにあっさりと「調べていません」というのである。

一方、旧バージョンについては、1980年代に東京大学入学者を対象にした研究があるとのことで、その論文を入手したが、これは当時の最新版だった「1978年度国際版」と、古いバージョン「1959年度国際版」をマッチングさせるのが主な目的で、感度や特異度といった基本性能を求めるものではなかった。★12

**海外の研究者もそこが気になっていた**

そこで、英語の学術論文に目を転じると、石原表の感度と特異度について気にしている研究者たちが散見される。

その中でも、ロンドン大学シティ校のジェニファー・バーチ（Jennifer Birch）が1997年に発表した論文は、まさに、石原表の感度と特異度を求めることを目的としている。[★13] ロンドン大学シティ校は、CADを開発したジョン・バーバーの所属大学だが、バーバーはこの研究には関与していない。

20世紀に行われた研究なので、現行版の「石原色覚検査表Ⅱ国際版38表」ではなく、旧版の「石原色覚検査表国際版38表」を使い、石原表の性能評価を行っている。

バーチの研究の動機は、石原表の説明書の「不備」にある。

あらためて確認すると、石原表の説明書には、

・4表以下の誤読なら「正常」とみなしてよい。
・8表以上、誤読するなら「異常」とみなしてよい。

と書いてある。

これを、言い換えると、

・先天色覚異常の人はすべて「4表」以上誤読する（「4表」以上を基準にすれば感度100％）。
・正常色覚の人はすべて「8表」以下の誤読しかしない（「8表」以下を基準にすれば特異度100％）。

ということだ。

しかし、その「間」が分からないから、調べてみようというのがバーチの研究意図で、それはつまり、「4表」と「8表」の間の、石原表の感度と特異度を求めたい、ということでもある。

バーチは、イギリス国内での調査で、色覚正常の471人と色覚異常の401人（すべて男性）を調べ、アノマロスコープで確定診断を下した後に、分析した。ここでは、正常、異常の両グループとも同じ検査を受けていることに注目してほしい。

また、色覚異常の確定診断はアノマロスコープで行っていることにも留意しておこう。アノマロスコープは、先天色覚異常のメカニズムに則した検査機器として「ゴールドスタンダード」として扱われてきたので、石原表でスクリーニングした後に、こちらで「真の先天色覚異常」かどうかを確定するという考えだ。

その結果は、図6‒2のようになった。

石原表の説明書が示唆する通り、「誤読」の数が「8表」は特異度100％だと確認できたが、「4表」では「取りこぼし」が出るようで、ちょっと厳しく「3表」で確認したと

図6-2　石原表の感度と特異度

| 誤読数 | 感度 | 特異度 |
|---|---|---|
| 8表 | 80.5% | 100% |
| 6表 | 94.0% | 95.4% |
| 3表 | 98.7% | 94.1% |

ジェニファー・バーチの論文中の table 5 による。

ころ、感度は98・7%になった。それでも、100%にはならないことは興味深い。

これを見ると、まずは感度と特異度がトレードオフの関係にあることも確認できる。つまり、「誤読」する表の数を減らせば感度は上がり、特異度は下がる。逆もしかりだ。

やっと学術的な研究にもとづいた感度と特異度を手に入れたので、ここではそれを受け入れて議論を進めたい。

ただ、ちょっと考えなければならないのは、今、日本の学校現場で使われているのは「38表」ではなく、かつては「学校用色覚検査表12表」、今は「コンサイス版14表」と呼ばれる表数を絞ったバージョンだということだ。かなりの部分で同じ表を共有しているのだが、表数が違うため単純にあてはめることができない。

ちなみに、「コンサイス版14表」の説明書によれば、「誤読」2表までが正常だとされる。しかし「38表」と同様、著作権者は感度と特異度を調査していない。

そこで、あくまで石原表を使った色覚検査のシミュレーションとして、バーチが検討した「国際版38表」を使った場合を考えることにする。当然、「コンサイス版14表」を使った結果とは違ってくるはずだが、それでも、ぼくがなぜ、感度は？　特異度は？　と問うたのか、その理由はきっと分かってもらえるし、ある程度の定量的な議論もできるはずだ。

## 現在の小学生の1学年男子が全員検査を受けたら

20世紀の日本では、ほぼすべての児童・生徒が色覚検査を受けた。実施率は限りなく100%に近かった。

今、日本眼科医会は、再びこの実施率をできるだけ引き上げていきたいとのことなので、日本の小学校のある学年に対して、色覚検査を毎年網羅的に行ったらどんなことが起きるかを考える。

現在の日本の小学生は各学年にほぼ100万人いる。ある学年を決めて毎年検査を行うなら、この100万人が検査の対象になる。ここでは、そのうち男児の集団50万人に注目する。

よく知られているように、日本の男性の先天色覚異常の頻度は、だいたい5%だ。

また、スクリーニング検査としては、バーチの用いた旧版の石原色覚検査表国際版38表の「3表誤読」を採用する。だから、感度は98・7%、特異度は94・1%である。

これらの情報だけで、さきほどの2×2の表を作り、マスを埋めることができる。

ここでは、石原表の国際版38表を3表以上「誤読」した場合を「石原表陽性」、3表未満の「誤読」を「石原表陰性」とした。

また、真の先天色覚異常を「色覚異常である」、先天色覚異常でないことを「色覚異常ではない」と表現した。

## 実際に数字を当てはめる

2×2表に数字をあてはめていこう。

最初に埋めることができるのは、右下の総計の部分だ。検査の対象になる人数なので、日本の男子小学生の1学年の人数、50万人がここに入る。(図6-3-1)

次に、この50万人中で、「色覚異常である」の頻度は5%だから、その小計の欄には、2・5万人が入る。また、残りの47・5万人は、「色覚異常ではない」の小計の欄に入れればよい(図6-3-2)。

そして、ここから、感度と特異度がかかわる領域に入る。

まず、感度とは「病気の人を正しく病気と判定する割合」なので、2・5万人いる「色覚異常である」のうち、98・7%、2・47万人に陽性が出る。残りの300人は、色覚異常なのに検査では陰性反応が出る「取りこぼし」だ(図6-3-3)。

つぎに、特異度とは「健康な人を健康と正しく判定する

図6-3-1

| | 「色覚異常」である | 「色覚異常」でない | 計 |
|---|---|---|---|
| 石原表陽性<br>(fail/error) | | | |
| 石原表陰性<br>(pass/correct) | | | 1学年児童数約100万のうちの男子数 |
| 計 | | | 50万人<br>(1学年) |

1学年の男児50万人を「計」のマスに入れる。

＊図6-3-1～5では、感度98.7%、特異度94.1%を適用。

割合」なので、この場合は「色覚異常ではない」人たち47・5万人がどのように検査で判定されるかにかかわる。

図**6-3-2**

| | 「色覚異常」である | 「色覚異常」でない | 計 |
|---|---|---|---|
| **石原表陽性**（fail/error） | | | |
| **石原表陰性**（pass/correct） | | | |
| **計** | **2.5万人** | **47.5万人** | 50万人（1学年） |

５％が先天色覚異常、95％が「正常」として50万人を振り分ける。

図**6-3-3**

| | 「色覚異常」である | 「色覚異常」でない | 計 |
|---|---|---|---|
| **石原表陽性**（fail/error） | 2.47万人 | 感度98.7% | |
| **石原表陰性**（pass/correct） | 300人 | 残りの1.3%（取りこぼし） | |
| **計** | **2.5万人** | **47.5万人** | 50万人（1学年） |

先天色覚異常の当事者2.5万人に対して感度98.7％を適用すると、正しく判定される人数と「取りこぼし」の人数が分かる。

図**6-3-4**

| | 「色覚異常」である | 「色覚異常」でない | 計 |
|---|---|---|---|
| **石原表陽性**（fail/error） | 残りの5.9%（偽陽性） | 2.8万人 | |
| **石原表陰性**（pass/correct） | 特異度94.1% | 44.7万人 | |
| **計** | **2.5万人** | **47.5万人** | 50万人（1学年） |

色覚正常の47.5万人に対して特異度94.1％を適用すると、正しく判定される人数と、偽陽性の人数が分かる。

47・5万人の「色覚異常ではない」人たちのうち、94・1%が正しく「色覚異常ではない」と判定されるわけだから、44・7万人が正しい判定を受けることになる。一方、残りの2・8万人（47・5万人−44・7万人）は、色覚異常ではないのに陽性の判定が出る（図6−3−4）。

　これで、「色覚異常である」「色覚異常ではない」の2列を埋めることができた。

　ここまで来ると、残りのマスは2つだけだ。表を横向きに見た場合の小計、石原表の検査で「陽性」と「陰性」の人数で、それらも足し合わせて書き入れよう（図6−3−5）。

図6-3-5

| | 「色覚異常」である | 「色覚異常」でない | 計 |
|---|---|---|---|
| 石原表陽性（fail/error） | 2.47万人 | 2.8万人 | 5.27万人 |
| 石原表陰性（pass/correct） | 300人 | 44.7万人 | 44.73万人 |
| 計 | **2.5万人** | **47.5万人** | 50万人（1学年） |

すべてのマスが埋まり、確定診断が必要な人数や、陽性反応的中度などが推定できる。

## 眼科医は毎年5万2700人を確定診断しなければならない

　すべてのマスが埋まった。ここから何が言えるだろうか。

　まず、日本の一学年の学童（男子）全員にこのスクリーニング検査を行ったなら、毎年、5万2700人の検査陽性者が出てくることになるのが分かる。

　これはそのまま、各地の眼科医が対処しなければならない人数でもある。つまり、これだけの人数の確定診断を行い、そのうち2万4700人いるはずの本当に先天色覚異常の人には、必要とされる指導を行わなければならない。

スクリーニング検査の設計は、確定診断やその後の治療（先天色覚異常の場合は、指導やらカウンセリングやら）も含めて行わなければならないので、はたしてそれぞれの地域で十分な態勢が整っているのか検討しなければならないだろう。

日本眼科医会によれば、日本の就業眼科医はおよそ1・3万人で、眼科診療所は7000ある。[14] この中で、色覚外来、色覚カウンセリングに対応できるところはどれだけあるだろう。色覚外来を掲げる大きな病院でも、実際には対応する曜日や時間帯を決めている場合が多く、5万を超える人数に、毎年、適切な確定診断と指導を行い続けるにはどうすればいいのか途方にくれる。大きな病院なら確定診断できるかというと、それも怪しく、例えば大都市圏でも、神奈川県内の大学病院にはアノマロスコープによる診断を行っているところはない。[15]

## 偽陽性は多い

さらに偽陽性の問題がある。

スクリーニング検査で陽性になる5万2700人のうち、本当に「色覚異常である」のは2万4700人にすぎず、残りの2万8000人は偽陽性だ。

これは専門的に言うと、陽性反応的中度（陽性が出た中で、「本当に病気」である人がどれだけかという指標）[★16]が、2・47／5・27で、46・9％だということだ。

こういう数字は低すぎると感じられるかもしれないが、スクリーニング検査は感度を上げて取りこぼしを防ぐため、偽陽性が出るのは必然だ。石原表が優秀な検査表だというのは間違いなくても、対象となる集団の中で、見つけたい病気や事象の頻度によって、偽陽性がどれだけ出るかはまったく変わってくる。頻度が低ければ偽陽性は増え、頻度が高ければ偽陽性は減る。これは、ありとあらゆる検査の宿命だ。

今回の例で、46・9％になったのはたまたまで、集団の中の色覚異常の頻度が、もっと多かったり少なかったりするとまったく違う結果になる。興味あればいろいろ数字をいじってみてほしい。なお、頻度が低い場合については、後で確認する。

## 江戸川区では半分が偽陽性

さて、以上のような議論にはどれだけリアリティがあるだろうか。

東京都江戸川区にある田中眼科の田中寧《やすし》院長が、2019年7月、CUDO（カラーユニバーサルデザイン機構）友の会にて発表した江戸川区内の実績を引く。

色覚検査の「再開」以降のデータで、学校健診で「色覚異常疑い」とされて、眼科医を訪ねた男子児童・生徒のうち、どの程度が本当に色覚異常だと診断されただろうか。提示された集計表を整理して、偽陽性についても確認した。

2015（平成27）年
小学生　男子385人中、正常195人　異常190人　偽陽性は50％
中学生　男子118人中、正常85人　異常33人　偽陽性は72％
（注）初年度の混乱と、「1表以上誤読すると眼科受診勧奨」という基準のために偽陽性が多かった可能性がある

2016（平成28）年
小学生　男子219人中、正常90人　異常129人　偽陽性は41％
中学生　男子64人中、正常39人　異常25人　偽陽性は61％
（注）「2表以上誤読すると眼科受診を勧奨」に基準を変更

かなり多くの偽陽性が出ているのはひと目で分かると思う。初年度については、13年ぶりの学校での色覚検査だったため、現場が不慣れなところに多くの希望者が殺到したことも考慮した方がよいという。また、この年は、学校での検査で「眼科受診勧奨」とする基準が、「1表以上誤

読」という感度優先のものだったことも大きいだろう。しかし、「2表以上誤読すると眼科受診勧奨」にした2年目も、偽陽性の割合が大きく減ったわけではないというのは興味深い。

なお、ここでは必ずしもアノマロスコープを使って確定診断を行っているわけではなく、学校用よりも枚数の多い38表の石原表、他の色覚検査表、さらにはパネルD15テストなども用いて「総合的に」判断している。いかにバージョンが違うとはいえ、学校健診でのスクリーニング検査でも、クリニックでの確定診断でも、石原表を主力の検査として使っているのは、ちょっとどうかと思う。それでも医師が、スクリーニングされてきた児童・生徒の多くを「実は正常」と識別するのは、アノマロスコープを使わずとも、ほかの検査と組み合わせて精度を高める技能に裏打ちされているのかもしれない（ただしエビデンスはない）。

いずれにしても、ここでは、ぼくがさきほど行った、非常にざっくりとした見積もりの議論が、現場のデータとそれなりに整合する傍証くらいにはなるだろう。

## 実感がない医師

江戸川区でのこのような調査結果を聞いて、さもありなんと感じる医師も多い半面、「実感がない」とする眼科医もいる。

そのギャップは何に由来するのだろうか。最初に思いつくのは、大きな病院の色覚外来で、本当に悩みが深い当事者を診る機会が多い医師の場合は、こういった「実感」を持ちにくいのではないかということだ。そのような医師のところには、学校健診の後ですでに一度開業医を訪ねてから来院する場合が多く、偽陽性だった人はここまでたどり着かない。

科学的な根拠（エビデンス）に基づいた医療、EBMが医師に受けいれられるようになった理由の一つは、医師の個々人の体験が常に大きなバイアスにさらされることを医師たち自身が自覚するようになったからだ。専門性が高い指導的な立場の医師ほど、同じ病気でも症状の重い患者を診ることが多くなるのは容易に想像がつく。とすると、医師の病気についてのイメージ、この場合は「先天色覚異常観」のようなものもバイアスを受けることになるだろう。

だから、診断にしても、治療にしても、個々の医師の主観や独断を離れて、できるだけバイアスを取り除くことができる評価の方法が求められるようになる。しかし、先天色覚異常の臨床現場はそうなっておらず、影響力のある医師たちの実感や独断に重きが置かれてきた感がある。これは、治療法がない先天色覚異常特有の事情として、「診断して、治療して、予後を見て、改善する」という、医療の改善サイクルが回りにくいことも影響しているかもしれない。

## 女子の問題

さらに「女子」について考える。

石原表を女子の検査に使った場合、非常に偽陽性が多くなることは、以前から指摘されている（例えば、『つくられた障害「色盲」』高柳泰世、「誤診の多い石原式」「本当は正常な女子が半数」「29歳で正常と分かった女性」の項目）。

江戸川区の例では、女子のデータはこんなふうだ。

2015（平成27）年
小学生　女子224人中、正常202人　異常22人　偽陽性は90％
中学生　女子75人中、正常71人　異常4人　偽陽性は95％

2016（平成28）年
女子90人中、正常78人　異常12人　偽陽性は87％
女子36人中、正常35人　異常1人　偽陽性は97％

受診した女子のほとんどが偽陽性だったという成績だ。特に、2016年の中学生女子など、97％が、偽陽性だ。

なぜ女子に偽陽性が多いのか、仮説なら聞いたことがある。例えば、女性はX染色体を2本持ち、その上にあるL錐体、M錐体の遺伝子にバリエーションがある場合、正常色覚と同程度、時にそれ以上に色を識別するものの、石原表は誤読する層が生まれる、など。いわゆる「4色覚」の議論ともかかわる部分だ。

しかし、この章でたどってきた議論の文脈では、別の説明の仕方も可能だ。

つまり、女子の色覚異常の頻度の問題だ。

色覚異常の頻度は男子なら5％だが、女子の場合はとても少なく、0・2％とされる。

そして、こういった頻度は、陽性反応的中度、偽陽性の割合といった指標に直接跳ね返ってくる。バーチによる石原表の感度と特異度の議論は、男性の被験者をもとにしているので、女性にそのまま当てはまるかどうかは別問題だが、あえて0・2％の頻度の集団に適用するとどうなるかを見る。そうすることで、頻度がいかに偽陽性の発生に影響するかも実感してもらえる。

さきほどの50万人の男子と同様に、50万人の女子に対してスクリーニング検査をしたと仮定して、2×2表のマスを埋めていこう。

今回は途中経過を割愛するけれど、目を疑うような結果が明らかになる（図6-4）。

検査の結果、陽性になる人が約3万人いるのに対して、本当に「色覚異常である」人は、1000人に満たない（987人）。その一方で、「色覚異常ではない」人は2万9000人にも及ぶ。つまり、陽性反応的中度は3・3％（987／30000）だ。

もっと直感的な表現をとると、陽性になった人の中での偽陽性の割合が96・7％である。もとの頻度が0・2％しかないものをスクリーニングするのがいかに難しいかを物語っている。

だから、このような頻度のものは、通常はよほど重篤な疾病で、なおかつ治療法が確立しているのでもないかぎり、スクリーニング検査をするのははばかられる。

ここで強調してよいことは2点あると思う。

一つは、頻度が違うだけで、偽陽性がどれだけ出るのか根本的に変わってくることを実感してほしいということだ。これは本当に、疫学や公衆衛生の教科書に書いてあることそのままなのだが、実際にこうやって計算してみないとなかなか実感するに至らない。

そして、もう一つは、女子には実際に「誤診」が多いとされてきたけれど、男子より頻度が低いのだから、同じ検査をすれば「誤診」が増えるのは当たり前だ。「女子の色覚異常」の検査そのものについて、まさに再検討が必要なのではないだろうか、という点だ。

**図6-4　女子の場合（0.2%を想定）**

| | 「色覚異常」である | 「色覚異常」ではない | 計 |
|---|---|---|---|
| **石原表陽性**<br>(fail/error) | 987人 | 約2.9万人 | 約３万人 |
| **石原表陰性**<br>(pass/correct) | 13人 | 約47万人 | 約47万人 |
| **計** | **1000人** | **49.9万人** | 50万人<br>(1学年) |

図6-3と同じ基準を女子（0.2%が先天色覚異常と想定）に適用した場合。陽性と判定されたほとんどが偽陽性になる。

## 日本の色覚検査は「魔法の検査」だった?

閑話休題。

感度や特異度、それにともなって変わる偽陽性について少し具体的に踏み込むと、スクリーニングにまつわる必須の検討事項を「考えずに済ませる」ことがいかに無謀か分かっていただけたのではないだろうか。

しかし、現実に、20世紀の学校健診とそれにつながる臨床の場ではこういったことが充分に検討されず、まさに「無謀」だったのではないかと、ぼくは疑念を深めている。

そして、その時の感覚のまま、根本的な改善もなく、21世紀に同じ色覚検査の枠組みを適用しようとするのは、ちょっとありえないと思う。エビデンスに基づかない検査を推進しようとしていると言われても仕方がない。感度と特異度の議論はそれ自体が「エビデンス」というわけではないとしても、信頼にたる根拠《エビデンス》を見出すための基礎なのだから。

もうひとつ指摘しておかなければならないのは、現在、色覚検査のゴールドスタンダードであるアノマロスコープが、確定診断としての地位を失っているように見えることだ。アノマロスコープを診断機器として維持している病院が少ないというだけの話ではない。今も、色覚についての書籍や診断ハンドブックには「アノマロスコープで確定診断する」と書いてあるのに、よくよく記述を読むと、そこで言う確定診断とは「先天色覚異常かどうか」ではなく、「色覚異常の型を確定する」ことの場合がある。前にも引いた「先天色覚異常への対応（改訂版）」（日本眼科医会、2015年3月・5月改訂）もそうだ。

一般には、確定診断とは、その病気であるかどうかを判断することだ。しかし、先天色覚異常の診断ではいつしか「確定」の意味がずれてしまったのではないか。だから、学校において、石原表でスクリーニングした後、町の医院では「石原表プラスアルファ」で確定診断するのが当たり前になっていても、それをおかしいと思う医師も少なかったのではないだろうか。

その一方で、きちんとアノマロスコープを備えているところでは、検査表は誤読するけれど、アノマロスコープでは正常になる人と出会うこともある。そんな時、「検査表だけで確定診断するのは危険」と警鐘を鳴らすよりも、「検査表を誤読するのは色覚異常だから」という前提のもとに「色素色覚異常」という新たな名を与えたりもしてきた。

このような運用の仕方では、日本において、色覚検査表は魔法の検査になる。つまり、「検査」と「色覚異常の定義」が一致してしまう。色覚異常とは検査表を読めないことであり、正常とは検査表を読めることだ。そんな倒錯した論理が、明示的に語られずとも背景にあったとしたら、感度も特異度も100％が実現する（定義上、そうなる）ので、わざわざ石原表の感度や特異度を求めなくても不都合を感じることはなくなるだろう。

そして、そんな「魔法の検査」のもと、本書で強調している「正常と異常」の連続性も、多様性も覆い隠されたまま、今日まで来てしまったのではないだろうか。

## 過剰な指導はあったのか

スクリーニング検査での偽陽性の問題を考えるだけで、多く根本的な課題が出てきてしまった。では、きちんと確定診断されて「真に先天色覚異常」だと判定されたとして、その診断が実は必要なかった場合、つまり「過剰診断」についてはどう考えればいいだろうか。日本の小学生のある学年全員に検査を行えば、男女あわせて2万6000人近くが偽陽性ではなく「真の先天色覚異常」として検出されるわけだけれど、そのうち、どれだけが、検出されたがゆえに利益を享受し（検出が正当化される人）、どれだけが、単に「負のラベリング」だけを受け取ることになるのか（検出が正当化されない人）、ということだ。

例えば、「航空パイロットになるために勉強を重ねてきたのに、入社試験ではじめて色覚異常だと知った」というような悲劇を1つ避けるために、どれだけの人に「あなたは色覚異常なのだから、こういう職業はよく考えて決めなさい」と言うことになるのか（この場合、進路や職業選択について不要な自己規制につながる可能性がある）。あるいは、「自分の色覚を自覚することで生活が楽になる人」に適切な助言をするために、どれだけ「生活上いっさい苦労していない人」にまで「軽いほど危険」と言うことになるのか（不要な自己規制や、本来持たなくてもよい「自己不全感」につながる可能性がある）。

しばしば話題になる職業上の問題については、20世紀には存在した様々な就学・就労上の制限が、現在、ほとんど撤廃されているにもかかわらず、基本的には社会問題になるような大きなトラブルは起きていないことは重く見るべきではないだろうか。もちろん、第1章において日本眼科医会の宮浦や、職業適性の論文を書いた中村が報告したような個々の苦労は多くあるはずなのだが、それらは個別のエピソードに留まっており、系統だった問題には発展していない。

例えば、医学部に進学した先天色覚異常の当事者が、特定の診療科や個別のタスクにおいて得手不得手はあったとしても、医師として活躍し続けていることがその一例だ。職業適性を論じた中村も、医師については「2色覚でも少ない努力で遂行可能な業務」に分類した。医師というのは、パイロットや鉄道の運転士と同様、人の命にかかわる仕事だ。だからこそ、かつて色覚について大きな制限が設けられた。しかし、いざ制限を外してみると、「少ない努力」で遂行可能であることが分かった。21世紀の今、医師の世界には、先天色覚異常の当事者が大勢おり、優れた仕事をしている。彼ら・彼女らが社会に必要不可欠な医療の担い手であることに誰も異論を挟まないだろう。

つまり、かつての制限そのものが、過剰な心配、過剰な方向づけ、過剰な指導を多く生んでいたことの証拠ともいえる。[★17] だから、本章の冒頭で設定した「過剰な指導はあったのか」という問いについての回答は、20世紀においては「大いにあった」「局面によっては、ほとんど過剰指導だったかもしれない」だ。

気をつけなければならないのは、20世紀における「過剰な指導」は、当時の様々な制限下では、むしろ「適切な指導」と見えていたということだ。ある特別な社会制度の中でのみ正当化されていたわけで、学校での一斉検査もその制度の一翼を担っていた。とすると、「過剰診断」は「過剰指導」に至りつつ、「過剰な制度」を維持する力にもなり続けたという構図を描くことができる。

## 色覚異常によって交通事故は増えたのか

もうひとつ別の方面のトピックを見てみよう。自動車の運転だ。

1995年、「眼科医は先天赤緑色覚異常に如何に対処すべきか」（市川一夫・田邉詔子『日本眼科学会雑誌』99巻2号）という論文において、眼科医である市川らは、先天色覚異常をめぐる社会的規制が緩和されつつある状況を憂い、「規制緩和のみ行って異常者の指導を等閑にすれば、規制が始まる以前に起こった色誤認による事故などを再現させる危険がある」と警鐘を鳴らした。その上で、「異常者の色識別困難が危険を招くこと」という一項を立てて、交通事故や交通安全にかかわる事例を提示している。★18 色覚にかかわる臨床医の関心は、まずは当事者が幸せな生活を送ることができるかどうかにあるはずだが、この論文では自覚的に「社会安全」の領域に踏み込んでいるのが大きな特徴だ。

この時に懸念されたことが、その後、どうなったかはごく簡単にではあるが検証できる。重大な結果ゆえに統計がブレにくい交通事故の死者数を見てみると、統計が残っている1948年以降、全国の交通事故死者数がピークだったのは1970年の1万6765人だ。その後、減少し始め、90年代前半に毎年1万人強が亡くなる小さな別のピークはあったものの、大局的には一貫して下がり続けている。2019年は3215人で、記録がある期間での史上最低となった。★19

ここでまず言えるのは、「色誤認による事故」の増加があったとしても、こういった死亡事故減少のトレンド中で埋もれる程度で、「異常者の色識別困難が危険を招く」と社会危機を訴えるかのような心配はあたらなかったということである。また、実際に色覚異常による色誤認が原因で起きた事故が報告されていないというのも注目すべき点だ。しいて言えば、2014年に仙台市において2人が死亡した事故で加害者となった男性が、自らの色覚を事故の理由として情状酌量を求めたケースがあるものの、判決では色覚と事故との因果関係は否定された。結局、統計的には確認できず、エピソード的にもほとんどない、というのが「先天色覚異常の当事者の色誤認による（死亡）事故」なのである。

また、交通事故の対策としても、色覚はあまり問題にされてこなかったことも留意しておくべきだと思う。1960年代から70年代にかけて「交通戦争」とまで呼ばれた状況から脱することができたのは、ガードレールや横断歩道などの設置があったからだと言われる。90年代以降に死亡者が減少した要因としては、自動車の安全性能の向上、シートベルトの着用義務化、交通違反の罰則の強化、交通安全教育の徹底などが挙げられる。つまり、先天色覚異常に特化した対策を取ったからではなく、「全員」がかかわる部分での対策が交通事故被害の減少に寄与した。[20] 色覚対策は、信号機の視認性を高めるといったこと以外、特に関係なかった。

もちろん、交通事故による死亡は一件でも少ない方がよいことは間違いない。ならば、様々な原因を潰していくことで死亡事故が減ってきたのだから、さらなる対策の余地があるように思える「色間違い」の問題に今こそ取り組むべきなのだろうか。

これについても、警察庁の考えは違うようだ。現時点での証拠レベルを考えれば、別の方策で「全体」としての安全を高めることの方が健全だろう。例えば、飲酒運転による事故はかなり減ってきたものの、飲酒なしの事故よりも約7・9倍死亡につながりやすいことを考えると依然大きな問題だ。後部座席でのシートベルト非着用の高速道路事故は、着用時とくらべて約11・7倍(一般道でも約3・3倍)死亡につながりやすいことも分かっている。2020年時点で、警察庁はこういった根拠に基づいた対策を取ろうとしている。[21] 先天色覚異常の当事者の色誤認によって起きる事故を対策しようにも、それによって事故が減ると想定できるエビデンスがない。

また、今後の展望としても、色覚が大きな問題として浮上することはなさそうだ。というのも、自動車の安全性能は、現在、非常な勢いで向上しており、AIの導入などでさらに画期的に高められれば、先天色覚異常による潜在的リスクがあったとしても吸収しうるからだ。これは高齢者による運転や、睡眠時無呼吸症候群、てんかんなどの疾病による交通事故のリスクなど、近年話題になった様々な危険の種を同時に摘む。その延長線上で、自動運転の実現まで見越せば、もはや色覚を問題にした時代があったことが過去になる水準で局面が変わる。

つまり、1995年の「懸念」は、こと交通事故に関しては、幸運にも、現実のものとして可視化できるレベルにはならず、そのまま、議論自体が霧散する時代になるかもしれない。この時点で、色覚の「異常者」すべてに色間違いの危険性を自覚させて「軽いほど危険」と言い募ったとしても、それはほとんどの当事者にとって「過剰指導」だろう（もちろん、自覚することが安全につながる人がいることは否定しない）。さらには、交通安全をめぐる社会的リソースを、個々人の色覚を徹底的に問う方向に割り振ろうとするなら、逆に他の対策がおろそかになり、全体としての安全を損ねる可能性すらあるだろう。

先天色覚異常に対する眼科医の発言を見ていると、「当事者の利益のため」と言いつつも、返す刀で「社会の安全のため」という二段構えのロジックが駆使されることが多い。交通安全の問題はその典型例だ。それに対して、ここで簡単に考察したことからは、こと交通事故については「当事者の利益」「社会の安全」の両方の面で、学校健診での色覚検査や、それを基盤にした「異常者の指導」が寄与してこなかったのではないかという示唆が導ける。つまり「過剰指導」が横行していたのではないか、ということだ。

敬愛する眼科医たちへ 284

結局、色覚をめぐる多くの指導が「過剰」なものだったことは、いわゆる制限の「撤廃」以降、多くの職業分野で、個別に苦労する事例はありつつも、系統だった問題に発展していないことからも明らかではないだろうか。第1章で示したような事例を避けたいのは当然のこととして、だからといって、それらを避けるために、学校健診で従来どおりの色覚スクリーニングを徹底すべきというのは筋が悪い。すべての人がパイロットや鉄道員になりたいわけでもなく、基準も時代とともに変わる。色覚異常の当事者全員が生活上、困っているわけでもない。

今後、色覚臨床の専門家に考えてほしいのは、これまでの歴史的な経緯をいったん棚上げし、自らの専門性ゆえのバイアスを自覚した上で、21世紀水準のエビデンスに基づいた議論に追いつくことだ。これまで何度も提出されてきたような、眼科医の診療を通じて得たエピソードの羅列（症例報告や症例集積研究に相当）は、今、診療のガイドラインを作る際には「エビデンスの強さは非常に低い」と見なされるものだ。また、専門家の意見やコンセンサスも、研究の方向性を示唆するものとしては重視されるものの、それ自体はエビデンスとして用いられない[★22]。

科学的根拠に基づいた医療（EBM）のエッセンスは、「最良の科学的根拠（エビデンス）を、良心的に、明示的に、思慮深く活用する」ことだと先にも紹介した。しかし、ぼくが垣間見た色覚診療の世界は、「良心的」であることは間違いなくとも[★23]、エビデンスに足るものを構築することと、それを明示的に思慮深く活用することについては十分とは言えないと判断せざるをえない。

おそらくこの指摘は、眼科医たちにとって「そんなことは、とっくに分かっていた」というものかもしれない。というのも、色覚臨床を専門とする眼科医たちも皆、それだけに専念しているわけではなく、別の眼科領域の診療と治療を日々行っているからだ。そして、白内障にせよ、緑内障にせよ、糖尿病網膜症にせよ、加齢黄斑変性症にせよ（他の何にせよ）、診断と治療は「最良の科学的根拠（エビデンス）を、良心的に、明示的に、思慮深く活用する」ことで成立している。21世紀のすべての眼科医にとって、ＥＢＭはすでに日常的なものだ。先天色覚異常のスクリーニングと、その後の確定診断、事後措置にまつわる領域だけが取り残されているのではないかと非専門家から指摘があったことを機に、一歩踏み出していただければと願う。取材を通じて知ったすべての敬愛すべき眼科医に期待することである。

★1──ＥＢＭのなんたるかについては、１９９６年のＢＭＪ（ブリティッシュメディカルジャーナル）論文がよく引用される。「根拠に基づいた医療：それはどのようなものであって、どのようなものでないのか」Sackett, D.L., et al., "Evidence based medicine: what it is and what it isn't" *BMJ*, vol.312, 1996.

★2──Wilson, J.M.G. & Jungner, G., "Principles and practice of screening for disease" *World Health Organization Geneva*, 1968. https://apps.who.int/iris/handle/10665/37650

★3　「疫学・生物統計学資料」（中澤港、神戸大学大学院保健学研究科パブリックヘルス領域／国際保健学分野）http://minato.sip21c.org/publichealth/epidemiology.pdf

★4　中澤によれば、「Wilson and Jungner の報告書から40年を経て、ヒトゲノム解読が完了した現代に、スクリーニングをすべき基準を見直した論文が、Andermann らにより最近多数 publish されている」という。その嚆矢となった、Andermann et al. "Revisiting Wilson and Jungner in the genomic age: a review of screening criteria over the past 40 years", *Bulletin of the World Health Organisation* 86(4):317-9, 2008. では、ここで挙げた基準を含む新たな10の基準を示している。遺伝子スクリーニングの時代を意識したものだが、広くスクリーニング一般に適用できる（適用すべき）内容になっている。

★5　『遺伝医療と倫理・法・社会』（福嶋義光監修・玉井真理子編集、メディカルドゥ、２００７年）の第1部総論に収録。

★6　『日本の眼科』（91巻6号、２０２０年）に掲載された「学校保健の頁　これからの眼科学校保健」（東京都眼科医会、古野史郎）によれば、目下、学校健診での色覚検査は再度、普及しつつあり、２０１８年の時点で、東京都の自治体の82・3%で色覚検査が実施されていたという。１００%ではないことについて、「いまだにプライバシーの侵害と考える一握りの人たちの意見があることはいなめない」という分析をしており、プライバシーよりも他の要素に本質的な問題があることは理解されていないようだ。一方、「眼科学校医は色覚について正しく理解し、知識を蓄えることが大切である」という点については大いに意を強くする。

★7　李啓充「乳癌検診をめぐる大論争（1）（連載：続アメリカ医療の光と影）」http://www.igaku-shoin.co.jp/paperDetail.do?id=PA02867_05

★8　乳がん検診をめぐるコクランレビュー。メタアナリシスという手法で複数の信頼できる研究を統合して結論を導いている。Gøtzsche, P.C.& Jørgensen, K.J. "Screening for breast cancer with mammography." *Cochrane Database Syst Rev*, 2013.

★9——「有効性評価に基づく乳がん検診ガイドライン２０１３年度版」（独立行政法人国立がん研究センター、２０１４年）

★10——さらにもうひとつ大切な点。ここでの感度と特異度の説明が、控えめにいっても誤解を招く部分があり、石原表の次の版ではぜひ改善すべきと思われる。医学生が試験の解答にこのように書いたら、「本質を理解していない」とバツをくらうだろう。実は、検査対象の集団における検出したい病気・障害の頻度によっては、「特異度が高いはずなのに、〝偽陽性率〟が高い」「感度が高いはずなのに、〝偽陰性率〟が高い」という結果になることがあるからだ。具体的には後で「女子の色覚検査」（２７３‐２７６頁）にからめて説明する。

★11——「公益財団法人一新会　沿革」http://square.umin.ac.jp/issinkai/enkaku.html

★12——岡島修「石原式色盲検査表における使用色と異常者検出能力」（『日本眼科学会雑誌』85巻10号、１９８１年）。東大入学者３０７７人の被験者のうち石原表で色覚異常と判断された１５７人のみがアノマロスコープ検査を受けた。これでは感度も特異度も分からない。

★13——Birch, J. "Efficiency of the Ishihara test for identifying red-green coiour deficiency." *Opthalmic and Physiological Optics*, vol. 17(5), 1997.

★14——「眼科医の分布に関する資料」（日本眼科医会、２０１０年）https://www.gankaikai.or.jp/info/bunpu_H22.pdf

★15——「色覚異常について」（神奈川県医師会、２０１９年）の9頁。https://www.kanagawa.med.or.jp/images/shikikakuijounitsuite201901.pdf

★16——石原表序文で使われていた「偽陽性度」は、陽性反応的中度と対になる概念だ。図6‐1をあらためて見ると、前者はｂ／（ａ＋ｂ）に、後者はａ／（ａ＋ｂ）に相当する。つまり、ふたつを足し合わせると1になる（１００％になる）。

★17——現行の制度、システム自体が、職業適性における色覚異常の受け止め方に影響を及ぼすことを示唆する興味深い研究がある。森谷亮太（小樽商科大学）が、日本とカナダの航空パイロットに行ったアンケート調査では、「色覚異常の当事者は飛行を制限されるべきか」という問いに対して、現状の制限が厳しい日本と穏やかなカナダでは、パイロットの反応が対照的に分かれた。日本では「目が100パーセント健康でなければならない」（色覚異常の当事者による飛行を認めるわけにはいけない）と否定的な意見が出たのに対して、カナダでは「電子機器があるから問題ない」「航空機のライトや地上設備のシグナルの色が分かればよい」といった回答になった。「A comparative culture study of color vision requirements for aviators : Japanese "Disablism" or Canadian "Ableism" for safety?」（森谷亮太『比較文化研究』119号、2015年）なお、国際線のパイロットの資格は、各国がそれぞれの条件で認定するので、カナダの基準で認められた先天色覚異常のパイロットは日本の国際空港にも飛来している。

★18——市川は「規制が始まる以前に起こった色誤認による事故などを再現させる危険」を訴えるわけだが、この論文で挙げられたかつての交通事故の報告事例自体、瑕疵があることが分かっている。『色覚差別と語りづらさの社会学——エピファニーと声と耳』（徳川直人、生活書院、2016年、219頁）において、徳川は引かれた2論文に直接あたり、それらが結局は同じ事例に言及したものであることと、色覚が主因とは考えられないものだったことを示した。徳川の著作は、20世紀の諸状況について本書とは別の角度からより慎重に取り組んでおり、併読を強くお勧めする。

★19——警察庁の統計表サイト。https://www.npa.go.jp/publications/statistics/koutsuu/toukeihyo.html

★20——『平成17年警察白書　世界一安全な道路交通を目指して』『平成29年警察白書　交通安全対策の歩みと展望』

★21——「令和元年における交通死亡事故の発生状況等について（警察庁交通局）」 https://www.npa.

go.jp/publications/statistics/koutsuu/jiko/R1shibou_bunseki.pdf

★22――公益財団法人日本医療機能評価機構が発行する『Minds 診療ガイドライン作成マニュアル2017』（113頁）による。https://minds.jcqhc.or.jp/s/guidance_2017_0_h

★23――今も昔も、色覚外来を維持しているのは、先天色覚異常の問題を重く見て、これまでに述べてきたような事例に心痛めている善意の医師たちだということは強調したい。色覚異常の検査の診療報酬の点数は低く、石原表だけの検査の場合は48点、アノマロスコープやパネルD 15テスト（色相配列検査）を行っても70点にしかならない。これらで医院が受け取るのはそれぞれ、480円、700円だ。検査だけでも15分では済まないし、その後の説明については非常に長くかかる可能性もある。さらに生活上の諸注意や、将来の進路についての指針など、本人や保護者の求めに応じてカウンセリングをしても診療の点数はつかない。

# 終章
# 残響を鎮める、新しい物語を始める

## 共鳴箱の中で

かつて、こんな社会があった。

「先天色覚異常は危険であり、見逃すことなく、すべて検出して、進学や就労を制限しなければならない」と眼科医が言い、

「それならば、うちの会社では制限を設けます」「うちの大学でも門前払いします」と企業や教育機関が追従する。

「日本人がよりよくなっていくためには、劣った遺伝を排除していくことも必要だろう」と遺伝学に詳しい科学者が言い、

「ならば、中学、高校の教科書でも、注意喚起しましょう。学校健診では色覚検査を必須項目にして、すべての色覚異常者を見つけましょう」と教育行政がお墨付きを与える。

「医者も、企業も、大学も、科学者も、行政も、いろいろ言っているみたいだから、やっぱり色

覚異常はこわいんだね」と多数派の「正常色覚」の人たちは思い、娘が先天色覚異常の男と結婚しようとするなら、一族をあげて大反対する。あるいは結婚相手の身辺調査をして先天色覚異常の親類はいないか確認する。

先天色覚異常の当事者たちは、ひたすら黙り込み、自制を強いられる。生まれつき劣等に生まれた者として、自らの出自を呪い、その呪いの遺伝子が娘や孫に伝わることを恐れる。あるいは遺伝子を伝えた母や祖父を恨む。

色覚異常をめぐって語られる様々な言説が互いに補強しあい、今からみると滑稽ですらあるほどの過剰反応が蔓延した。20世紀の「実話」である。

時々、良識派の眼科医が「さすがにここまでの制限はひどすぎる」と問題にしたり、「優生学的な発想は間違っていた」と科学者が反省したり、「色覚異常でももっとたくさんのことができるはず」「そもそも、検査以外では自覚できないんですが」と当事者が勇気を持って発言しても、それらは不協和音としてかき消された。

1980年代後半になって、人権意識の社会的な高まりや、一部の眼科医の積極的な活動のおかげで、信念の体系にヒビが入るに至った。また、20世紀末から21世紀のはじめにかけて設立されたいくつかの当事者団体の声と行動も成果をあげ、かなり事態は改善されたものの、今も共鳴箱の残響は消えずに響き続けている。

そろそろ、残響を鎮めて、先に進む頃合いだ。

結局、ぼくが取材の中で見出した最重要概念は、色覚の「多様性と連続性」につきる。生物学的には様々な意味で「正常」と「異常」に分かち難い多様性が、まさに連続性をもって分布しており、それも進化の中で培われたものである可能性が高い。それを織り込んで考えれば、これまでのぼくたちの「色覚観」は根本的に変わる。

それでは、新しい色覚観のもと、ぼくたちは「色覚」や「色覚異常」とどんなふうに付き合うべきだろう。まずは、第1部で掲げた「大きな問題」と「小さな問題」に立ち戻り、本書を通じての問いかけに答える。

その上で、今や色覚の問題は、色覚という限られた領域だけでなく、他の諸分野と通じ合い、照らし合うものである可能性を示す。ひょっとすると、本書の冒頭でも書いた通り、色覚の問題を考えることは、「多様性の時代」であり、「ゲノム時代」とも言われる21世紀において、より健全な世界観を手に入れるための練習問題かもしれない、と。

## 検査法と定義の癒着が景色を覆い隠した

大きな問題、つまり、「20世紀からつながる色覚をめぐる「問題系」がどんな形をしているのか」という問いは、こうやって一冊を通じて議論してきた後でもいまだに大きな問題のままだ。

かつて、優生思想とも親和性が高かった科学者や医師、沈黙を余儀なくされた当事者、遺伝的な差別にお墨付きを与えた教育行政、ひとたび流布した「色覚異常は危ない」という固定観念を追認し続けた企業や教育機関など、さまざまなプレイヤーが、たがいを根拠にしつつ、共鳴箱の中で色覚異常の当事者たちを排斥する旋律を奏で続けた仕掛けがなぜ発動したのか。それについては、適切な訓練を受けた歴史家や社会学者らによる解明を待たなければならないだろう。

しかし、20世紀の最後の四半世紀以降、21世紀に至るまで、共鳴装置にヒビが入りつつも、長きにわたって残響がかき消えなかった背景については、本書での検討から多少の知見が得られたと思う。

今、色覚をめぐる科学諸分野と医学との間にギャップができてしまっている様子をかなり詳細に描いた。そこではっきりしたのは、医学(先天色覚異常の眼科)側において、多様性と連続性の受容が遅れたことだ。そして、その際に、特定の検査に特権的な地位を与えて、色覚異常の定義と検査法が一部、一体化してしまっていたことも指摘した。これによって、多様性と連続性の景観がますます覆い隠されてしまった、というのが見立てである。これをもって、「大きな問題」の暫定的な回答としたい。

## 従来型の色覚検査は解決策にならない

では、こういった理解のもと、色覚臨床の現場で眼科医が訴えている21世紀の色覚問題は、どのように解決されるのがよいだろうか（「小さな問題」）。従来型のスクリーニング検査が問題外であることは、前章で結論した。しかし、あくまで大局的に見た場合の話だったので、もう少し細かい点を見ておく。

まず、第1章でも見た、21世紀の色覚異常の当事者が今、抱えている困難を思い出そう。ざっくり言うと、（1）「学校などで不利な扱いを受ける（無理解な教師に傷つけられるなど）」、（2）「就職の時になってはじめてわかり、その時になって進路の修正を余儀なくされる（あるいは、就職してから苦労する）」という2点に集約される。

これらの対策として、眼科医たちは、学校健診での色覚検査を広く呼びかけているわけだが、本書での検討を経た結論としては、従来型の色覚検査をそのまま広く徹底して行うことは解決策にならない。

まず、（1）については、色覚検査が広く行われていた20世紀にも報告されていたことなので、検査をまた広めたからといって直接の解決になるとするのは楽観的すぎる。別の考えが必要だ。実はこの問題には、もっと大きな構えが必要かもしれない。後述する。

（2）については、あらかじめ色覚検査を受けて、「きみはこっちに行ったら苦労するよ」と伝えれば、たしかに激減するかもしれない。しかし、それが本当に機能してしまったら、どれだけの数の人たちが、不必要だったかもしれない自制を働かせて、自らの可能性を狭めてしまうだろうか。「負のラベリング」というのは、別に社会的な偏見だけを言うのではなく、自分自身にラベリングをしてしまうことでもある。

もう少しだけ口を酸っぱくして語っておく。

第1章で引用した團伊玖磨は、1994年になって「微温湯」と題したエッセイを公表した。[★1] 学校での色覚検査をプライバシーに配慮して個室で行うべしとした新聞記事への反論として、〈色覚の異常という事柄は、プライヴェートの問題では無く、対社会的問題である。……この問題は、進学、職業の撰択から始まって、事故、迷惑の防止、優生学的な意味での結婚への熟慮等々、生涯続けなければならない自制と熟考を要求される事柄なのである〉と激烈な調子で訴えた。

ぼくはこれを、当事者の自分自身への負のラベリングが内面化し、規律化した事例だと捉えている。なお、このエッセイは、翌年、日本眼科医会の雑誌『日本の眼科』に転載された。当時の眼科医たちにとって、自らの「指導」の結果をかくも純粋に受け止めた当事者は好意的に受け止められたようだ。

もっと日常的なレベルで言えば、こんな例が挙げられる。

先天色覚異常の当事者は、まるで血液型性格占いの信奉者が「わたしはB型だから」と占いで示される類型のように振る舞う、いわば予言の自己成就に似た行動をしてしまうことがある。

例えば、ネットでよく「ネタ」のように消費される、「色覚異常だと焼き肉の焼け具合が分からない」という説。実際に、ある種の当事者には、深い赤と黒の識別が難しいことがあり、「焼け具合」が分かりにくい場合もあるだろう。しかし、他のタイプの当事者まで、「自分は色覚異常なので」と判断をやめてしまうことがある。実際のところ、よくよく検証してみたら、ちゃんと識別できていて本人が驚いたエピソードを何度か聞いたり、目の前で見たことがある。

さらに、ぼくはブラインドサッカー（視覚障害者のサッカー）の小説を書いている関係で、全盲の知人も多いのだが、「焼き肉の焼け具合？　分かるよ。だって、脂がバチバチはねなくなってくれば焼けてるから」と、本当に問題なく焼け具合を判断している人もいることも注記しておきたい。ぼくははじめてその発言を聞いたとき、「そりゃあ、そうだ！」と膝を打った。霊長類の色覚を研究した河村が「みんな自分の持っている感覚を総動員して生きているわけで、1つの感覚の性能のみで全体を語るのには慎重でなければならない」（第3章）と語ったことを強烈に思い出した。

みんな、それぞれの感覚を総動員して生きている。色覚について「これは苦労するよ」という親心は、当事者の可能性を狭める恐れが強いので慎重でなければならない。「調理師にはなれない」「カメラマンにはなれない」「美容師にはなれない」「デザイナーにはなれない」「板前にはなれない」「ショップ店員にはなれない」「看護師にはなれない」といった「なれないリスト」を強調していると、必要のない自己規制をしてしまうだけでなく、それが社会的な事実になってしまう回路が発動するので、本当に気をつけなければならない。

## 助言が必要な人を選び出し、必要な時に伝える

　こういったことも踏まえた上で、21世紀型の色覚悲劇を避けるためには、その悲劇の当事者になる可能性がある人をピンポイントで探して助言することに注力するのが一つの道だろう。これまでの眼科的な「正常・異常」にこだわることなく、自らの色覚を早めに知ることで学校生活上の問題を軽減できる可能性が高い児童たちを見出して伝えることなら正当化できるかもしれない。

　2003年に学校健診の色覚検査が「撤廃」された時、撤廃論を牽引してきたと目される眼科医の高柳泰世らは、実際には一切の検査をなくすのではなく、学校での生活上、問題になりうること、例えば、板書に使われるカラーチョークや、教科書のカラー図版（特に社会科の地図など）が識別しにくい児童を見つけ出すために、簡易版の検査表、カラーメイトテストを考案し、代わりに使うことを提唱した。★2 2000年から利用できるようになり、2012年には学校保健学会の学会賞を受賞するなど評価を得る一方で、眼科的な診断との整合性の問題から（眼科的な診断には使えない）普及せず、高柳が本拠とする名古屋市と一部の学校で使われるにとどまっている。★3

　高柳らのカラーメイトテストの検査としての出来栄えは、本書では評価できない。しかし、この時点で、先天色覚異常と呼ばれるものの「多様性と連続性」を理解し、色覚検査というのは「どこで区切るか」というカットオフの問題であることに気づき、学校生活上、「本当に困っている」層を検出することに照準したことは慧眼だ。ぼくの目には、この時、「学校での色覚検査」

を本当に撤廃してしまったのは、撤廃派とされる高柳らではなく、こういった検出すべき対象について自覚的な簡易テストを否定しながら、自らは代案を提案しなかった当時の指導的な眼科医たちであるように見える。

一方で、日本眼科医会の医師たちは、10年後に起きる悲劇を予期した上で、「待機」した。それを予期したなら、「10年後に悲劇に見舞われる可能性が高い人たちに、適切な時に知らせる」回避策を考案した方がより親切だっただろう。

今必要なのは、検査で本当にメリットを得るのはどういう人かを熟考した上で、そういった人たちを検出することだ。カラーメイトテストである必要はなく、第5章で紹介したCADやCCT、あるいは似た原理のものを考案してもよいのではないか。[★4] ロンドン大学シティ校のジョン・バーバーは、CADのスクリーニング版であるCVS（CAD Vision Screener）を準備しており、近日中にWEBで公開するとのことだから、それを参考にするのもよいだろう。[★5] 小学校の段階では「本当に困っている」児童をまずは見つけ出し、眼科医たちが培ってきたカウンセリングのノウハウを活かしていただければと心から願う。

その上で、進路指導が必要な時には、また別の話になるだろう。中学生以降、鉄道の運転士など、特定分野を志望する生徒にとっては、自分の色覚を確認しておく意味は、現時点では大いにあるように思う。でも、それは、希望者だけ、進路を自ら考える年齢以上、というふうに限定する方がよいだろう。自分は先天色覚異常であるということを知らないまま一生を送る当事者がいてもよいのだから。

ちなみに、人口の半分近い人たちが、自分が「軽微な変異3色型」だと気づかずに一生を送っていることを思い出してほしい。そういう人たちにまで、「軽いほど危険」と自覚を迫る必要はない、というのは言うまでもない。

もっとも、極度の色弁別（スーパーノーマル）を要求するテストパイロット（アメリカ空軍がその基準を検討）を志望して、自分の色覚がそれに満たないことを知った者が、「もっと早く検査しておけば、志望して無駄をせずに済んだのに！」と言うかもしれない可能性は、思考実験としてでも検討してみるとよいかもしれない。めったにいないテストパイロット志望者のために、全員を検査の網にかけるべきだろうか。そうでないとしたら、いつ、どんなかたちで、そういった「被害」を少なくするための介入ができるだろうか。

結論としては、やはり、検査は、必要な人に、必要な時点で。それにつきる。しかし、狭間にこぼれ落ちてしまう人たちは、どんな場合にもいるわけだから、注意深く見ていかなければならない。

その一方で、もうひとつきわめて大事な点がある。正当化できる「必要な検査」を行うにしても、さらにその前提となる条件として、眼科医にお願いしたいことがある。

つまり、職業上の制限で、今もフェアではないものが残っているなら（まだかなり残っていると思われる）、それをフェアなものとするために、眼科医側から働きかけをしてほしいということだ。

「本来そのようなことはあってはならないが、現実は厳しい」というのは、差別なり不公平なりを追認しているにすぎないことはすでに指摘した。眼科医の意見は、今も社会的に重きを置かれているし、これからもそうだろう。今後は、そういった意見が、「最良の科学的根拠（エビデンス）を、良心的に、明示的に、思慮深く活用する」精神に則ったものであるように期待する。

## 環境を変える

もうひとつ大切なのは、環境を変えるアプローチだ。

つまり、色のバリアフリーと呼ばれる観点である。先天色覚異常の有無にかかわらず識別できる色の使い方や色だけに頼らない情報伝達を徹底しようというもので、日本眼科医会でも色覚啓発教材「学校における色のバリアフリー」を配布するなど、普及につとめている。

実際、21世紀になって、学校現場でも多様な色覚に配慮する動きが進んでいる。教科書も、今ではたいてい当事者団体のチェックを受けて、区別がつきにくい色の組み合わせを排したり、色だけで判断しなければならないような局面をなくしており、かなり改善されたと聞いている。

黒板に赤チョークを多用する教員が今も多いという問題は嘆かわしいが、教員への啓発と同時に、チョークそのものを変えてしまうという考えもある。赤の色相を朱色方面に少しずらして、黒板の上でも見えやすいものにするなどすれば恩恵を被る当事者は多い。かつては「色覚に配慮したチョーク」でも、それほど効果がないという話を聞いたものだが、これも最近は、改良されたものが手に入るようになったという。

ＮＰＯ法人カラーユニバーサルデザイン機構（ＣＵＤＯ）は、当事者団体の一つでありつつ、「カラーユニバーサルデザイン」（色のバリアフリーのこと）を実現する事業を多く展開している。「カラーユニバーサルデザイン認証」に適合した商品に認証マークを与えるなど、色の環境整備に熱心で、津波警報の配色や色調を東京大学と共同で策定したことでも知られる。そのＣＵＤＯが認証を与えたチョークが、すでに市販されている。

なお、ＣＵＤＯをめぐっては、画期的なニュースが本書の取材中に飛び込んできた。２０１８年４月、ＪＩＳ（日本工業規格）が、安全標識など安全を確保するために使う色として「ＪＩＳ安全色」を改定した際、ＣＵＤＯが提唱していたユニバーサルデザインカラーを取り入れたのである。

ＪＩＳを所管する経済企画庁は、誇らしげにこんなプレスリリースを出している。

〈安全標識は、遠くからでも容易に「禁止」、「安全」などの指示内容が一目で認識できなければなりませんが、その認識性はデザインと色使いに左右されます。対応する国際標準との整合を保ちつつ、多様な色覚を持つ人々の安全標識に対する認識性を向上させるため、色の組み合わせに対する認識性調査により選定した色（ユニバーサルデザインカラー）を採り入れたＪＩＳ Ｚ ９１０３（図記号－安全色及び安全標識－安全色の色度座標の範囲及び測定方法）の改正を行いました。

これにより、多様な色覚を持つ人々や訪日外国人を含め、多くの人々の安全の確保及び利便性の向上が期待されます。★6〉

口絵10を見てほしい。新しいＪＩＳ安全色では、赤を少し黄に寄せてある。また、黄や青の明度を上げるなど、先天色覚異常の当事者だけでなく、いわゆる弱視、ロービジョンの人への対応も行っている。

大事なことだが、こういう配慮は、当事者だけのためではない。「あなたが危機にあってそれを知らせたい時、気づいてもらえなかったら嫌でしょう?」というような状況をちょっと想像してもらえるといいかもしれない。

第1章で眼科医の中村が紹介してくれた印象深い事例を思い出す。現場のコンクリートの上に描いてある赤い線が見えなくて困っていた建築の現場監督がおり、朱色の塗料を使えば問題がないはずなのにコストがかさむために導入は無理、となってしまった。それをきっかけにその会社では、先天色覚異常の当事者の採用を厳しくすると決めたという。とても残念な事例だ。

しかし、これからは大丈夫だ。特注するまでもなく、標準の安全色が朱に近い赤になる。この環境なら、困っていた現場監督は最初からこういう困難そのものに直面せずにすんだ。

結局、本人への働きかけを語るのと同じくらい、場合によってはそれ以上に、環境の整備が大切であって、それらは両輪だ。

## 「色覚観」を組み替える

以上の議論で、当初、掲げた「大きな問題」「小さな問題」には一応の考え方を示せたと思う。しかし、一点のみ「学校などで不利な扱いを受ける（無理解な教師に傷つけられるなど）」という問題だけは、特別、根が深いのではないかと指摘しておいた。

もちろん学校内のことであることを考えれば、教師に対する啓発が大事だ。しかし、教師も社会の中の存在であって、その社会で通念となっていることに反するような指導はしにくいし、モチベーションもないだろう。だから、これは実は教師の理解というだけでなく、先天色覚異常についての「社会的な受け止め」にかかわっていることだ。「無関心」な人が多い社会では、「色間違い」を「ふざけている」などと叱責される事例は増えるだろうし、一方で、「関心が高い」社会でも、それが「色覚異常は危険」というような予断によって問題視されているなら、やはり「間違う自分の身の程を知れ」というような、当事者を傷つけるメッセージが多く発せられることになるだろう。

だから、これを解決するには、ヒトの色覚についての理解が社会的に深まる必要がある。まずは、色というものの性質を知り、「正常」だろうが「異常」だろうが、たがいに常に間違い合っていることや、そもそも、誰が正しく、誰が正しくない、というものではないことは、基本中の基本だろう。これを知るだけでも、「色間違い」という言葉自体が、概念としておかしいものだと気づく。「健全な錯視」である色覚には、コンセンサスはあっても、「間違い」はない。だから、それは「間違い」ではなく、「少数派」であるだけだ。

そして、そのような多様な色覚が現在のような形で存在するのは、進化の中で培われてきたものであること。普通の検査では分からないが、「ドンピシャの正常」（と想定されるもの）からずれている人はとても多いこと。そのように様々な見え方がする人たちがいること自体、ヒトが持つ力強さの一部なのだということ。そんなふうに理解の枠組みを組み替える必要がある。

では、どうすればいいだろうか？

第1章でぼくが「負のラベリング効果」を話題にした時、日本眼科医会の宮浦は「なぜ負のラベリング効果だと思いますか？　もし社会的にそう思う人が多いなら、その偏見をなくしていかなければならないんです」と述べた。ぼくはその意見に完全に同意する。そして、今、この件が、最後にして最大の難問そのものであると思っている。

一朝一夕にはいかないにせよ、どんなアプローチがあるか、本書の文脈の中で挙げられることをいくつか考えていきたい。

## 用語の問題

ひとつ大事なことは、「用語の問題」ではないだろうか。

「多様性と連続性」の考えを基盤にすると、先天色覚異常という言葉はそもそもおかしい。日本遺伝学会は、用語集から「異常」という言葉を排した上で「色覚多様性」の概念を提案したけれど、多様な色覚の個別の類型をどう呼ぶかということについては踏み込まなかった。だから、まさに今、議論が必要だ。

医学的な用語としては、2007年に用語が改訂されて、「色盲」は「2色覚」に、「赤色弱」は「1型3色覚」といったふうに変更された。しかし、総称としては「先天色覚異常」だし、「色弱」も「異常3色覚」というふうに「異常」という言葉が残された。この改訂には、差別的な言葉をなくす意図もあったはずなのだが、残念なことだ。また、すでに触れた通り、改定後の用語はかなり紛らわしい。

では、本書で得た知見から、なにか改善案を提案できるだろうか。

CUDOが提案し、使っている用語が注目に値する。[★7] それによれば、まず1型色覚をP型、2型色覚をD型と表記する。これは研究者たちもよく使う略称なので、学術的な世界とも整合性が高い。

さらに、正常色覚を、「正常」ではなく、頻度が高いことを意味するCommonであると捉えて、「C型色覚」と読み替えた。

「異常」というワードに気を取られがちだが、正常は異常とセットになっている概念なのだから、こちらも別の概念に置き換えたほうが自然だ。それを、C型（頻度が高いタイプ）とするのは、それこそ、古代インド人がゼロを発見したかのような爽快さがあった。

ただ、少し問題もある。PかDかCかばかりを強調すると、今度は2色覚と異常3色覚の違いが覆い隠されてしまう。これらはかなり見え方の体験として違うものだ。色覚の基礎研究の世界では、異常三色覚はPA、DAと表記されるので、それを使えばいいのかもしれない。あるいは、P型2色覚、P型3色覚、D型2色覚、D型3色覚といった呼称でもいいかもしれない。このあたりを試案として、図にまとめてみた（図7-1）。

悩みどころとしては、C型の日本語での呼称や、先天色覚異常に相当する総称が難しいことだ。C型について、CUDOは「一般色覚」を提唱しているが、あくまで頻度にこだわるなら「多数色覚」もありえるだろう。一方、先天色覚異常も、あくまで頻度論で考えると、「少数色覚」ということになる。しかし、「先天少数色覚者」などと書くと、何かがおかしい。少数、多数はたまたま集まったグループでも変わりうる。当事者団体の会合や色覚に関わる学会に出席すると、C型の方が少数になっていること

図**7-1**　**頻度に着目した色覚用語の試案**

| | | 3色覚<br>(Trichromacy) | 2色覚<br>(Dichromacy) |
|---|---|---|---|
| C型色覚<br>(Common 旧・正常色覚) | | C型 | 該当せず<br>(C型は常に3色覚) |
| 少数色覚？ 非定型色覚？ | P型色覚<br>(Protan) | P型3色覚<br>PA | P型2色覚<br>P |
| | D型色覚<br>(Deutan) | D型3色覚<br>DA | D型2色覚<br>D |
| | T型色覚<br>(Tritan) | T型3色覚<br>TA | T型2色覚<br>T |

CUDOの用語をベースに発展させた。この表以外にも、1色覚（桿体1色覚、あるいは錐体1色覚）が稀に報告される。

もよくある。今後、調査が進むと、「軽微な変異3色型」とされるような人の方が実は多数派であるような集団も見つかるかもしれない。そこで代案として、「非典型色覚」「非定型色覚」というものを考えてみたが、今ひとつしっくりしない。

なおCUDO自身は、先天色覚異常の総称を「色弱(者)」としている。これは、「多数派の3色覚の人にだけ対応した配色を情報伝達に使う社会では、情報が正しく伝わらず弱者になってしまっている人」、ということで、やはり頻度論的な発想だ。これもまた「事実」だし、色弱者が暮らしやすい社会を目指すために「カラーユニバーサルデザイン」(色覚バリアフリー)が必要という議論の際にも、弱者としての立場を強調するべき時はあるかもしれない。しかし、本書での議論からは「負のラベリング」要素が強すぎるようにも感じ、ここでは採用しない。カラーユニバーサルデザインが社会の隅々にまで行きわたった時には「色弱者」も弱者ではなくなるかもしれず、CUDOの活動は「色弱者を弱者としないための試み」と捉えることもできる。だから、その先の呼称を構想する意味は大きいだろうとも思う。

**色覚多様性は進化の問題である。**

そんなおり、頻度論を超える観点からの提案があった。北海道大学の進化生物学者、分子生態学者である早川卓志が、先の案に対してこんなコメントをくれた。

「頻度論ではなく、よりメカニズムに根差した言葉がいいのではないでしょうか。生物学の世界では、頻度論は、分子遺伝学や分子進化学以前の考えです。より進化のメカニズムに則して考えると、「正常」や「Common」は、祖先型（分子遺伝学ではWildtype、分子進化学ではAncestral）です。そして、先天色覚異常とされてきた色覚は、それぞれLオプシンとMオプシンに、人類進化の過程で派生的に現れたものなので、派生型（Derived）です。だから、「正常」「Common」とされてきたものを、祖先型（Ancestral）、A型と呼ぶのはどうでしょうか。科学的エビデンスがあり、またニュートラルな言い方ではないかと思うのですが」（図7-2）

早川は、チンパンジーの味覚の進化を皮切りに様々な生き物の感覚受容器の多様性と進化を研究する新進気鋭の研究者であり、第3章に登場した河村正二の年少の「同業者」である。早川自身、学生の頃から色覚進化に関心を持ち、自らの研究テーマとしては味覚や嗅覚の進化を選んだ。色覚多様性にかかわる適切な用語について

図**7-2**　**進化的なメカニズムに着目した色覚用語の試案**

| | | 3色覚<br>(Trichromacy) | 2色覚<br>(Dichromacy) |
|---|---|---|---|
| 祖先型色覚(Ancestral)<br>or 野生型 Wild<br>or 基部型 Basal | | A 型 | 該当せず<br>(A 型は常に3色覚) |
| 派生型色覚? | P 型色覚<br>(Protan) | P 型3色覚<br>PA | P 型2色覚<br>P |
| | D 型色覚<br>(Deutan) | D 型3色覚<br>DA | D 型2色覚<br>D |
| | T 型色覚<br>(Tritan) | T 型3色覚<br>TA | T 型2色覚<br>T |

北海道大学・早川卓志の案のもとに作成。先天色覚異常を「派生型」と一括して捉えられる。

もずっと考えてきたという。

早川のこの提案が魅力的なのは、科学が明らかにした進化生物学の真実がベースになっていることと、先天色覚異常の総称としては、「派生型色覚」というフラットな言葉を使うことができることだ。ひょっとすると、変異が入っていない「正常」を意味する「祖先型」が嫌だという声もあるかもしれないが、その場合には、「野生型」(別の意味で嫌な人がいるかも)、「基部型」(系統学の言葉だが、派生するものの根っこにあるものという意味は出せる)といった代案もある。

なお、この話を議論していると、仲間うちである種の誤解が誘発されやすいことが分かった。ここでは、「祖先型＝旧・正常色覚」「派生型＝旧・先天色覚異常」なのだが、「祖先型」の方が先天色覚異常だと思う人が多いのである。

これは、こんな理屈だ。つまり、我々(ヒト、3色型と2色型の混合)の先祖である霊長類(3色型)のさらに先祖の哺乳類(2色型)というふうに時間をさかのぼっていくと、ヒトの中の2色型はご先祖様だった太古の哺乳類への先祖返りというふうに意識される、ということなのである。

でも、それは違うと早川は言う。

「人類の二色型は、別に先祖返りしたわけではなくて、人類だけのものですよ。人類集団だけに派生的に現れたものだというのは、色覚の遺伝子のメカニズムを見れば明らかなんです。つまり、人類の祖先集団は、正常色覚と呼ばれるタイプを、チンパンジーとの共通祖先から分かれたときから祖先型として持っていて、そこから人類集団の中で派生したのが、2色覚や異常3色覚と呼ばれているタイプです」

日本遺伝学会の小林が、脊椎動物の色覚進化について、「その時その時の自然の選択として、種を救ってきた」と述べたのを思い出した。当初は典型的な狭鼻猿霊長類として3色型であっただろう人類（あるいは直近の祖先）が、自分たちの遺伝リソースと遺伝メカニズムの中からまた2色型を作り出したのも、まさにそういうことなのかもしれないのである。

若干の混乱要素がありながらも、こういったことを受け止めることは、そのまま進化についての理解が深まることでもある。ぼくは、早川のこの議論には大きな魅力を感じている。

いずれにしても、色覚多様性時代の新しい呼称については、継続審議、である。現在の眼科的な用語が、日本遺伝学会の提案を受け止めた上で変わる時が来るなら、ぜひこういうことも検討してもらえないかと願っている。

たかが用語と思われるかもしれないが、用語には、前提とする世界観が自然と反映される。今、進化によって培われた「多様性と連続性」を反映した用語を用いるのは、とても自然なことだ。それは言葉の言い換えを超えて、概念の置き換えであって、新しい時代の色覚理解、ひいては人間理解につながるものに違いないのだから。

### 色覚問題からリンクを張る

さらに考えを進める。用語を適したものに変えるのはものすごく大事なことだが、それは、「色覚」にまつわる世界の内側の話だ。

一方で、21世紀の色覚問題が置かれている文脈は、もっと広く、ゲノムの世紀、多様性の世紀の中にある。

では、色覚のことを考えつつも、色覚にとどまらない様々な事象に、関連する案件としての「リンク」を張っていくべきではないだろうか。様々な問題系がある中で、色覚のことだけを突出させるのではなく、一部相似な部分があったり、参考になったりする諸分野と一緒に、新たな時代への理解を深め、課題に対処していければよい。そういうトータルな仕方での底上げが、「最後に残った難問」にも効果があるのではないかとも思うのだ。

すぐに連想が働くのは、「ゲノムの世紀」である21世紀に勃興する様々な遺伝子検査への対応だ。今、いわゆる一塩基多型（SNP）の解析コストが非常に安価になっており、個別化医療、予防医療に役立つことが期待されている。その一方で、個々人が、社会が、新しい状況に適応しなければならない局面に立たされている。

がんなどの疾病リスクが事前に分かれば、リスクが高い人の採用をためらう企業が出てくるかもしれないし、結婚に家族が反対するなどということも起きるかもしれない。いつかどこかで聞いたことがある話だが、遺伝の問題は、新たな技術が登場するたびに似た問題を引き起こす。だから、「遺伝医療の倫理」や「遺伝カウンセリング」が注目され、多くの議論が蓄積されつつある中で、「20世紀の遺伝差別」であった先天色覚異常の問題もしばしば参照されている。例えば、遺伝カウンセラーが座右に置く標準的なハンドブックでは、先天色覚異常についても独立した項目が割かれているし、★8 初学者向けの遺伝カウンセリング入門書では、社会的に成立してしまった強い偏見の中にある遺伝問題の事例として先天色覚異常が紹介されることがある。必ずしも遺伝カウンセリングが得意ではない眼科医の説明に絶望した母子に対して、遺伝カウンセラーがいかに相対することができるかが課題とされている。★9

こういったことを知ると大いに勉強になる。先天色覚異常の問題に関心のある人は「要チェック」と言える。一方で、21世紀の遺伝子検査をめぐる問題に対しても、本書で検討した先天色覚異常をめぐる様々なテーマと相通じる部分があり、情報を共有することがプラスになるのではないかと思われる。

## 新型出生前診断をめぐって

本書を出版する2020年の時点で、多くの議論が交わされている新型出生前診断（NIPT）の問題に目を向けてみる。

まず背景として――

20世紀に実現していた「従来型」の出生前診断、つまり、超音波診断、羊水検査、絨毛検査なども、それぞれその時点で「新型」出生前診断であったことは間違いなく、「新優生思想」につながるとの批判を受けてきた。政策的に行われたかつてのハードな優生思想ではなく、個々人、この場合は、子を持とうとしているカップルたちに働きかけ、個別の判断として優生的な選択が行われていく、というのが「新優生思想」の概略だ。そして、21世紀の新型出生前診断にも同じ批判がなされている。

新型出生前診断は、羊水検査、絨毛検査とは違い、妊婦の血液を見る。妊婦の血液には、本人だけでなく、胎児由来のDNAも含まれており、それを検出するのである。現時点では、3つの染色体異常、21トリソミー（ダウン症）、18トリソミー、13トリソミーについて実用化されている。従来の母体血清マーカーの検査は「精度」が低い一方で、「精度」が高い羊水検査では300人に1人、絨毛検査では100人に1人が、流産や子宮内死亡のリスクがあることから、新型出生前診断は「精度」と安全を両立させた画期的なものと受け止められた（もっとも、新型出生前診断で「疑い」となった場合も、結局、確定診断として羊水検査や絨毛検査を受ける必要があるため、この理解の仕方は間違い）。★10

目下のところ、日本医学会のガイドラインでは、産婦人科医と小児科医が常勤で勤務し、遺伝についての専門外来を持ち、遺伝カウンセリングの体制が準備されている医療機関のみ認定を与えることにするなど、限定的な運用をするにとどまっている。しかし実際には、認定施設以外でも、多くの医療機関が新型出生前診断を提供しており、専門的かつ適切な知識なしにこの検査を受ける人たちも出てきていると思われる。

検査について日本産婦人科学会がまとめた指針の中には、想定されるデメリットが挙げられている。ここでは特に次の一節に注目しておきたい。これは本書の中で、色覚検査について見てきた立場からは、ごく自然に気になる部分だ。

〈ＮＩＰＴは、妊婦から少量の血液を採取して行われる簡便さのため、医療者は容易に検査の実施を考慮しうる。また検査の簡便さゆえ妊婦も検査を受けることを希望しやすい状況となりうる。その結果、不特定多数の妊婦を対象に胎児の疾患の発見を目的としたマススクリーニング検査として行われる可能性がある。〉（「母体血を用いた出生前遺伝学的検査〈ＮＩＰＴ〉に関する指針」公益社団法人日本産科婦人科学会倫理委員会、２０１９年６月改訂）

簡便な検査法があると、人はそれを受けたくなるものだし、医師も実施したくなる。そういう傾きがある。これもどこかで聞いたような話だ。

産むにせよ、産まないにせよ、決断できるのだからよい。

生きるのに苦労すると分かっている子どもを産むことは正しいのだろうか。

などなど、様々な信念のセットがこういった検査のマススクリーニング化（集団を対象とした大規模な検査[★11]となること）を後押しするかもしれない。そして、ただでさえ議論の余地がある検査を、マススクリーニング化し、ひとたび、集団的な検査と選別のループが回り始めたら、社会全体を巻き込んで「共鳴箱」が作動することにもなりかねない。それは、「選別」される対象とされた疾病や障害を持ちつつ今を生きている当事者や家族にとっては、自らの存在を痛烈に否定されることに等しい。家族歴や年齢など、様々な要素で「ハイリスク」とされた人たちには壮絶な差別も想定される。

ちなみに、現在、「ターゲット」とされているのは、各種トリソミー、とりわけダウン症だ。しかし、妊婦の血液からは、理論上、胎児の全ゲノムが再現できるので、将来的にはそれらに限った話ではなくなるだろう。そして、すべての人が何らかの遺伝的に不利な要素、古い言葉を使うなら「異常」を持っていることが分かる「ゲノムの時代」だから、ターゲットの遺伝子次第で、誰もが「選別される」側に立ちうる。20世紀中にこの技術が実用化されていれば、先天色覚異常を理由にした妊娠中絶もごく普通に行われ得たのではないだろうか……等々。

大げさな？　と思うだろうか。

これまでの検討を経たあとでは、決して大げさではないと考える。

もう一点、付記すると、本書の第6章でじっくりと見た、感度・特異度・頻度についての理解の浅さが、ＮＩＰＴの議論でも混乱を引き起こしたようだ。この件はメディアも含めてきちんとしなければならないと強く思う。★12

## 連続体《スペクトラム》として捉えること――自閉スペクトラム症について

かつて「異常」と「正常」がくっきり分かれていた色覚異常の病像・障害像が、実は連続しており、多様なものだったというのは、本書で強調したい「発見」の一つだ。実は、色覚異常よりも少し早く、そのような病像・障害像が定着した分野があり、「リンク」を張るべきだと思っている。

それは、自閉症をはじめとする発達障害だ。

自閉症とは、「(1)対人関係の障害、(2)コミュニケーションの障害、(3)パターン化した興味や活動、の3つの特徴をもつ遺伝的要因の強い脳の発達障害」だ(国立精神・神経センター精神保健研究所による解説「ライフステージに応じた自閉症スペクトラム者に対する支援のための手引き」)。

自閉症は、まずは20世紀なかばに知的障害を伴う重い障害として認知されたが、1980年代くらいから、「知的障害を持たない人々の中に、自閉症の症状を持ち、そのために社会生活がうまくいかない」人たちがいることが広く見出されるようになった。「アスペルガー症候群」「非定型自閉症」「特定不能の広汎性発達障害」といった様々な診断カテゴリーが使われたものの、2013年、アメリカ精神医学会が『精神障害の診断・統計マニュアル』第5版(DSM-5)において、「自閉スペクトラム症」(ASD: Autism Spectrum Disorder)として、ひとつながりのものとしたのを一つの契機として、一般にも連続したスペクトラムとして捉えられるようになった。★13

それとほぼ同じ時期（2012年）に、日本の国立精神・神経センター精神保健研究所を中心としたチームは、日本の通常学級に通う2万2500人の児童・生徒を検査し、自閉症傾向の分布と頻度を明らかにしている。

図7-3を見てほしい。横軸には、自閉症の傾向を見る「対人応答性尺度（SRS）」という指標をとっている。大多数は、グラフの左寄りのスコアが低い（自閉症傾向が低い）ところに集まってピークを形作っているが、そこからなだらかに頻度が下がりつつも、自閉症傾向が高い方向にも切れ目なく分布が続く。これは、まさに連続性と多様性の事例だ。また、「閾下」と書かれているのは、診断名はつかないものの支援が必要な「診断閾下」の意味で、

図**7-3**　**全国の小中学校通常学級に在籍する22529人における自閉症症状程度の分布**

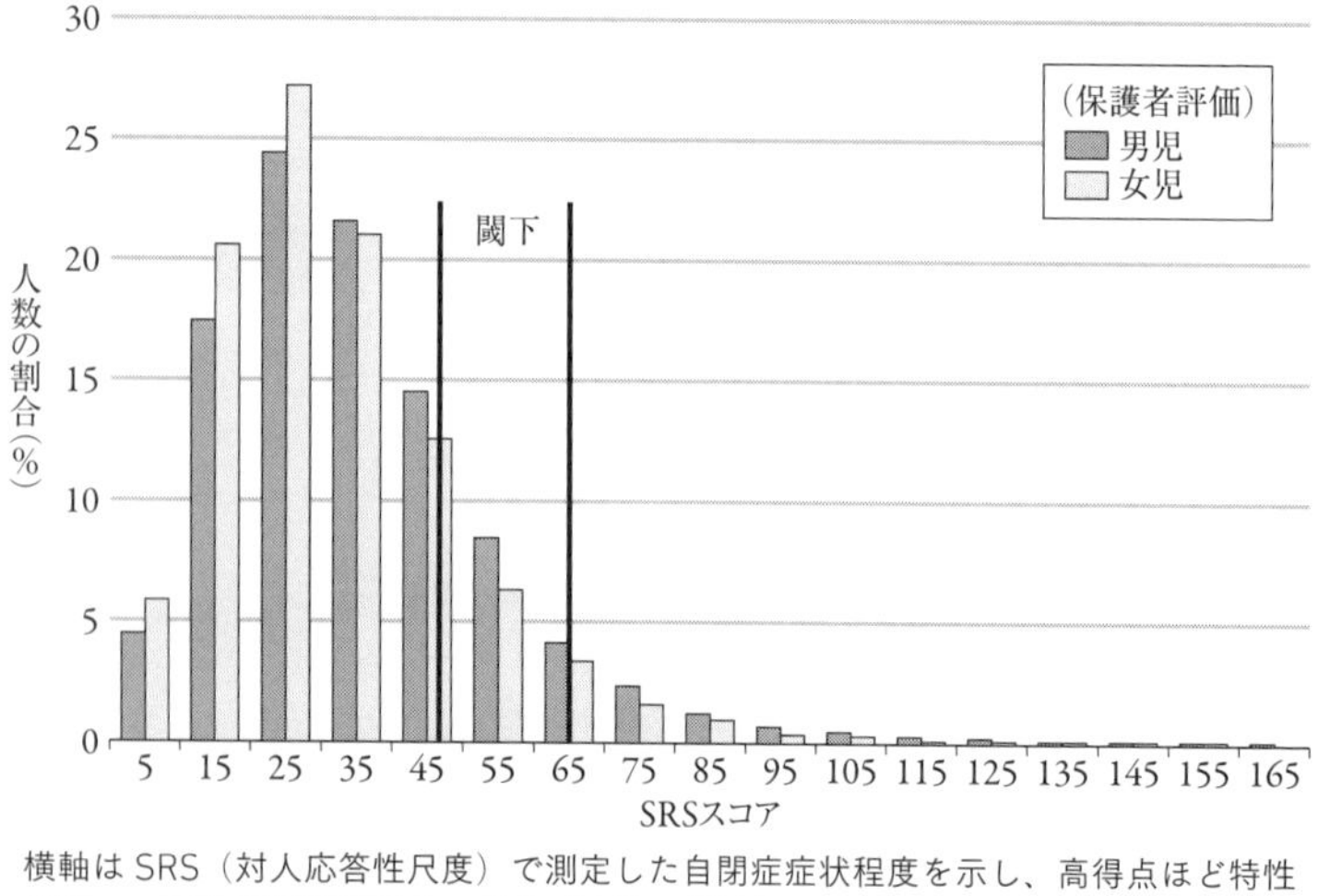


横軸はSRS（対人応答性尺度）で測定した自閉症症状程度を示し、高得点ほど特性が強い。縦軸は児童集団内の頻度（人数の割合）。２本の細い黒いバーの間に「閾下」と書かれている部分が「診断閾下」群。© Yoko Kamio

「グレイゾーン」と呼ばれることもある。これは眼科の診断では見つけられない「軽微な変異3色型」を思わせる。

それにしても、「定型発達」から「非定型発達」まで、かくも見事に連続していることには素直に驚かされる。と同時に、こういった分布に説得力を感じる人も多いのではないだろうか。というのも、自閉スペクトラム症《ASD》や発達障害にかかわる一般書を読むと、定型発達者でも、「これは自分にも当てはまる」と感じられる症状やエピソードが多く見つかるからだ。少なくともぼくは、「ひとつながり」であると大いに納得してしまった。[14]

この調査を主導した神尾陽子（研究の時点では、国立・精神保健センター精神保健研究所児童思春期精神衛生研究部部長。現在は、発達障害クリニック附属発達研究所）と話す機会があった。

神尾は、目下、「診断閾下」の子どもたちに対するアプローチの仕方を練って、社会的な実装に挑んでいるという。さきほど、「診断閾下のＡＳＤ」は、「軽微な変異3色型」を感じさせると書いた。しかし、大きな違いがある。というのも、「軽微な変異3色型」を発見して告知するメリットのエビデンスはまったくないのに対して、診断閾下ＡＳＤの場合は、早期発見と支援が必要とされるエビデンスがすでに多くあるからだ。[15]

神尾が試みている診断閾下ＡＳＤへの対応は、闇雲に医療機関に送り込むのではなく（数が多くてとうてい対応できない）、まずは「一次予防（良い環境づくり）」があって、その上で、「二次予防（早期発見、早期対応）」の段階で学校でのスクリーニングを行うというものだ。その際には、当然だが、スクリーニングを受ける児童・生徒がメリットを享受できるというエビデンスに基づき、それをどのような形で実現させるか、社会実装の部分まで気配りされている。★16

こういった体系立った取り組みは、今後、先天色覚異常への対応を整理する時に大いに参考になるだろう。その一方で、「自閉症」や「発達障害」という言葉のスティグマ性を、かつて「色盲」という言葉が日本で持っていたスティグマ性と考え合わせることで、互いに有益な知見が得られるかもしれないと思う。実際、スペクトラムを前提とした「ディメンショナルなアプローチ」を取った方が、スティグマ性が軽減されることがあるという。★17 今後、日本の眼科でも、「軽いほど危険」ではなく、連続性を強調して「誰もが（「正常」の人も含めて）色を間違い合っているんだよ。でも、大きく食い違いやすい人がいるんだよ」と言ってもらえば、世に残る偏見も薄れていきやすくなるかもしれない。★18

また、このような切り口で、スペクトラムで理解すべき問題を、大学の教員養成課程や、教員研修で伝えることができれば、発達障害も先天色覚異常も、「無理解な教師に傷つけられる」タイプのトラウマを植え付けられるような局面を減らせるのではないかとも思うのだ。取材で知り合った眼科医のうち幾人かは、先天色覚異常についての知識が教員たちに伝わらない（教職課程で教えてもらえない）と嘆いていたが、教室で苦労する子たちをめぐるディメンショナルな理解の一例として教職課程で扱ってもらうのは十分にありうる解決法ではないだろうか。

## だれも「できそこない」ではない

ところで、自閉スペクトラム症の遺伝的な背景については、すでに数百もの遺伝子がかかわっていることが分かっている。その複雑さは、先天色覚異常の比ではない。しかし、それらの絡まり合いがどのような表現型につながるのか、次第に明らかになりつつあるという。

そこで将来、進化メカニズムの視点が加わるとどうなるだろう。これは本書の中で、先天色覚異常について、進化メカニズムの視点を取り入れると違う景色が見えてきたのと同じように、より見通しのよい議論が可能になるかもしれないと期待できる。

自閉スペクトラム症では、すでに当事者団体が、頻度論的な観点から、興味深い主張をしている。例えば、5万人の会員を擁するアメリカ自閉症協会は、神経多様性（Neurodiversity）の概念を唱えて、自らをその多様性の一部として捉えようとしているし、英国自閉症協会はメディアへの提言として、「正常」や「普通」（Normal）ではなく、「神経学的定型」（Neurotypical）という語を使用することを控えめながら推奨している。

そして、やや冗談めかしてではあるが、当事者たちが、自分たちとは違った「定型発達症候群」の人々について、こんなふうに評することがある。

曰く——

〈あの人たちは「社会的に独立するのが難しく、コミュニケーションの手段や創造性に乏しく、活動や興味の幅が狭いという特徴をもっている」「自分に似た人たちでグループを作り、自分と異なる特徴をもつ人たちを排除する」「集団内での地位や立場にこだわったり、そのために他人の足を引っ張ったり、自分たちと異なる人たちを排除したりと、社会には機能的でない、困った面がある〉というふうに（千住淳、『自閉症スペクトラムとは何か——ひとの「関わり」の謎に挑む』ちくま新書、2014年）。

これらはあくまでも視点を変換するジョークなのだが、「わたしたちは、できそこないではない」という強い信念の発露でもある。そして、こういった視点の変換によってほの見える新たな価値感は、背景にある進化メカニズムを理解した上で、それが「異常」でも「変異」でもなく、多型であったり、多様性の一部だと理解することよって、より強固なものになるだろう。そして、そのような道筋をたどる時に、おそらくは、本書の議論とも響き合うものがあると思うのだ。

その際の主旋律は「わたしたちは進化の歴史の中で人類の中にあらわれた、尊重されるべき多様性の一部なのだ」というものになるだろう。これまで強固だったネガティヴな「色覚観」も、そんな中でひとたび解体されて、より健全な理解に至ればよいと願う。

＊

先天色覚異常の問題を追い掛けて、かなり遠くまで来てしまった。

しかし、振り返ってみると、遠くまで、というよりは、あまりにも基本的なことなのに見逃されてきたこと、確認されずにきたことを再発掘し、現時点での科学的知見などに基づいて再評価するうちに、何周も何周も、同じ主題を変奏し深めていったようにも思う。

そこまでして伝える価値があるメッセージとしては——

これからの時代、科学の発展において「わたしたち」はますます深く理解されて、様々な遺伝的な特徴を持った多様な人たちが同じ集団の中にいることが認識されていくだろう。中には、一見、「不利」に見える遺伝的な特徴の持ち主も、たくさん見出されるだろう。本書のテーマである「色覚」も、先天色覚異常として知られてきたものの他に、様々な軸で様々な多様性があるのだと分かった。

みんな自分の持っている資質を総動員して生きているわけで、1つの遺伝的特性の性能のみで全体を語るのには慎重でなければならない。

結局、それにつきる。

先天色覚異常の問題をくぐりぬけた当事者が、色覚に関心を持つ医師が、科学者が、そして、本書をここまで読んでくださった方々が、そんなふうに言い切れる強靭さを持つために、本書が少しでも寄与できればと思う。

★1――『アサヒグラフ』（1994年12月16日号）。のちに『さわやかパイプのけむり』（團伊玖磨、朝日新聞社、1996年）に収録。

★2――「教育用色覚検査表　Color Mate Test」（「色のなかま」テスト）https://www.jcri.jp/JCRI/seihin/other/cmt.htm

★3――「色覚検査に「簡便テスト」「異常」が半減、学校保健学会賞」（2012年1月15日J-CASTニュース）https://www.j-cast.com/2012/01/15118453.html

★4――日本臨床眼科学会の会誌『臨床眼科』に掲載される学会報告「専門別研究会　色覚異常」では、2000年以降、パソコンを使った色覚検査について何度も議論されていることが確認できるものの、実用化されたものはない。時期尚早で頓挫してしまったのだろうか。

★5――この情報はバーバーとの私信による。バーバーによると、CVS（CAD Vision Screener）は、イギリスのみならず、アメリカ、オーストラリア、ロシアなどで検証され、2020年中に公開されるという。WEBベースでの検査も可能になるそうで、コスト的にも非常に安価だという。

★6――経産省のサイト「日本工業規格（JIS）を制定・改正しました（平成30年4月分）～安全色及び安全標識などのJISを改正」　https://www.meti.go.jp/pres/2018/04/20180420006/20180420006.html

★7――CUDOのサイト「色覚型と特徴」を参照。　http://www2.cudo.jp/wp/?page_id=540

★8――『遺伝カウンセリングマニュアル』（南江堂）。1996年の初版、2003年の改訂第2版、2016年の改訂第3版に至るまで、すべての版。

★9――『遺伝カウンセリング　面接の理論と技術』（千代豪昭、医学書院、2000年）

★10――『出生前診断　受ける受けない誰が決めるの？――遺伝相談の歴史に学ぶ』（山中美智子・玉井真理子・坂井律子ほか、生活書院、2017年）など。

★11――マススクリーニングという言葉自体は、健康な人の集団から特定の病気を持った人を見つけだすること、いわゆる集団検診を指し、学校健診での色覚検査や検尿、地域でのがん検診なども該当する。マススクリーニングという言葉が明示的に使われている例としては、「新生児マススクリーニング」がある。「検査の負担が軽く、治療可能で、かつ放置すれば障害を引き起こすような病気」を対象に、日本の新生児ほぼ全員が受けている（日本マススクリーニング学会 http://www.jsms.gr.jp/contents01-01.html）。

★12——松原洋子「日本における新型出生前検査（ＮＩＰＴ）のガバナンス——臨床研究開始まで」（『生存学研究センター報告書［22］』２０１４年）によれば、日本での新型出生前検査の報道は、２０１２年8月29日に、読売新聞が「妊婦血液でダウン症診断　国内5施設　精度99％、来月から」という第一報を一面トップで報じたのを皮切りに、他の報道機関が追従する形で始まった。記事中の「精度」は陽性反応的中度という意味で使われているが、実際には感度のことであり、誤報だ。ただし、情報源となった医師側の理解もあやふやだった可能性が高い。ＮＩＰＴコンソーシアム（新型出生前診断についての情報発信をする団体）の医師も、取材に対して「陽性反応的中度が99％」であると説明し、説明資料にも明記されていた。同年発行の『日本遺伝カウンセリング学会誌』にも同様の記述があったという。

★13——より詳しくは神尾陽子「自閉症概念の変遷と今日の動向」（『児童青年精神医学とその近接領域』50号、２００９年）

★14——Kamio, Y et al. "Quantitative autistic traits ascertained in a national survey of 22 529 Japanese schoolchildren" *Acta Psychiatrica Scandinavica*, 128(1), 2012.

★15——「子どもの心の健康を学校で育て、守る：教育と医療を統合した心の健康支援」（神尾陽子『子どもの健康を育むために——医療と教育のギャップを克服する——』学術会議叢書シリーズ、２０１７年）。

★16——このやり方を先天色覚異常について当てはめるなら、まずは「色のバリアフリー」を徹底した上で、適切に設定したスクリーニングを行う、ということになるだろうか。

★17――『精神医学におけるスペクトラムの思想』（村井俊哉・村松太郎、学樹書院、２０１６年）。従来のカテゴリカルなアプローチから、スペクトラムを前提としたディメンショナル（多元的・連続的）なアプローチへの流れは、精神医学においては一つの潮流になっている。そして、スペクトラムであることが強調されることでスティグマ性がやわらぐことについて、２人の編者の対談の中で「確かにプラスになった面が大きい」と合意する。

★18――差別や偏見を改善するためのソーシャルマーケティングの分野では、21世紀になってから、「カテゴリカルに考える人に、ディメンショナルな世界観を取るように呼びかける」ことが推奨されている。ところが、ある条件下では、ディメンショナルなメッセージが功を奏さないこともある、という論文が２０１９年に発表されていた。本書では、新しい知見として取り上げた「カテゴリカル vsディメンショナル」の議論が、その筋の専門家の間ではすでにかなり深まっていることがほの見える。現状では周回遅れかもしれず、これから追いつく必要がある。
Meyer, J.H et al. "Categorical versus dimensional thinking: improving anti-stigma campaigns by matching health message frames and implicit worldviews" *Journal of the Academy of Marketing Science* volume 48, 2020.

# あとがき

関心をもって資料を集め始めてから5年、取材を開始してから4年、執筆を始めて3年がすぎて、やっと本書をまとめることができた。ほっとしている。

その間、もう終わったことだと思っていた先天色覚異常をめぐる様々な面を掘り下げ、時々、本来、踏み込むべき領分ではないと思えるところまで踏み込まざるをえなくなった。なぜ、こんなことを自分が書いているのかと自問しつつ、しばしば「勇み足」や「領空侵犯」のようなことをしていると思う。特に先天色覚異常の臨床を維持している眼科医のみなさんには、厳しいことを書かざるをえなかった。

実際のところ、色覚の臨床を担っている医師たちは、眼科領域の膨大な知識の上に、さらに色覚異常についての幅広い知識をもって、日々、診療やカウンセリングの実践を積み重ねているわけで、その専門性の高さに、ぼくのようなアマチュアがかなうはずもない。ただ、専門家ではないがゆえに見出しやすかった問題点を伝えたいというのが、本書の批判的な部分の主旨である。

念のため、指摘した問題点・改善点を簡単に繰り返しておく。大きく分けて3点だ。

（1）20世紀を通じて、今に至るまで――一つの検査方法に全幅の信頼を寄せすぎて、その検査結果を「病像」そのものと癒着させてしまったこと（視覚の様々な「性能」の中の一つである「赤─緑の弁別」をことさら重たく見せ、その一方で、測定方法の限界には無批判で「確定診断」の意味すらすり替えたまま、壮大な差別に加担してしまった。その残響が今も響いている）。

（2）1990年代以降──臨床医学が科学的であることを担保する、EBM（根拠に基づいた医療）を取り入れそこねたまま今日に至っていること（それゆえ20世紀型の学校健診での色覚検査を反省することができなかった。また、改善版のスクリーニングを設計できずにいる）。

（3）同じく1990年代以降──各方面で進展した色覚の科学・工学の様々な知識を取り入れそこなっていること（「多様性と連続性」が明らかになる中でも、「正常か異常か」にこだわり続け、例えば「日本遺伝学会」からの用語改訂についての提案にも応答できなかった）。

ぜひこういったことを検証して、今後の方針を考えていただければと思う。「先天色覚異常」の再定義、これまでの検査やスクリーニングの総括と再考、用語の変更、いや概念の置き換えなど、問題などが山積している。これは、狭い専門家集団だけで済むはずがなく、EBMに明るい臨床医学の他分野や、公衆衛生・疫学などの社会医学、色覚の科学の諸分野の専門家の助言を仰ぐことが必要だろう。

今や医療の諸分野には先天色覚異常の当事者も多く、若い世代はEBMを自家薬籠中の物としている。そういった新世代がモチベーションを持って参画してくれるとよいのかもしれない。また、色覚の基礎研究の研究者たちは、本人が当事者ではなくとも、強い関心を寄せていることが多く、大きな味方となってくれるだろう。
　この過程には、医学・科学・工学の分野だけではなく、社会科学、人文科学的な知見が必要となる局面も必ず出てくる。そこには、近年注目されている、ＥＬＳＩ（ethical, legal and social implications）研究、つまり医学・科学・技術研究における「倫理的・法的・社会的な課題」を研究する枠組みを援用できるかもしれない。これは、ヒトの遺伝情報すべてを解読する「ヒトゲノム計画」が１９９０年代に始まった時に、その応答として始まった研究の枠組みで、先天色覚異常についても、どのような倫理的、法的、社会的な課題があり、どんなふうに解決すべきか洗い出して、今日的な観点から議論できるはずだ（「よくわかる！　はじめてのＥＬＳＩ講座」文科省科研費　新学術領域　学術研究支援基盤形成　生命科学連携推進協議会　http://platform.umin.jp/elsi/elsi.html などを参照）
　大いに期待しているし、お手伝いができることがあればぜひ、という意思も表明しておく。

　閑話休題。
　本書の最終的な落とし所は、かつての「不思議な社会」の残響をいかに鎮めて、いかに新しい時代を思い描くかということにつきるわけだけれど、その過程で、取材の多くの時間を、最新の色覚の科学やそれに則した色覚異常の捉え方、つまり「色のふしぎ」を理解することに費やした。これは実に知的好奇心を刺激されるもので、取材と執筆を終えた今、頭の中で大きな部分を占めるのは、そういった楽しい記憶である。

特に、ドイツ・エアラーゲンでの国際色覚学会にて、5日間にわたるすべてのセッションに参加し、研究者たちとディスカッションできたことは、科学者共同体の外側にいる自分にしてみると、様々な意味で得難い体験だった。いきなり訪れたアマチュアを歓迎し、丁寧に接してくれた世界中の研究者に感謝の気持ちでいっぱいだ。実は彼ら彼女らにしてみても、日本においてこじれてしまった色覚問題は、心痛む「不思議な社会」の事例で、その社会から何かを背負ってきたようにも見える取材者に協力するモチベーションがあったのかもしれないと思う。いずれにしても、ここから始まった探求の中で、ぼくは何度も価値観の更新を迫られるような衝撃を受けることになる。

しかし、実を言うと、今回、取材を通じて受けた最大の衝撃は、思いがけず「あなたは色覚正常です」と診断を受けたことだった。小学生の時以来、半世紀近く「自分は先天色覚異常」と信じてきたので、この突然の告知は「はたして自分とは何者なのか」という問いにもつながっていった（もっとも、それ以降、研究室レベルでの眼科的ではない色覚検査を何度も受ける機会があり、今では先天色覚異常の方が自分はしっくりくると考えていることを申し添えておく）。

今、本書を終えるにあたって、つくづく思う。

自分が「異常者」と呼ばれるのはすごく嫌だが、だからといって「正常」に分類されたいわけでもない、と。

正常と異常の境界が溶けてしまった連続的な「色覚スペクトラム」、あるいは「色覚多様性マップ」の中に、「自分はこのあたり」と居場所を見つけられれば、それでよい。

ぼくはこのようにある。生まれ持った色覚は優れてもいなければ、劣ってもいない。

この主語を、「ぼく」から「あなた」へ、あるいは「わたしたち」「彼ら・彼女ら」に置き換えてみよう。そして、「色覚」を、別の資質、特に遺伝的な資質に置き換えてみよう。

ほうっておけば、「誰もが異常」になってしまう21世紀の世界で、ぼくたちは「多様で連続的なもの」を意識してやっていきたい。様々な頻度で、様々な特徴が分布する中で、自分たちがその分布の中の一部であり、進化の歴史の中で培われてきたものであることを寿ごう。

先天色覚異常をめぐって前世紀から続く歴史的な経緯と、今新たに始まっている議論は、まさにそういった「我々の我々たる所以」を受け止めることにつながっているはずなのだから。

## 謝辞など

本書の取材では、次に挙げる方々に取材に応じていたき、協力をしていただいた（以下、敬称略）。

眼科領域では、柏井真理子（日本眼科医会常任理事）、澤充（一新会理事長）、高柳泰世（本郷眼科・神経内科）、田中寧（田中眼科）、中村かおる（東京女子医大）、宮浦徹（日本眼科医会学校保健委員会）に

取材の時間を取っていただいた。特に、宮浦、柏井、中村、高柳の4氏には長時間にわたり話をうかがった。名前を挙げない前提で話を聞いた数名の眼科医もいた。また、色覚検査の現場を知る視能訓練士の金井塚豊美（田中眼科）にも別の面からの助言をいただいた。

色覚と進化、遺伝にまつわる科学については、河村正二（東京大学）の研究を中心に、小林武彦（東京大学、日本遺伝学会）、齋藤慈子（上智大学）、早川卓志（北海道大学）の視野の広い所見を伺うことができた。とりわけ河村の研究との出会いは、色覚をめぐる取材を始めるきっかけとなるもので、その後の議論も本書の根幹となる部分を与えてくれた。感謝にたえない。

色覚の基礎研究については、まずは、栗木一郎（東北大学）に感謝しなければならない。「目に入った光が色になるまで」についての簡潔な説明を、自らの研究内容を要所で交えながら語りうるという意味で、得難い協力をいただいた。また、色覚理論に様々な面について「知恵袋」的に相談に乗っていただいた。2017年、ドイツ・エアラーゲンの国際色覚学会で出会った内川惠二（神奈川工科大学・東京工業大学名誉教授）、鯉田孝和（豊橋技術科学大学）、坂田勝亮（女子美術大学）、篠森敬三（高知工科大学）、矢口博久（千葉大学名誉教授）、溝上陽子（千葉大学）、2018年の日本色彩学会色覚研究会の基調講演に招かれた際に知遇を得た市原恭代（工学院大学）、坂本隆（産業技術総合研究所）らとのやりとりを通じて考えを深めることができた。川端康弘（北海道大学）は、アマチュアにはとっつきにくい「時空間統合特性による時空間解像度の推測」について解説してくださった。

取材を始めた時点で最良の「教科書」だと感じられた『細胞工学』の連載「色覚の多様性と色覚バリアフリーなプレゼンテーション（全3回）」（21巻7-9号、2002年）の著者である岡部正隆（東京慈恵会医科大学）、伊藤啓（東京大学）にも、執筆初期に助言をいただいた。

公衆衛生学、疫学的な議論、特にスクリーニングについては、中澤港（神戸大学）の講義資料を参照しつつチェックもしていただいた。

国外の研究者としては、まずはJan Kremers（University of Erlangen-Nuremberg）とJohn D Mollon（Cambridge University）の名を挙げたい。２０１７年のＩＣＶＳへの特別参加を許可してくださり、常に気にかけてくださった。のちにケンブリッジ大学を訪ねた際、Mollonはまるで「ハリー・ポッター」のダンブルドア校長の部屋のような寮内の自室でディスカッションに応じてくれ、本書の探究の方向性を決める助言をくださった。

さらに、John Barbur（City, University of London）、Marisa Rodriguez-Carmona（City, University of London）、Mark Winterbotom（USAF School of Aerospace Medicine）からは、ＣＡＤやＣＣＴといった新世代の検査機器についてじっくりと説明していただいた。Greg Wallace（Massachusetts College of Art and Design）には、20世紀はじめの表色系や色覚検査についての資料を見せていただいた。また、会うことは結局かなわなかったけれど、要所で鍵となる研究を届けてくれたJennifer Birch（City, University of London）にも感謝の念を表したい。

株式会社コーナン・メディカルの根本佳朗、高宗栄次、土田重一の3氏には、CCT-HDのデモの手配や、資料の入手などでお世話になった。

日本の当事者団体としては、荒伸直（日本色覚差別撤廃の会）、矢野喜正（色覚問題研究グループぱすてる）、伊賀公一、田中陽介（ともにカラーユニバーサルデザイン機構）は、会のミーティングなどを通じて意見交換に応じていただいたり、助言をいただいたりした。

色覚の話だけでは終われなかった本書の旅で、神尾陽子（発達障害クリニック附属発達研究所）には自閉スペクトラム症との「リンク」について、武田美亜（青山学院女子短期大学）には「先天色覚異常の当事者がしばしば陥る心理状態」についてディスカッションに応じていただいた。

2010年代以降の同時代の色覚論として、徳川直人（東北大学）、馬場靖人（早稲田大学）、森谷亮太（小樽商科大学）の3氏の議論には常に刺激を受けた。徳川は、2020年4月の緊急事態宣言下で国立国会図書館が閉まっている中、終章で言及した論文のコピーを送ってくださった。

本書の直接のきっかけの一つである2016年の『ナショナル・ジオグラフィック』ウェブサ

イトでの連載から、期せずして多くの編集者の目を折々に通しつつ原稿が成長していく面白い経験をすることになった。齋藤海仁（日経ナショナルジオグラフィック）、足立真穂（新潮社）、福島奈美子（夜間飛行）、石島裕之（筑摩書房）に感謝する。また、本書の草稿のかなりの部分を、メールマガジン「川端裕人の秘密基地からハッシン！」（https://yakan-hiko.com/kawabata.html）に掲載して、メルマガ読者に目を通してもらった。

以上のような方々の力を借りて本書は書かれたものの、論旨は必ずしも助言者の意見と一致するわけではない。また、本書の中に残っているであろう勘違いやミスリーディングな部分は、著者の責任である。

本当にみなさん、ありがとうございました。やっと形にすることができました。

２０２０年９月

川端裕人

補遺

# ヒトの4割は「隠れ色覚異常」という話

## ヒトの色覚の様々なタイプができるメカニズム——不等交叉をめぐって

第3章で東京大学の河村正二が、ヒトの「正常色覚」の中に「軽微な変異3色型」が4割いるとした論拠について解説する。

まず、ヒトの先天色覚異常が生まれる基本的な遺伝メカニズムは、「遺伝子の非相同組み換え」（不等交叉）だ。LオプシンとMオプシンの類似性が高く、不等交叉による組み換えが起こりやすく、その際、組み換えの位置によって、様々なパターンの組み合わせができたり、遺伝子自体が融合したハイブリッド遺伝子ができたりする、というのがポイントだ。

不等交叉は、生物が生殖を通じて遺伝的な多様性を確保する源のひとつだと言われているもので、ヒトの色覚の多様性にも、そのメカニズムが関わっている。

では、具体的に、どういうことか。

まず前提として——

Lオプシンとオプシンの遺伝子は、遺伝子が読まれる向きでいう「上流」(図8−1では左)から「下流」(同、右)に向けて並んでいる。だから図では、遺伝子を矢印で表す。これがそのまま上流から下流への流れを示していると思ってほしい。

実際のヒトのLオプシンとMオプシンの遺伝子は、L、Mと続いた後に、さらにMがいくつか続く場合が多いのだが、上流から2つ目までが発現する仕組みになっているので[★1]、とりあえずは、最上流のLとMだけを描いておく。

LオプシンとMオプシンの遺伝子は、とても似ていて96%が同じだ。ともに364個のアミノ酸からなり、それらの中で違っているのは15カ所だけである。

さて、これらの遺伝子は、卵や精子など配偶子を作る時に交叉して組み換わり、新たな遺伝子の組み合わせを持ったものになることがある。そして、組み換えの場所次第で、様々なバリエーションが生じる。

LオプシンとMオプシンが並んでいるところ(Xq28と呼ばれる)で、組み換えが起きた時にどんなふうになるのか、いくつかのパターンに分けて見てみよう。

図8-1

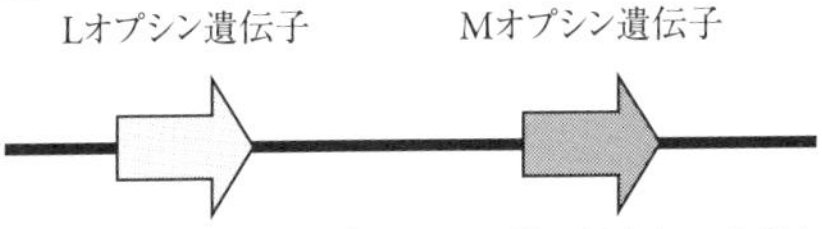


オプシン遺伝子は上流がL、下流がMという順に並んでいる。© Shoji Kawamura を改変。

## 相同組み換えの場合

まずは、図8-2のように、LとMの間できれいに組み換わる場合がある。この場合は、結果的にLとMの並びは変わらず、この部分については、組み換わった前でも後でも同じだ。こういう場合は、「相同組み換え」という。結果としては、上流から順にLとMが並ぶわけだから、そのままともに3色型、眼科的な言葉で言えば「正常色覚」の配偶子になる。

## 不等交叉の場合

一方で、組み換えの位置がずれる場合があり、それが非相同組み換え（不等交叉）だ。

これには様々なパターンがありうる。図8-3に描いたパターンAとパターンBは、それぞれ、斜線の部分で組み換わった場合にできる配偶子において、L、Mオプシン遺

図8-2　相同組み換えの場合

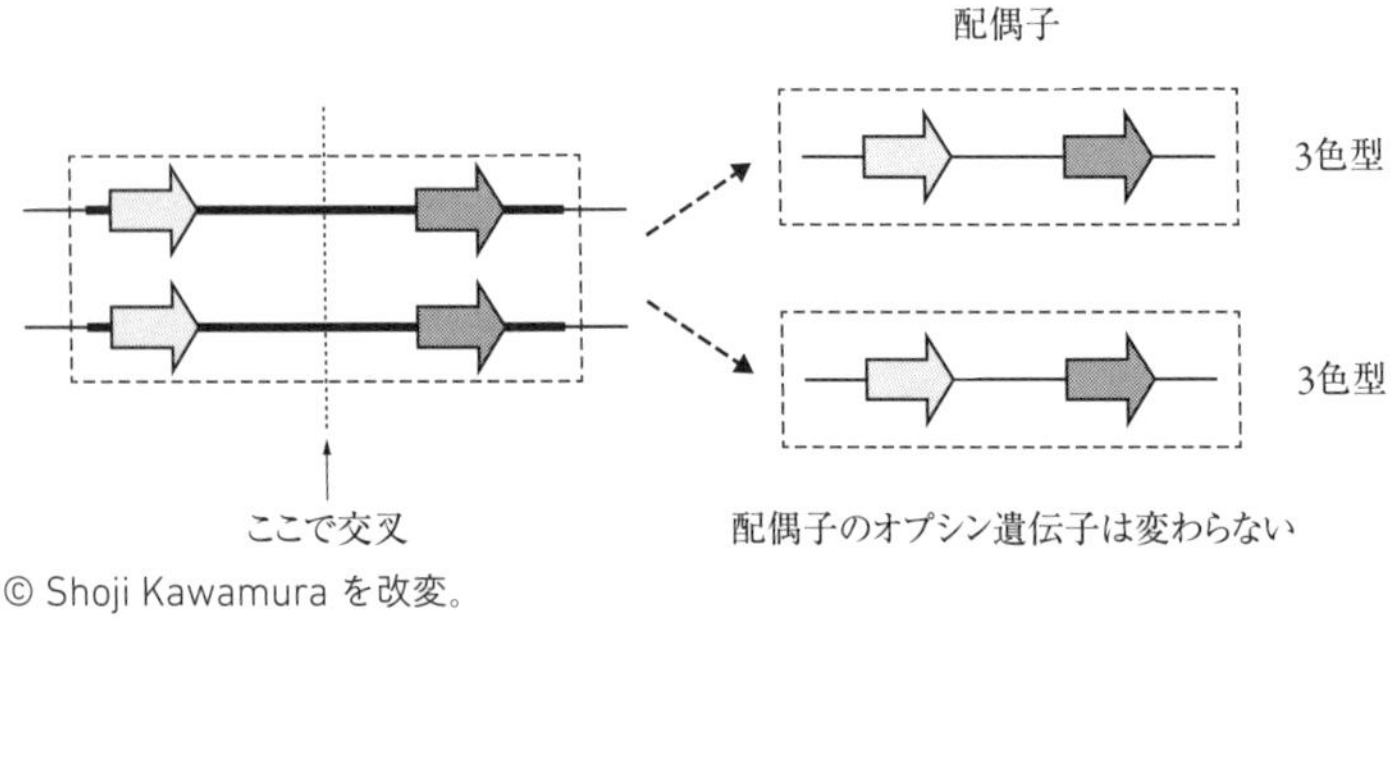


© Shoji Kawamura を改変。

伝子がどんな並びになるかを示している。

　これらの場合、できる配偶子のパターンは4種類だ。（1）はLオプシン遺伝子が欠失、（2）はLが重複、（3）はMオプシン遺伝子が欠失、（4）Mが重複となる。

　このうち（1）L欠失と（3）M欠失になった配偶子が男性に伝われば、別の染色体に載っているSオプシン遺伝子と合わせて、「MとS」「LとS」いずれかの組み合わせのオプシンが発現する2色型になる。それだけでなく、（2）Lが重複した場合も、最上流から2つの遺伝子がLとLになり、Mは発現しないのだから、やはり2色型だ。一方、（4）Mが重複した場合は、最上流にはLが残っており、その次にあるMの遺伝子も読まれるので3色型になる。

### 融合遺伝子ができる

　さて、今、見たパターンは、うまい具合に遺伝子の外側で交叉して、遺伝子そのものはオリジナルのまま保存された場

図8-3　組み換えの位置が遺伝子の外部の場合

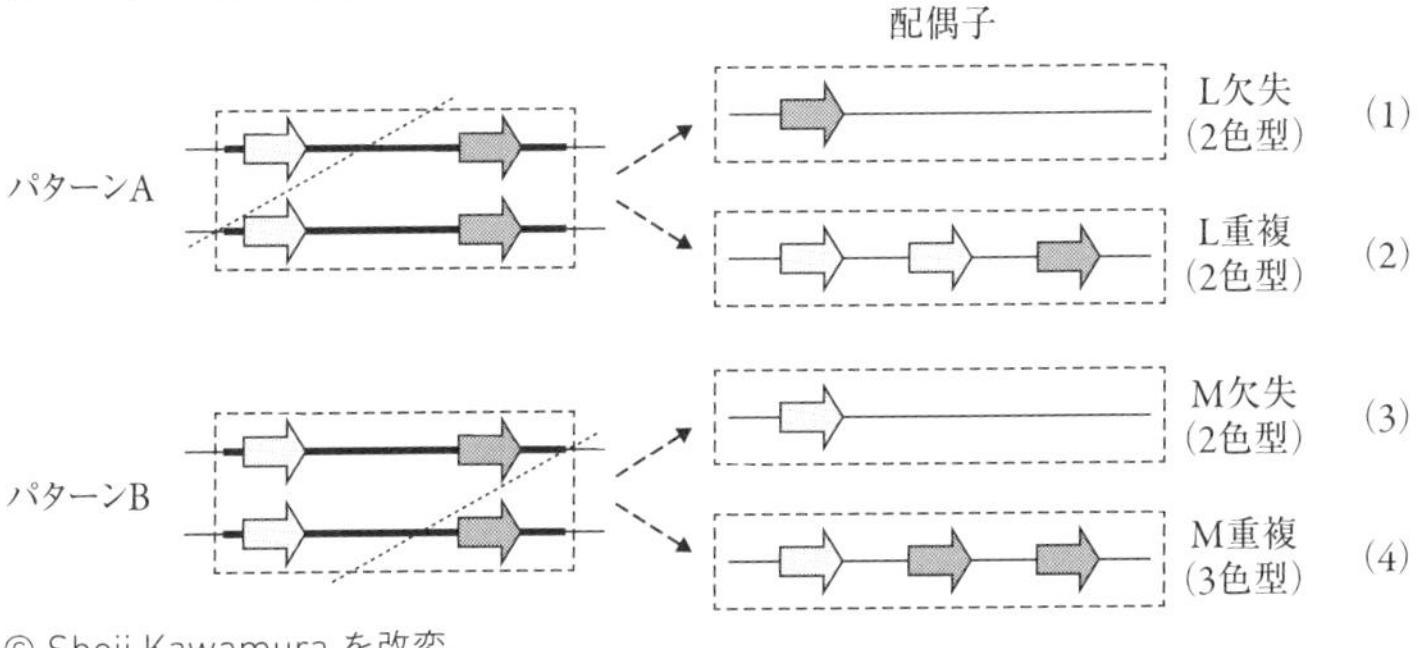


© Shoji Kawamura を改変。

合だ。でも、常に遺伝子の外側で交叉するわけではなく、図8-4のように遺伝子の内部で組み換わる場合もある。この場合、LとMのオプシン遺伝子が途中で組み換わった融合遺伝子（ハイブリッドオプシン遺伝子）ができることになる。その際、L-M融合遺伝子が1つだけポツンと孤立してしまう（5）の場合は、やはり2色型になる。また、L-M融合遺伝子が、ほかのL、Mオプシン遺伝子と共存する（6）の場合は、変異3色型になる。

変異3色型は、眼科的な言葉で言うならば、「異常3色覚」だと思われるだろう。しかし、実際のところは、L-M融合遺伝子がどこで組み換わったか、もうひとつのオプシンがどんなタイプのものかによって、様々な種類のものがありうる。そのうち、眼科的に異常3色覚として検出できるものを、河村は「明確な変異3色型」と呼び、眼科的には検出できないものを「軽微な変異3色型」と呼んだ。

なお、こういった組み換えの結果は、一度起きると子孫に伝えられていく。今、そういった遺伝子を持っている人たちは、親の代でこの組み換えが起きて自分に伝わったこともあり得るが、もっと前の段階でできた組み換えの結果が代々伝わっている場合が多い。いずれにしても、ヒ

**図8-4　組み換えの位置が遺伝子の内部の場合**

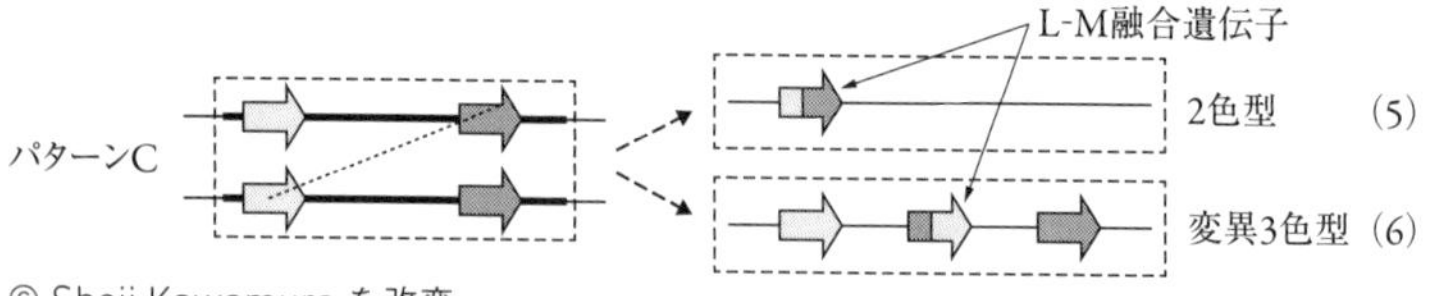


© Shoji Kawamura を改変。

トは歴史の中で、こういった組み換えを何度も起こして、それらを淘汰せずに後世に伝えてきたというのが大切なポイントだ。

## L-M融合遺伝子の大きなバリエーション

それでは、L-M融合遺伝子の違いで、「明確な変異3色型」と「軽微な変異3色型」ができるメカニズムはどうなっているのだろうか。これは、眼科の検査では把握できない「隠れ色覚異常」ができるメカニズムでもあって、理解するにはオプシン遺伝子の中身まで見ていく必要がある。

ヒトのLオプシンとMオプシンの遺伝子は、非常によく似ており、ともに364個のアミノ酸からなると前に述べた。それが、6つの「エクソン」と呼ばれる塊に分かれており、エクソンとエクソンの間は「イントロン」と呼ばれる部分がつないでいる（次ページの図8-5）。実は、エクソンよりもイントロンの方がずっと長いので、不等交叉が起きる時には、このイントロンの部分で起きることが多い。

すると、LとMが融合した遺伝子には、M由来のエクソン1とL由来のエクソン2〜6、M由来のエクソン1、2とL由来のエクソン3〜6……といったふうな様々な組み合わせがありうる。そして、その際にできる融合オプシンの性質は、その組み合わせによって変わっていく（ここから2ページほどの説明については、344ページの図8-6を適宜、確認してほしい）。

特に大きく効いてくるのはエクソン5で、エクソン5にある277番目と285番目のアミノ酸サイトが変わると吸光特性も大きく変わることが知られている。また、エクソン3にある180番のアミノ酸サイトも、吸光特性に効いてくる。だから、エクソン5が組み換わると視物質の性質がかなり変わり、エクソン3でも少し変わる。もっとも、エクソン2とエクソン4も全体として効果を出すので、組み換わる場所が変わると、少しずつ吸光特性が変わっていくことになる。

ちなみに、オプシンの吸光特性が変わると言った時、ここでは吸光ピーク（最大吸光波長）が変わると読み替えてよい。オリジナルのL錐体とM錐体の吸光ピークの違いは30ナノメートルくらいあるのだけれど（33ページの図0-3を参照）、一つのエクソンが置き換わるたびにその幅が「寄っていく」（狭まっていく）。特に一番影響が大きいエクソン5がかかわる場合には一気に25ナノメートルくらい動く。一方で、エクソン3が置き換わる場合には、数ナノ

**図8-5　L-M融合オプシン遺伝子の概念図**

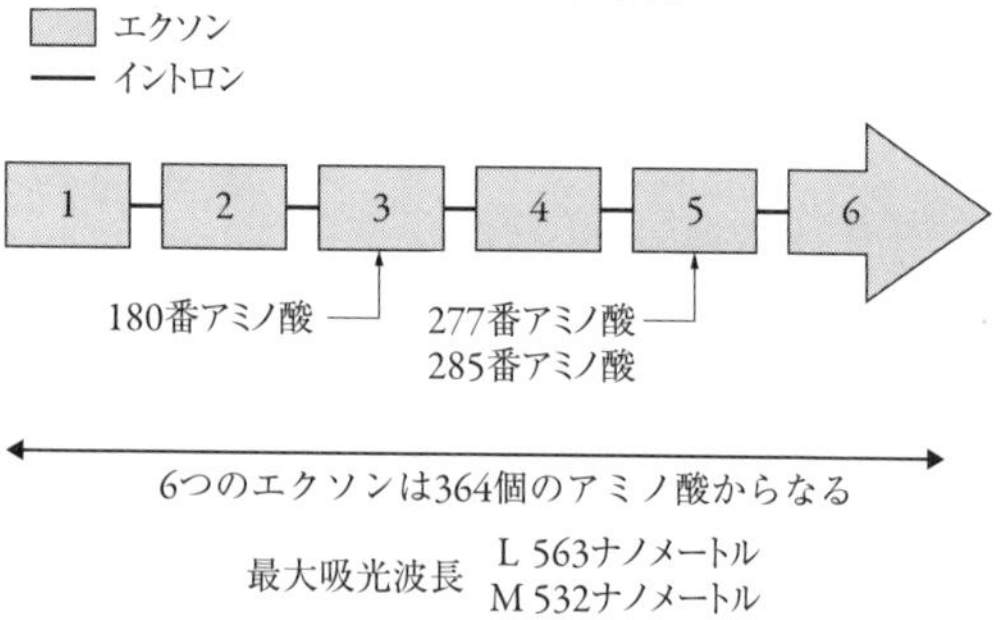


実際にはイントロンの方がずっと長いが、作図上、短く描いていることに留意。

メートルにとどまる。

我々は、LオプシンとMオプシンの吸光特性の違いを、色を識別するために使っているわけで、その違いが小さくなっていくと、赤―緑軸の弁別能力が落ちていく。そして、同じになったら、つまり2色型（2色覚）ということだ。

図8―6（次ページ）にまとめたのは、L―M融合遺伝子の組み換えの位置によってどれだけ最大吸光波長が変わっていくか、そのすべての組み合わせだ（2つの研究からの数字を引いている）[★2]。ぜひ、ひとつひとつ数字を追って、その変化を鑑賞してみてほしい。エクソン5ではやはり大きく変化するし、エクソン3でも少し変わる。いや、それだけでなく、他のエクソンでも変化がある部分がいくつも見られる。1990年代前半の研究で、こういったことがすべて明らかになっていたというのは感慨深い。日本でも90年代後半に書かれた書籍、例えば、村上元彦『どうしてものは見えるのか』（岩波新書、1995年）や太田安雄・清水金郎『色覚と色覚異常』（金原出版、1999年）にはすでに紹介されている。

## 「明確な」と「軽微な」の違いの由来

では、河村が、「軽微な変異3色型も含めると40％」と言うのはなぜだろう。

河村が論拠として見せてくれたのは、シアトルのワシントン大学のチームによる1993年の

図**8-6**　**L-M融合オプシンの吸光特性**

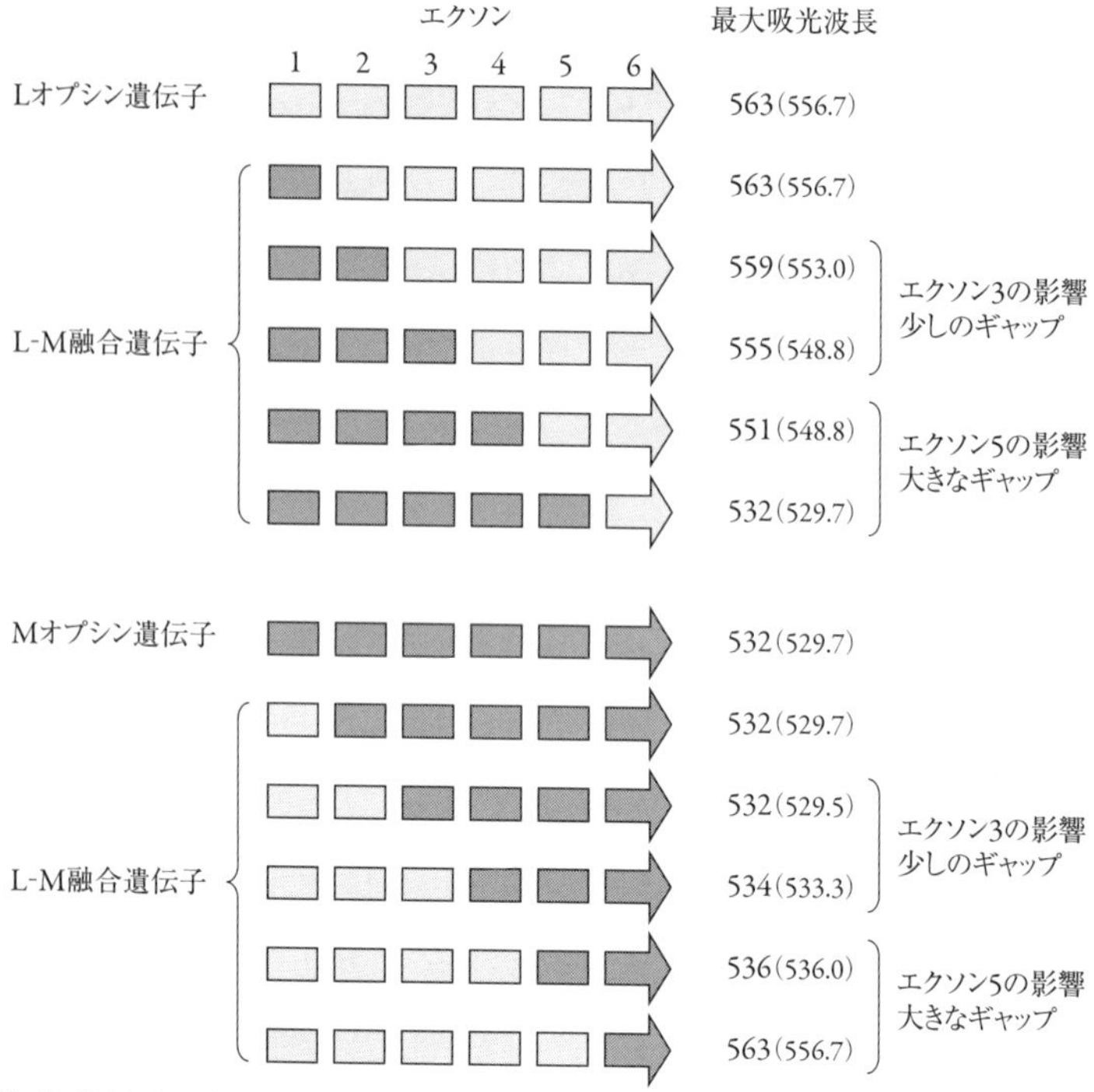


数字はMerbs, S.L., et al.: *Science*（1992）より、括弧内はAsenjo, A.B., et al.: *Neuron*（1994）より作成。

論文だった。[★3]それは、エクソン3にある180番目のアミノ酸に着目して、「正常色覚者」を調べたものだった。通常、Lオプシン遺伝子の180番目のアミノ酸はセリン、Mオプシン遺伝子ではアラニンだ。しかし、不等交叉が起きるとこの部分が入れ替わることがある。そして、「正常色覚者」の中のL遺伝子の38%において、この部分がアラニンに変わっていた。一方、M遺伝子の方は6%が、逆にセリンに変わっていた。それで河村は「足し合わせると44%ですが、保守的に考えて、まあ40%」と言うのだった。

図8-6をあらためて見ていただきたい。

エクソン5が組み換わると、オリジナルのLオプシンやMオプシンからかなり離れた特性を持つことになり、この場合は「明確な変異3色型」になりやすいと思われる。

一方で、エクソン3では小さな違いしか出ないので、その時にセットになっているもう一つのオプシンとの兼ね合いによっては「明確な変異3色型」になることもあるかもしれないし、「軽微な変異3色型」にとどまることもあるだろう。ワシントン大学の研究では、「正常色覚者」（眼科的には色覚正常な人たち）の4割が、「エクソン3が組み換わった人たち」であったことが分かり、つまりは「隠れ色覚異常」ともいえる、「軽微な変異3色型」が高頻度に存在していることが明らかになったのだった。

ワシントン大学の研究の後、日本の集団でもこれらの多型が同じように存在することが確かめられ、1998年、日本眼科学会で報告された。これは日本眼科学会の「宿題研究」として、当時、色覚メカニズムの分子生物学的な研究において日本での最先端を走っていた慈恵会医科大学の北原健二（1941-2008）に委託されたものだ。その結果、Lオプシン遺伝子の180番アミノ酸が入れ替わっている場合が22％、Mオプシン遺伝子の場合は10％で、合わせて32％だと分かった（図8-7）。北米よりもやや頻度が低いものの、やはり驚くべき高頻度には違いない。★4（本書の中では、国際的な論文誌に発表されて、よく知られているワシントン大学の数字を採用して説明してきた）。

図8-7　エクソン3にある180番アミノ酸の多型性

| | 北米の研究（Winderickxら） | 日本の研究（北原ら） |
|---|---|---|
| L遺伝子の180番アミノ酸 | セリン　62%<br>アラニン*　38% | セリン　78%<br>アラニン*　22% |
| M遺伝子の180番アミノ酸 | アラニン　94%<br>セリン*　6% | アラニン　90%<br>セリン*　10% |

＊を付したものが「変異型」。

## 「正常か異常か」ではなく「連続的で多様な」色覚像へ

以上、第3章で河村が「軽微な異常3色型」と表現したものについて紙幅をとって解説した。

これは1990年代のうちに日本でも知られており、日本の集団での研究も行われていたにもかかわらず、その後、眼科の先天色覚異常の診断にかかわる世界には影響がなかったように見える。この件について意見交換することができた眼科医は、「だって、検査しても分からないですからね」と述べていた。

しかし、2020年現在、そこまで検出できる（検出できているように見える）簡単な検査法が現れて（第5章）、様々な科学の諸分野でも「多様性と連続性」を示唆する知見が積み重なっている（第3章、第4章）のだから、そろそろ本格的に科学的知見を反映させる時が来ているのではないだろうか。その際、「さらなる異常が検出できるのだから、「異常者」をさらにあぶり出そう！」となるのではなく、「正常か異常か」の二分法を脱して、色覚異常という概念そのものを色覚多様性概念の中に拡張して置き換えることが、知的に誠実で、かつ、この世界に生きるすべての当事者（かつて正常と呼ばれた人、異常と呼ばれた人を含む）にとっての幸せにつながるのではないか。

もちろん、検出して助言を与えることで生活が楽になったり、就業上有利になる人がいるなら、そういう人たちに対しては、「最良の科学的根拠（エビデンス）を、良心的に、明示的に、思慮深く活用する」というEBMの精神にのっとって働きかけてほしい（第6章）というのが、本書における大きな提案の一つである。

★1——慈恵会医科大学の林孝彰らによる研究で1999年Nature Geneticsに発表。Hayashi, T., et al. "Position of a 'green-red' hybrid gene in the visual pigment array determines colour-vision phenotype" *Nature Genetics* vol.22, 1999.

★2——Merbs and Nathans "Absorption spectra of the hybrid pigments responsible for anomalous color vision" *Science* 1992: vol. 258(5081), 1992. とAsenjo A.B., et al. "Molecular determinants of human red/green color discrimination" *Neuron* vol.(5), 1994.

★3——ワシントン大学のWinderickxらによる論文。Winderickx, J., Batrlsti, L., Hlbiya, Y., Motulsky, A.G. & Deeb, S.S. "Haplotype diversity in the human red and green opsin genes: evidence for frequent sequence exchange in exon 3". *Human Molecular Genetics*, vol.2(9), 1993. 1993年の段階でここまで分かっていたことに驚きを禁じえない。

★4——「第102回日本眼科学会総会　宿題報告II　視覚における情報処理機構：色覚の個人差と分子生物学」（北原健二『日本眼科学会雑誌』102巻12号、1998年）

川端裕人（かわばた・ひろと）

1964年兵庫県生まれ。千葉県育ち。文筆家。東京大学教養学部卒業。ノンフィクションの著作として、科学ジャーナリスト賞、講談社科学出版賞を受賞した『我々はなぜ我々だけなのか』（講談社ブルーバックス）のほか、『動物園から未来を変える　ニューヨーク・ブロンクス動物園の展示デザイン』（共著、亜紀書房）、『宇宙の始まり、そして終わり』（共著、日経プレミアシリーズ）、『「研究室」に行ってみた。』（ちくまプリマー新書）など。小説には『夏のロケット』（文春文庫）、『銀河のワールドカップ』『エピデミック』（集英社文庫）、『川の名前』『青い海の宇宙港』（ハヤカワ文庫JA）などがある。

# 「色《いろ》のふしぎ」と不思議《ふしぎ》な社会《しゃかい》
## 2020年代《ねんだい》の「色覚《しきかく》」原論《げんろん》

2020年10月25日　初版第1刷発行
2023年 4月10日　初版第5刷発行

著　者　川端裕人

装　丁　松田行正＋杉本聖士

発行者　喜入冬子

発行所　株式会社筑摩書房
〒111-8755　東京都台東区蔵前2-5-3
電話番号 03-5687-2601（代表）

印刷・製本　三松堂印刷株式会社


ISBN978-4-480-86091-0　C0095